FRANZ KAFKA

et les

LETTRES FRANÇAISES

(1928·1955)

Dissertation
zur Erlangung der Würde
eines Doktors der Philosophie
der Philosophisch-Historischen Fakultät
der Universität Basel
vorgelegt
von

Martha Goth
von Basel

LIBRAIRIE JOSÉ CORTI

1956

FRANZ KAFKA
ET LES LETTRES FRANÇAISES

Dépôt légal : 1ᵉʳ trimestre 1957

FRANZ KAFKA

et les

LETTRES FRANÇAISES

(1928 - 1955)

*Dissertation
zur Erlangung der Würde
eines Doktors der Philosophie
der Philosophisch-Historischen Fakultät
der Universität Basel
vorgelegt
von*
Martha Goth
von Basel

LIBRAIRIE JOSÉ CORTI
11, RUE DE MÉDICIS - PARIS
1956

Genehmigt von der Philosophisch-Historischen Fakultät
auf Antrag der Herren Prof. G. Blin und W. Muschg

Basel, den 19. Dezember 1955

Prof. Dr. H. Fuchs
Dekan

Die Arbeit erscheint gleichzeitig im Buchhandel : *Librairie José Corti*, Paris.

A Georges Blin, mon maître,
en témoignage de reconnaissance.

Wer sucht, findet nicht...

Franz KAFKA.

INTRODUCTION

Pour décider du rôle que Kafka a joué et joue dans la pensée française contemporaine, nous nous posons la question de savoir si les auteurs chez lesquels nous découvrons des ressemblances avec Kafka, sont entrés dans des rapports de dépendance directe avec lui, s'il s'est agi pour eux d'une influence proprement dite, ou si ces ressemblances, compte tenu d'un progrès positif de la connaissance de l'œuvre kafkaïenne en France, ne résideraient pas plutôt dans des données spirituelles communes à la conscience du temps. Kafka s'est-il fait en France des disciples, voire des imitateurs, ou a-t-il été, pour certains grands auteurs, un lieu de rencontre ?

Le problème ainsi posé comporte une seconde question : Kafka repart-il comme l'inventeur d'un nouveau mode, d'une nouvelle mode littéraire, a-t-il, à ce titre, fait école au-delà des frontières de l'univers germanique, ou bien la portée de son œuvre a-t-elle été plus profonde, mieux intériorisée l'interrogation qu'elle suscite, s'étant, comme celle d'un Nietzsche ou d'un Dostoïevski, rapportée à une inquiétude fondamentale de l'homme que l'on ne pouvait avoir pour son propre compte nourrie sans devoir la reprendre par rapport à l'univers qu'il a créé ?

La solution du premier problème implique celle du second. *

* Nous pensons devoir au lecteur de lui préciser que le français n'est pas notre langue et que nous ne nous cachons point les reproches auxquels pourra parfois donner lieu notre expression.

CHAPITRE PREMIER

LE SURRÉALISME ET FRANZ KAFKA

> Vous qui ne voyez pas
> Pensez à ceux qui voient.
>
> Papillon surréaliste.

L'école surréaliste, sinon le surréalisme, date de 1924, l'année précisément où meurt Franz Kafka. Il est peu probable qu'entre 1917 et 1924 — années de formation du surréalisme (Breton fait la rencontre d'Apollinaire, de Vaché et de Freud) — l'auteur tchèque ait pu prendre connaissance de ce mouvement littéraire français.

Kafka s'est, en général, peu occupé de littérature française. Dans un émouvant passage de son Journal (1) il cite Pascal en s'étonnant du calme de celui qui joue le rôle de sacrificateur de lui-même. — Une représentation de *Phèdre* à la Comédie Française lors d'un bref séjour à Paris en 1911 ne suscite chez lui que des remarques esthétiques concernant la mise en scène et les acteurs (2). — La lecture de quelques vers de Francis Jammes lui vaut un instant de bonheur, comme il l'écrit le 3 novembre 1914 (3).

---

(1) F. KAFKA : *Tagebücher 1910-23*, S. Fischer Verlag, Frankfurt a. M., 1951, p. 522.
(2) *Ibid.*, pp. 638 sqq.
(3) *Ibid.*, p. 442.

Ces brèves remarques ne manifestent de rapport déci-
sif avec aucun auteur français autre que Flaubert, que
Kafka a beaucoup lu et auquel il se sent apparenté.
L'Education sentimentale a été un de ses livres de chevet.

En 1910, à l'occasion d'une conférence organisée par le
Cercle Français de Prague, Kafka entrevoit le consul
Claudel ; 4 ans plus tard, il assiste à une lecture de
Tête d'Or. Mais il se borne à faire mention de ces faits
sans parler d'une impression que lui aurait causée
l'œuvre de Claudel. Claudel est du reste le seul des
contemporains français que cite Kafka.

Flaubert est l'auteur d'un roman de l'échec par excel-
lence. Ses personnages, en quête de quelque chose
d'inaccessible, se voient sans cesse humiliés par une
Fatalité impénétrable. Flaubert s'apparente à Kafka
par son attitude fondamentale en face de la vie quoique
son but inaccessible ne passe nullement, comme chez
Kafka, dans le domaine des symboles religieux. C'est le
complexe de l'échec qui lie les deux auteurs.

L'école surréaliste, en 1928, date à laquelle paraît le
premier texte de Kafka en France, s'est déjà fixée quant
à sa doctrine et son but. A part la réalisation pratique
qu'à un moment donné Breton veut subordonner à un
mouvement politique, le surréalisme est déjà stabilisé
dans ses éléments. Sa conception s'est donc formée
sans la participation spirituelle de Kafka. Aussi Kafka
ne pourrait-il être cité parmi les précurseurs du surréalisme, comme c'est le cas de Lautréamont, de Sade, de
Freud et de bien d'autres.

Il n'y a donc nulle parenté historique entre le surréalisme et Franz Kafka ; on ne saurait parler ni d'influence
unilatérale ni d'influence réciproque.

Comment alors se fait-il que les surréalistes évoquent
si souvent Kafka ? Pourquoi son nom est-il tant cité et
quelles sont les forces qui attirent vers lui les
surréalistes ?

En 1937, paraît dans le *Minotaure* (4), une étude de
Breton intitulée *Têtes d'orage,* en marge de laquelle

---

(4) *Minotaure*, N° 10, Paris, hiver 1937.

celui-ci présente dans de courtes notes d'introduction
Lichtenberg, Grabbe, Brisset, Roussel, Kafka et Forneret. Il aperçoit en Kafka « l'interrogation capitale de
tous les temps »: Où va-t-on ? A quoi est-on soumis ?
Quelle est la loi ? Et il rapproche Kafka du petit romantique français Alphonse Rabbe dont il cite : « le monde
invisible des réparations solennelles où tout se dévoilera,
s'expliquera. » Kafka crée un univers mystérieux dont
il maintient sciemment le mystère. Il n'y a que le rêve
qui, çà et là, permette une échappée. Breton fait suivre
son étude d'un court récit de Kafka, *Odradek*, illustré
par Max Ernst.

En 1938 Breton publie un recueil de documents
intitulé *Trajectoire du rêve* (5). Dans une note préliminaire, il parle de Freud en attirant l'attention du lecteur
sur le danger que courait le grand psychiatre, d'être
arrêté à Vienne. Vient ensuite une étude d'Albert
Béguin, *Le rêve et la poésie*: le rêve crée une communication avec l'être authentique, avec un « au-delà », et
c'est lui qui dirige l'acte poétique. Suivent des textes de
Dürer, de Jérome Cardan, de Pouchkine, de Forneret,
de Lucas et de Breton qui illustrent cette thèse. Puis
Marcel Lecomte, dans une *Note sur Kafka et le rêve*,
relève l'importance du rêve dans l'œuvre de Kafka. Il cite
le début de *La Métamorphose* où il découvre un jeu qui,
consciemment, prolonge le rêve à l'état de veille. Kafka,
en grande partie, s'expliquerait par le « climat du rêve ».
Des textes oniriques de Péret, d'Eluard, d'Alquié et
d'autres complètent le recueil. Kafka est immergé en
plein surréalisme.

Breton, dans son *Anthologie de l'humour noir* (6),
consacre un chapitre à Kafka en y joignant une photo
de l'auteur tchèque. Nous y reviendrons.

Marcel Lecomte traduit *Le plus proche village* de
Kafka (7) et exprime au cours d'une brève réflexion
l'inquiétude que lui a causée ce petit texte. Dès 1938 il
a publié dans *Mesures* (8) la traduction de *Notes et*

(5) GLM, Paris, 1938. (6) Ed. du Sagittaire, Paris, 1940, 2ᵐᵉ éd., 1950.
(7) *Les Cahiers du Sud*, mars-avril 1945.
(8) *Mesures*, N° 1, 1938.

Méditations de Kafka, en collaboration avec Germain Landier. Sa traduction d'un poème de Kafka, daté du 9 juillet 1915, a paru dans la revue *Mouches à Miel* (9).

La revue surréaliste *Clé* (10) contient également un petit essai sur *Le Château* de Kafka, par G. Henein.

Jean Carrive qui a fait partie du mouvement surréaliste, est un des meilleurs traducteurs et commentateurs de Kafka. Il traduit en 1938 *Un médecin de campagne* (11), suivi d'autres récits de Kafka et, en 1939, la nouvelle *Au bagne* (12), ainsi que *L'Epée* (13). Le récit *Les recherches d'un chien* (14) paraît en 1943. J. Carrive, dans sa préface, insiste sur l'importance du thème de l'oubli dans l'œuvre de Kafka, oubli de Dieu, oubli de la Loi, oubli de Soi. Il souligne également le désir de redécouvrir l'Essentiel, de sortir de l'immanence de l'Absurde et de transcender sa vie. Carrive, à la différence des autres surréalistes, met l'accent sur la signification spirituelle et religieuse des récits de Kafka et non sur l'expression poétique des forces de l'inconscient.

En 1944, paraît sa traduction de *La Muraille de Chine* (15), en 1945 les *Paraboles* (16) ainsi que le premier chapitre du roman *Amerika,* intitulé *Le Soutier* (17) et, en 1948, le récit *Un petit bout de femme* (18). En 1950 il présente, en collaboration avec Alexandre Vialatte, le volume intitulé : *La Muraille de Chine et autres récits* (19).

La revue surréaliste d'Henri Parisot, *Les Quatre Vents,* publie dans son premier numéro un texte de

---

(9) *Mouches à Miel,* N° 2, juin 1938.
(10) *Clé,* N° 2, février 1939.
(11) *Les Cahiers du Sud,* février 1938.
(12) *Les Cahiers du Sud,* décembre 1938.
(13) Impr. de 2 artisans, Paris 1939.
     Extrait de Giration, juillet 1939.
(14) *L'Arbalète,* N° 7, Lyon, été 1943.
(15) Ed. P. Seghers, Villeneuve-lès-Avignon, 1944.
(16) *L'Arbalète,* N° 10, Lyon, printemps 1945.
(17) *Les Cahiers du Sud,* mars-avril 1945.
(18) *Le Cheval de Troie,* N° 6, 1948.
(19) Gallimard, 1950. Collect. « Du monde entier ».

Kafka, *Joséphine la cantatrice ou le peuple des souris* (20) dans la traduction de A. Vialatte.

Parisot a traduit plusieurs textes de Kafka qui ont paru dans les cahiers GLM, souvent ornés d'un frontispice de Max Ernst. — Mario Prassinos, à l'occasion, a également illustré Kafka.

La collection *L'Age d'Or* dirigée par Henri Parisot contient un petit recueil de récits de Jean Ferry (21) inspirés de Franz Kafka. Nous y reviendrons.

Maurice Nadeau, historien du surréalisme, consacre le 21 septembre un article à Kafka dans *Combat*.

Michel Carrouges, autre sympathisant de ce mouvement, est l'auteur d'un livre et de plusieurs études sur Kafka (22).

La Nef publie en 1950 un volume (23) entièrement consacré au surréalisme. Kafka devait tout naturellement y figurer. Marcel Jean dans *Les Quinzaines héraldiques* s'amuse à composer un signe héraldique pour Kafka et M. Carrouges, dans un article intitulé *Signal d'Alarme*, relève les signes mythiques de l'œuvre de Kafka visant « l'insaisissable au-delà » que nul commentateur n'éclaircira jamais. Enfin dans le fascicule baptisé *Le Da Costa Encyclopédique* (24), une parodie d'encyclopédie, les surréalistes se délectent à ridiculiser et à injurier tous les commentateurs et traducteurs de Kafka. —

Le surréalisme trouve son expression la plus parfaite dans son affirmation de la vie en tant que synthèse de la réalité et du merveilleux. Les textes poétiques de *L'Amour fou*, les poèmes d'amour d'Eluard et d'autres, les toiles souvent féeriques des peintres surréalistes sont l'expression de leur désir. Il serait difficile de retrouver Kafka dans cet univers lumineux de la surréalité. Si

---

(20) *Les Quatre Vents*, N° 1, Paris, 1945.
(21) *L'Age d'Or*, Fontaine, Paris, 1946.
(22) Cf. bibliographie.
(23) *Almanach surréaliste du demi-siècle*, La Nef, Ed. du *Sagittaire*, mars 1950.
(24) *Le Da Costa Encyclopédique*, Fascicule VII, Vol. II. Siège social : Cussay par Montreuil (Eure-et-Loire), sans date.

parenté il y a entre le surréalisme et l'auteur du *Procès,*
c'est plutôt du côté de l'ombre qu'il faut la chercher.

Le surréalisme tire son origine de la négation. Vaché,
par son expérience vécue de la négation totale, a été pour
Breton la rencontre décisive avec celles d'Apollinaire et
de Freud. Vaché ne révère que Jarry. Il infirme toute
valeur, tendance que reprennent les surréalistes en abo-
lissant toute notion d'art jusqu'à signer des objets *ready
made.* La négation ne se borne pas seulement au domaine
de l'esthétique, elle est aussi un refus de la structure
politique, sociale et morale du monde de 1918. Le surréalisme se rattache au Dadaïsme en ce qu'il prône la
destruction de toute valeur ; mais il ne s'en tient pas là :
il prétend à un nouvel art de vivre. Dada n'était qu'une
étape de cette expérience qui est celle de la caducité de
l'ordre du monde. La reconstruction devient la conséquence nécessaire de cette dévastation ; l'avenir est libéré
de toute les réminiscences du passé.

Si l'on ne trouve pas chez Kafka cette négation des
valeurs esthétiques, la révolte dans son œuvre se joue
également sur un fond de nihilisme. Pour être plus
silencieuse elle n'en demeure pas moins efficace. L'appareil judiciaire du *Procès* persifle toute prétention
humaine à la connaissance de la justice ; l'administration du village seigneurial vise le non-sens de l'ordre du
monde. Aussi les deux héros s'opposent-ils à l'absurdité
des institutions auxquelles ils ont affaire : ils s'efforcent
de prouver la corruption du tribunal du grenier ou la
contradiction des ordres du Château. Malgré leur doci-
lité apparente, ils refusent de se subordonner à l'ordre
des choses. De même les animaux des récits de Kafka :
tous ses héros sont des révoltés cachés qui ne peuvent
pas accepter leur condition. Leur révolte se manifeste
par cette opposition muette et tenace dont seul Karl
Rossmann, le héros d'*Amerika,* est exempt.

Sans doute une révolte aussi radicale se nourrit-elle
nécessairement de dégoût, de désespoir. Cette tristesse
de l'après-guerre s'exprime surtout dans les premiers
textes surréalistes.

« Prisonniers des gouttes d'eau ». écrivent Breton et Sou-
pault dans *les Champs Magnétiques,* « nous ne sommes que
des animaux perpétuels. Nous courons dans les villes sans
bruits et les affiches enchantées ne nous touchent plus.
A quoi bon ces grands enthousiasmes fragiles, ces sauts
de joies desséchés ? Nous ne savons plus rien que les astres
morts ; nous regardons les visages ; et nous soupirons de
plaisir. Notre bouche est plus sèche que les plages perdues ;
nos yeux tournent sans but, sans espoir. » (25)

Le même être dépersonnalisé erre chez Kafka dans les
rues d'une ville désolée ; même réalité absurde :

Sollte ich nicht vielmehr mit Recht trotzig klagen dür-
fen, dass ich als Schatten ohne rechte Grenze die Häuser
entlang hüpfe, manchmal in den Scheiben der Auslagefenster
verschwindend. Was sind das für Tage, die ich verbringe !
Warum ist alles so schlecht gebaut, so dass bisweilen hohe
Häuser einstürzen, ohne dass man einen äussern Grund
finden könnte. Ich klettere dann über die Schutthaufen und
frage jeden, dem ich begegne : « Wie konnte das nur
geschehen !... » (26)

C'est encore le même personnage qui s'en va entre
deux hautes rangées de maisons sur une toile de Chirico,
effrayante par le contraste dur du clair-obscur.

La ville, les rues, les cafés, les lieux de tous les jours
sont les décors de ce monde désolé. C'est le dégoût de la
réalité présente qui trouve son expression.

Les villes que nous ne voulons plus aimer sont mortes.
Regardez autour de vous ; il n'y a plus que le ciel et ces
grands terrains vagues que nous finissons par détester. (27)

---

(25) Au Sans Pareil, Paris 1920, p. 9.
(26) *Beschreibung eines Kampfes, Gesammelte Schriften,* Bd. V.
Schocken Books, New-York 1946, p. 45.
    N'aurais-je pas, au contraire, le droit de me plaindre avec
    opiniâtreté de ce que je sautille, ombre imprécise, le long
    des maisons me fondant çà et là dans les vitres des devan-
    tures. Quelles journées que les miennes ! Pourquoi tout
    est-il si mal construit : de temps à autre de hautes maisons
    s'écroulent sans qu'on en puisse déterminer la cause.
    Alors je franchis les décombres et j'interroge qui je ren-
    contre : « Comment cela pouvait-il arriver ? »
    (Toutes les traductions des textes cités en allemand ne portant
    pas le nom du traducteur ont été établies par nous.)
(27) *Les Champs Magnétiques,* p. 10.

Même vide chez Kafka :

> so dass merklich noch etwas übrig bleibt, wie es auch
> durch die wichtigen Mauern eines im Innern ausgebrann-
> ten Hauses geschieht. Der Blick wird jetzt kaum gehin-
> dert, man sieht bei Tag durch die grossen Fensterlöcher
> die Wolken des Himmels und bei Nacht Sterne. Aber
> noch sind die Wolken oft von grauen Steinen abgehauen
> und die Sterne bilden unnatürliche Bilder. (28)

Même incohérence des images et des sentiments,
même tendance à se laisser glisser dans une atmosphère
vague de désespoir. Notons toutefois qu'il s'agit ici pour
Kafka de textes du début. *Beschreibung eines Kampfes*
est une de ces premières œuvres écrite en 1902 ou 1903.
On ne trouvera plus ce laisser-aller à l'expression
obscure dans la prose resserrée et sobre des textes plus
tardifs.

A la suite du refus du monde, du sentiment de l'absurdité et du dégoût naît la peur. Elle marque l'ambiance
de la promenade vers la maison du pendu :

> Du côté des terres, la solitude complète, rien qui signa-
> lât l'approche d'un village. Je foulais, d'un air sûrement
> consterné, un tapis de bruyères naines et d'étiques char-
> dons bleus supportant des grappes de colimaçons blancs.
> Ce jour allait-il bientôt finir ! La présence d'une maison
> apparemment inhabitée, à une centaine de mètres sur la
> droite, vint ajouter encore au caractère absurde, injusti-
> fiable d'une évolution comme la nôtre dans un tel décor.
> Cette maison, de construction récente, n'avait rien pour
> elle qui pût consoler l'œil de son isolement. Elle donnait
> sur un assez vaste enclos s'avançant vers la mer et déli-
> mité, me sembla-t-il, par un treillis métallique, ce qui, vu
> la prodigieuse avarice du sol en pareil lieu, me produisit,

---

(28) *Ges. Schriften*, V, p. 49.
  De manière qu'il en reste visiblement quelque chose comme à
  travers les murailles importantes d'une maison brûlée à
  l'intérieur. Le regard, à présent, ne rencontre plus guère
  d'obstacles ; de jour, à travers les béantes ouvertures des
  fenêtres, l'on voit les nuages au ciel et de nuit les étoiles.
  Mais souvent encore les nuages sont déchirés par des pierres
  grises et les étoiles composent de bizarres constellations.

sans que je m'attardasse cependant à l'analyser, un effet lugubre. (29)

Atmosphère opaque où le sentiment de la vanité de toutes choses alterne avec la crainte, avec un « désir panique de rebrousser chemin » (30), de quitter ce lieu sinistre dont l'efficacité maléfique ébranle son âme. — Le même malaise émanant d'un lieu s'empare de K. lorsqu'il cherche vainement le chemin de château :

> Immer erwartete K., dass nun endlich die Strasse zum Schloss einlenken müsse und nur, weil er es erwartete, ging er weiter ; offenbar infolge seiner Müdigkeit zögerte er, die Strasse zu verlassen, auch staunte er über die Länge des Dorfes, das kein Ende nahm, immer wieder die kleinen Häuschen und vereisten Fensterscheiben und Schnee und Menschenleere - endlich riss er sich los von dieser festhaltenden Strasse, ein schmales Gässchen nahm ihn auf, noch tieferer Schnee, das Herausziehen der einsinkenden Füsse war eine schwere Arbeit, Schweiss brach ihm aus, plötzlich stand er still und konnte nicht mehr weiter. (31)

La solitude complète, un sol avare où ne croissent que des bruyères naines ainsi que la maison inhabitée réveillent en Breton un sentiment d'accablement. K. souffre de la même solitude, il s'enfonce désespérément dans une neige hostile.

Les surréalistes, à l'occasion, se réclameront de la tristesse et de l'angoisse particulières au monde de Kafka. Ainsi Eluard dans *L'évidence poétique* :

---

(29) *L'Amour fou*, Gallimard, Collect. Métamorphoses III, 1937, p. 152.
(30) *Ibid.*, p. 153.
(31) *Das Schloss*, Ges. Schriften, IV, p. 21.

K. s'attendait toujours à la voir [la route] obliquer vers le Château, c'était ce seul espoir qui le faisait continuer; il hésitait à lâcher la route, sans doute à cause de sa fatigue, et s'étonnait de la longueur de ce village qui ne prenait jamais de fin : toujours ces petites maisons, ces petites vitres givrées et cette neige et cette absence d'hommes... Finalement il s'arracha à cette route qui le gardait prisonnier et s'engagea dans une ruelle étroite; la neige s'y trouvait encore plus profonde; il éprouvait un mal horrible à décoller ses pieds qui s'enfonçaient, il se sentit ruisselant de sueur et soudain il dut s'arrêter, il ne pouvait plus avancer.

Traduction d'A. Vialatte, Gallimard, 1947, p. 16.

La poésie surréaliste, la poésie de toujours, n'a jamais
obtenu rien d'autre. [que le parfait pessimisme] Ce
sont des vérités sombres qui apparaissent dans l'œuvre de
vrais poètes, mais ce sont des vérités et presque tout le
reste est mensonge. (32)

En ce sens Kafka est évidemment un « vrai poète ».
La tristesse, chez lui, va jusqu'à l'asphyxie. Le monde
de ses récits se restreint toujours plus jusqu'à se refer-
mer sur lui-même. Karl Rossmann est le seul personnage
de Kafka à connaître l'espace. Tous les autres semblent
tourner en rond dans une prison : Josef K. erre dans les
rues de sa ville natale pour, ensuite, aller se perdre dans
les escaliers et les couloirs des immeubles ; il se débat
dans le désordre d'un grenier avant d'aller mourir sur
un chantier délaissé. — K., dans *Le Château*, se meut
dans les ruelles enneigées du village, dans les bureaux de
l'administration du château et dans l'auberge du Pont.
— L'espace de l'action se resserre de plus en plus. Les
couloirs et les bureaux cèdent la place à une chambre
qui enferme de ses quatre murs le célibataire Blumfeld,
puis à la cage du champion du jeûne ou à la barre du
trapéziste. Le héros finalement se dérobe à la lumière
pour s'enfouir dans les couloirs d'un terrier. Le désespoir envahit l'existence. Kafka, comme les surréalistes,
connaît « le désespoir dans ses grandes lignes. Le désespoir n'a pas d'ailes... » (33).

Un autre rapprochement entre les surréalistes et
Kafka pourrait être fait dans le domaine de la folie et de
l'inconscient. On connaît l'importance attachée par le
surréalisme au phénomène de la maladie mentale.
Nerval, déjà, y voit la réalisation vécue d'un au-delà qui,
sans elle, resterait inaccessible. Quant aux surréalistes
ils reconnaissent au monde de la folie la même réalité
qu'à celui des hommes dits normaux. La folie contribue
à la synthèse de la raison et de l'imagination postulée
par Breton dans son premier manifeste. Artaud considère les fous comme les esprits les plus libres et souligne

---

(32) *Donner à voir*, Gallimard. 1939, p. 83.
(33) *Le Revolver à cheveux blancs*, Ed. des Cahiers libres, Paris, 1932.

dans sa *Lettre aux médecins-chefs des asiles de fous* « le caractère parfaitement génial des manifestations de certains fous » (34). La folie est donc une des voies d'accès à la surréalité. Nadja est une de ces âmes privilégiées capables de vivre dans les deux mondes, le réel et le surréel. Elle est comme une voyante qui transmet les messages de l'inconscient à ceux qui vivent dans la réalité. Le domaine de la folie se révèle plus riche que celui de l'état normal. Par le renversement des valeurs et la mise en doute de la validité de notre être logique, la folie acquiert une nouvelle signification.

> Si je puis successivement faire parler par ma propre bouche l'être le plus riche et l'être le plus pauvre du monde, l'aveugle et l'halluciné, l'être le plus craintif et l'être le plus menaçant, comment admettrai-je que cette voix qui est, en définitive, seulement la mienne, me vienne de lieux même provisoirement condamnés, de lieux où il me faut, avec le commun des mortels, désespérer d'avoir accès ? (35)

Le surréaliste est en quelque sorte l'élu qui a trouvé accès à ces « lieux condamnés ». Le fou l'engage à se méfier de la validité absolue de la raison. Son message, mi-lucide, mi-délirant, se rapproche souvent bien plus de la vérité que la parole contrôlée par l'intellect.

Certains personnages de Kafka sont de ces fous clairvoyants qui cherchent à initier leur prochain à une seconde réalité. Ainsi l'interlocuteur du héros de *Description d'un combat*, dans le chapitre *Gespräch mit dem Beter* (36), engage une conversation insensée et profonde à la fois. Avant de parler, il déploie un mouchoir sur une marche de l'escalier et invite son partenaire à s'y asseoir. Lui-même se tient debout devant lui comme une victime qui attend le supplice de l'interrogatoire. Son comportement singulier, ses étranges préparatifs, sa répugnance à parler, tout cela produit un effet mystérieux. L'autre le mesure d'un regard méfiant et déjà il

---

(34) NADEAU : *Documents surréalistes*, Ed. du Seuil, 1948, p. 35.
(35) BRETON et ELUARD : *L'Immaculée Conception*, Ed. surréalistes, Paris, J. Corti, 1930, pp. 28/29.
(36) *Entretien avec l'homme qui prie.*

ne peut s'empêcher de se prononcer au sujet de l'impression que lui fait ce personnage bizarre, impression qui est déjà devenue une certitude : « Ihr seid ein gelungener Tollhäusler, das seid Ihr ! » (37). Sans aucun doute il a affaire à un fou. Il se sent supérieur à lui et lui reproche sa conduite inconvenante à l'église. Mais l'autre le trouble en lui disant : « Aergert Euch nicht — warum sollt Ihr Euch ärgern über Sachen, die Euch nicht angehören » (38). Il s'agit donc de choses qui ne sont pas à la portée de tout le monde. Pourquoi s'en occuper ? Pourquoi ne pas se réjouir de n'avoir pas à s'en soucier ? — Déjà le partenaire pressent une vérité cachée derrière les paroles obscures du fou. Il veut s'en défendre ; c'est bien lui l'être normal qui ne se laissera pas ébranler dans la certitude de sa clairvoyance. Mais il sent l'angoisse monter en lui, il parle beaucoup trop fort pour le petit couloir où ils conversent tous deux. Il n'ose baisser la voix ; il crie sa réponse comme pour lui donner du poids, pour étouffer un doute qui naît en lui. S'adressant à son interlocuteur il lui répète qu'il est un fou, un malade. Il appelle sa maladie « eine Seekrankheit auf festem Lande » (39). C'est bien lui qui a le pied sur la terre ferme tandis que l'autre a perdu la notion de la stabilité de tout ce qui est réel. En parlant de sa maladie il dit encore :

> Deren Wesen ist so, dass Ihr den wahrhaften Namen der Dinge vergessen habt und über sie jetzt in einer Eile zufällige Namen schüttet. Nur schnell, nur schnell ! Aber kaum seid Ihr von ihnen weggelaufen, habt Ihr wieder ihren Namen vergessen. (40)

---

(37) *Ges. Schriften* I, p. 16.
   En vérité, vous êtes un drôle de fou !
(38) *Ibid.*
   Ne vous fâchez pas — pourquoi vous fâcheriez-vous de choses
      qui ne vous concernent pas ?
(39) *Ibid.*
   Un mal de mer sur la terre ferme.
(40) *Ges. Schriften* I, p. 16.
   Sa nature est telle qu'elle vous fait oublier le véritable nom
      des objets et, en toute hâte, vous les pourvoyez de noms
      recueillis au hasard. Vite, aussi vite que possible ! Mais
      dès que vous vous détournez des objets, vous avez encore
      oublié leurs noms.

Le fou doutant de l'identité de toutes choses, le monde privé de son ordre logique, devient une sorte de concept à la dérive. Il dit à son adversaire : « Ich bin froh, dass ich das, was Ihr sagtet, nicht verstanden habe » (41) et en ajoutant : « aber auch Ihr habt merkwürdig gesprochen » (42) il l'attire brusquement de son côté. Comment celui-ci aurait-il pu parler de cette maladie avec une telle perspicacité s'il n'avait lui-même senti et vécu l'état qu'il décrit avec une telle précision ? N'a-t-il pas fait l'expérience de ce mal de mer durant lequel on confond les noms et les choses ? Le partenaire sent vaciller sous lui la terre ferme :

> Ich legte meine Hände auf eine obere Stufe, lehnte mich zurück und fragte in dieser fast unangreifbaren Haltung, welche die letzte Rettung der Ringkämpfer ist : « Ihr habt aber eine lustige Art, Euch zu retten, indem Ihr Eueren Zustand bei den andern voraussetzt ». (43)

Là-dessus le fou prend courage, sûr de sa victoire. Mais non, il ne peut guère présumer son propre état chez les autres ; car la plupart des hommes sont aveugles et se refusent à diriger leur regard au-delà de ce qu'ils appellent le réel. Il faut les forcer à envisager la réalité véritable par des manifestations extraordinaires qui les choquent, tel son propre comportement, tout à l'heure, à l'église.

Le partenaire, maintenant incapable de répondre, regarde le fou « qui se tient en face de lui », l'adversaire qui couronne sa victoire en lui démontrant la relativité de la vie dite réelle :

> Es hat niemals eine Zeit gegeben, in der ich durch mich

---

(41) *Ibid.*
  Je suis content de ne pas avoir compris ce que vous disiez.
(42) *Ibid.*, p. 17.
  Mais vous aussi, vous avez dit des choses étranges.
(43) *Ibid.*
  Je posai mes mains sur une marche supérieure, me penchai en arrière et, dans cette position presque inattaquable, dernier salut des lutteurs, je dis : Vous avez une curieuse manière de vous sauver en prêtant votre propre état aux autres.

selbst von meinem Leben überzeugt war. Ich erfasse näm-
lich die Dinge um mich nur in so hinfälligen Vorstellun-
gen, dass ich immer glaube, die Dinge hätten einmal
gelebt, jetzt aber seien sie versinkend. (44)

Toute chose peut se présenter à nos yeux sous une
fausse apparence qui est cette réalité derrière laquelle la
vérité reste cachée.

Immer, lieber Herr, habe ich eine Lust, die Dinge so zu
sehen, wie sie sich geben müssen, ehe sie sich mir zeigen.
Sie sind da wohl schön und ruhig. (45)

C'est la même crainte de ne vivre que dans l'apparence
qui s'exprime dans les premières pages de *Nadja* :

Qui suis-je ?...
ce que je tiens pour les manifestations objectives de mon
existence, manifestations plus ou moins délibérées, n'est
que ce qui passe, dans les limites de cette vie, d'une activité dont le champ véritable m'est tout à fait inconnu. (46)

Il s'agit d'aller au-delà de la réalité apparente afin de
saisir la réalité dans sa totalité. Le fou en indique le
chemin.

Enfants sur la route, un des petits poèmes en prose du
recueil *Méditation,* est un récit fantastique jouant avec
des sensations et des réminiscences d'enfance. Kafka
évoque l'incursion d'une bande d'enfants à l'approche du
soir. Le héros, à un moment donné, s'éloigne de la
bande, poussé par une force inconnue. Il regagne la
forêt afin de chercher une ville du Midi dont il ne sait
qu'une chose :

— Dort sind Leute ! Denkt euch, die schlafen nicht ! —
— Und warum denn nicht ? —

---

(44) *Ges. Schriften* I, p. 17.
　　Jamais, de par moi-même, je n'étais convaincu de ma propre
　　existence. Je ne saisis les choses qui m'entourent qu'en
　　images fugaces de sorte que je crois toujours que les choses
　　ont existé une fois, mais qu'elles sont maintenant en train
　　de disparaître.
(45) *Ibid.*
　　Toujours, cher Monsieur, j'ai envie de voir les choses telles
　　qu'elles doivent se révéler avant qu'elles ne se montrent à
　　moi. Je pense qu'alors elles doivent être belles et calmes.
(46) Gallimard, 1945, pp. 7/8.

> — Weil sie nicht müde werden. —
> — Und warum denn nicht ? —
> — Weil sie Narren sind. —
> — Werden denn Narren nicht müde ? —
> — Wie könnten Narren müde werden ! — (47)

Nous ne saurons rien de plus quant à cette ville tant désirée, sinon que c'est la ville des fous — et les fous, ce sont les êtres qui ne connaissent pas la fatigue de la vie.

La fatigue paralyse les héros de Kafka en les plongeant dans un sommeil fatal aux moments décisifs de leur vie. Les fous ne la sentent pas ; détachés qu'ils sont de l'ordre de ce monde, ils ont le privilège de se mouvoir dans leur réalité propre.

L'exemple le plus frappant de la puissance que peut conférer la folie se trouve dans *Le Verdict*. Le vieux père, malade de corps et d'esprit, arrive subitement à dominer son fils jeune et vigoureux. Sa faiblesse n'est que force voilée ; sa folie est en quelque sorte une intelligence surréelle beaucoup plus perspicace que celle d'un homme sensé. « Er strahlte vor Einsicht » (48) dit Kafka. Il prend le rôle du juge suprême et condamne son fils à la noyade. —

A part la folie, c'est surtout le rêve qui attire les surréalistes vers Kafka (49). Le rêveur est en état de grâce, son imagination fonctionne en toute liberté. Ainsi le rêve révèle-t-il le monde de l'inconscient et possède-t-il « cette valeur de certitude en elle-même » (50) que la réalité souvent n'a pas. L'expérience onirique s'ajoutant à la réalité fait la surréalité.

---

(47) *Ges. Schriften* I, p. 30.
    — Figurez-vous que là-bas il y a des gens
      qui ne dorment pas ! —
    — Et pourquoi donc ? —
    — Parce qu'ils ignorent la fatigue. —
    — Et pourquoi ? —
    — Parce que ce sont des fous. —
    — Mais les fous ne sont-ils jamais fatigués ? —
    — Comment les fous pourraient-ils être fatigués ! —
(48) *Ges. Schriften* I, p. 63.
    « Il rayonnait d'intelligence. »
(49) Voir la place que Breton a attribuée à Kafka dans *Trajectoire du rêve*.
(50) *Les Manifestes du Surréalisme*, Ed. du Sagittaire, 1946, p. 26.

Breton tient que l'écrivain a pour mission de surmonter « l'idée déprimante du divorce irréparable de l'action
et du rêve » (51). L'unité poétique ne peut s'établir
qu'avec le concours des éléments du « monde intérieur » (52) — c'est ainsi qu'Eluard appelle l'inconscient — et de ceux du monde extérieur. Au poète
d'établir la communication.

Kafka, en ce sens, est certainement poète (53). Le
potentiel onirique est considérable dans son œuvre. Son
récit offre le plus souvent un double aspect de réalité
fictive et de rêve. L'arrestation de Josef K. est-elle un
fait, un cauchemar ? Il n'y a plus de frontière entre le
conscient et l'inconscient : le monde de Kafka, vu sous
cet angle-là, est « surréel ».

Paul Eluard, dans le court récit *Je rêve que je ne dors
pas* (54) rapproche rêve et réalité ; il souffre physiquement de son cauchemar :

> Je m'aperçois alors qu'il m'est impossible de bouger. Je
> suis à plat ventre et ma poitrine, mon visage, pèsent hor-
> riblement le sol. Ils semblent s'y enfoncer. Je tente d'appe-
> ler ma femme, de lui faire entendre le mot « pa-ra-ly-sé ».
> En vain. Je pense avec une angoisse effroyable, que je suis
> aveugle, muet, paralysé et que je ne pourrai plus jamais
> rien communiquer de moi-même.

Le rêve de la paralysie générale privant l'homme de
sa capacité de communiquer avec autrui revient dans la
Métamorphose de Kafka. Marcel Lecomte a montré le
caractère onirique de cette nouvelle (55). Le récit est la
continuation du rêve ou plutôt : le cauchemar est devenu
réalité. La vermine humaine, renversée sur le dos, ne
pouvant se lever et ne sachant plus parler évoque les
rêves d'impuissance : paralysie, silence forcé, etc...

Kafka crée aussi des paysages de rêve qu'on ne saurait
mieux qualifier que de surréalistes. Une phrase suffit
pour évoquer l'atmosphère :

---

(51) *Les Vases communicants*, Les Cahiers Libres, 1932, p. 171.
(52) *Donner à voir*, p. 147.
(53) Au sens général de l'allemand *Dichter*.
(54) *Donner à voir*, pp. 64/65.
(55) Cf. *Trajectoire du rêve*.

Schmar, der Mörder, stellte sich gegen neun Uhr abends in der mondklaren Nacht an jener Strassenecke auf, wo Wese, das Opfer, aus der Gasse, in welcher sein Büro lag, in jene Gasse einbiegen musste, in der er wohnte. (56)

Un ou deux détails afin d'accuser l'ambiance : un son :

Endlich ertönte die Türglocke von Weses Büro, zu laut für eine Türglocke, über die Stadt hin, zum Himmel auf, ... (57)

un contraste de couleurs :

Der Nachthimmel hat ihn angelockt, das Dunkelblaue und das Goldene, (58)

et le cadre du crime est donné : la rue d'une ville pendant la nuit, éclairée trop brutalement par la pleine lune, le silence nocturne déchiré par le cri d'alarme de la sonnette, le contraste symbolique du clair-obscur transfiguré dans la brève vision de la victime : das Dunkelblaue — das Goldene, mais une transfiguration qui n'est qu'ironique car elle est suivie immédiatement du coup de couteau du meurtrier. Ce cadre évoque une toile de Chirico ou de Dali, ou la description par Michel Leiris d'un paysage de rêve où reparaît le jeu du clair-obscur :

Une rue de banlieue, la nuit, entre des terrains vagues. A droite, un pylône métallique dont les traverses portent sur chacun de leurs points d'intersection une grosse lampe électrique allumée. (59)

Le meurtrier Schmar est un personnage réel en même

---

(56) *Ges. Schriften* I, p. 162.
  Schmar, le meurtrier, une nuit de clair de lune, se posta vers neuf heures du soir à cet angle où Wese, la victime, débouchant de la rue où se trouvait son bureau devait prendre celle où il habitait.
(57) *Ibid.*
  Enfin la sonnette du bureau de Wese retentit, trop fort pour une sonnette, sur toute la ville, jusqu'au ciel...
(58) *Ibid.*, p. 163.
  Le ciel de la nuit l'a attiré, le bleu sombre et l'or,
(59) *Nuits sans nuit*, L'Age d'Or, Fontaine, 1945, p. 10.

temps qu'une figure onirique. Il se laisse aller au crime
sans aucune contrainte, goûtant la volupté du sang de
l'autre :

> Seligkeit des Mordes ! Erleichterung, Beflügelung durch
> das Fliessen des fremden Blutes ! (60)

C'est la joie de la mystérieuse Solange dont parle
Breton dans *Nadja*, personnage d'une pièce de théâtre
intitulée *Les Détraquées* ; Solange est la meurtrière
d'une fillette de onze ans.

Michel Leiris, au cours d'un rêve, est sujet à la même
fascination :

> J'assiste à une série d'exécutions capitales, pur quidam
> au milieu d'une foule, et cela m'intéresse de façon prodi-
> gieuse. (61)

Le rêve, libérant les instincts sadiques, découvre les
régions psychiques les plus sévèrement gardées par les
vétos de la conscience. L'être absolument libre qu'est le
criminel, celui qui pénètre

> dans les bas-fonds de l'esprit, là où il n'est plus question
> que la nuit tombe et se relève (c'est donc le jour ?) (62)

a, comme on sait, fasciné les surréalistes. Sade les attire
pour la même raison ; Kafka touche également ces
domaines extrêmes.

Une fois seulement Kafka indique qu'il s'agit d'un
rêve, dans le petit récit intitulé *Ein Traum*. Josef K.
rêve qu'il trouve une tombe fraîchement préparée. Pendant qu'il s'y laisse glisser, son nom s'inscrit en lettres
dorées sur la pierre tombale. « Entzückt von diesem
Anblick erwachte er » (63). Michel Leiris transcrit éga-

---

(60) *Ges. Schriften* I, p. 163.
     Volupté du meurtre ! Soulagement, ravissement en voyant
       couler le sang de l'autre !
(61) *Nuits sans nuit*, p. 7.
(62) *Nadja*, p. 47.
(63) *Ges. Schriften* I, p. 166.
     « Ravi de ce spectacle, il se réveilla. »

lement le rêve de sa propre tombe et de la vision de
l'inscription sur la pierre tombale :

> Sur une tombe (la mienne ?) on dépose, en guise d'épi-
> taphe, une pancarte contenant un résumé, en quelques
> lignes, de la vie du défunt. Cette pancarte est intitulée :
> « Argument ». (64)

Le rêve, chez les deux auteurs, trahit un désir de mort.
Kafka se rapproche donc bien du surréalisme par
l'importance qu'il attache à la révélation onirique.

La folie et le rêve, dans l'acception où il ne leur est
demandé qu'un matériel poétique, relèvent nécessairement du goût du fantastique. L'atmosphère opaque, les
images bizarres, l'incohérence dans la suite des événements, l'abolition du lien entre le moyen et la fin : tous
ces éléments figurent dans l'œuvre surréaliste et lui
donnent son aspect fantastique.

Le fantastique peut se trouver n'importe où, au coin
d'une rue, dans le lieu le plus banal. Il suffit d'y être
sensible. Et la sensation qu'il provoque sera d'autant
plus intense que plus banal sera le cadre où il éclatera.
Vivre en quête du fantastique, c'est l'avoir déjà trouvé,
soit dans le passage de l'Opéra ou aux Buttes Chaumont
comme le paysan de Paris, soit sur les boulevards ou
près de la Tour Saint-Jacques comme l'auteur de *Nadja*.

Ce goût du fantastique explique la prédilection des
surréalistes pour le roman noir. Tristan Tzara célèbre
l' « amour des fantômes, des sorcelleries, de l'occultisme,
de la magie, du vice, du rêve, des folies » (65) et Breton
dit en parlant du *Moine* de Lewis :

> Ce qu'il y a d'admirable dans le fantastique, c'est qu'il
> n'y a plus de fantastique : il n'y a que le réel. (66)

Réel parce que, chez les surréalistes, il s'agit non de
fantastique fabriqué pour le pittoresque et plaqué, mais
de fantastique vécu.

Kafka a écrit des romans noirs, on l'a assez dit, et

---

(64) *Nuits sans nuit*, p. 61.
(65) *Essai sur la situation de la poésie*, L.S.A.S.D.L.R., N° 4.
(66) *Les Manifestes du Surréalisme*, p. 30.

nous n'insisterons pas sur le fantastique proprement kafkaïen où l'on n'a vu trop souvent qu'un décor (couloirs sans issue, bureaux d'administration etc), fantastique dont les surréalistes ont salué la profonde originalité. Qui douterait de la vraisemblance de la métamorphose de Gregor Samsa ? Son existence de vermine à la sensibilité humaine s'impose d'emblée par son authenticité. Le fantastique de Kafka s'infiltre dans la réalité jusqu'à en devenir un facteur constitutif.

Il est de plus imprégné d'humour. Envisager sa propre condition sous un angle facétieux, c'est la dépasser, rétablir l'équilibre — ne serait-ce que momentanément. Breton affirme ainsi que seul l'humour aide à surmonter le désespoir (67). En engageant l'homme à rire il lui rend sa souveraineté sans le duper comme font les prétendues solutions. Car l'humour n'est une solution que dans la mesure où il est l'ennemi de toutes les solutions. « L'humour est d'avis qu'où solution pas d'humour » (68). Manifester l'absurdité du monde tout en gardant le dessus, telle est la fonction de l'humour noir. En ce sens il a été pratiqué par Kafka non moins que par les surréalistes.

Le tribunal du grenier dans *Le Procès* tourne en dérision toute institution judiciaire. Le roman nous déconcerte non seulement par l'extravagance du décor, mais par la minutie et la sombre logique qui nous conduisent à l'absurde.

De même dans *Le Château* : la hiérarchie de l'administration seigneuriale est une satire de toutes institutions politiques.

Il ne manque pas non plus chez Kafka de personnages comiques. Je songe en premier lieu à ces êtres doubles qui, au fond, n'en devraient former qu'un, à ces couples bizarres, exerçant des fonctions identiques, montrant souvent le même caractère puéril, la même impertinence, la même turbulence. Leur double existence souligne tout ce qu'ils ont d'insensé. Ainsi les deux gendarmes qui

(67) Cf. *Le Surréalisme et la Peinture*, Brentano's, New-York, 1945, p. 85.
(68) ARAGON : *Le Traité du Style*.

arrêtent Josef K. au début du *Procès* ; loin de motiver
leur manière d'agir, ils pénètrent dans son intimité avec
une insolence grotesque.

Comiques également les deux bourreaux qui exécutent
Josef K. à la fin du roman :

> In Gehröcken, bleich und fett, mit scheinbar unverrück-
> baren Zylinderhüten. (69)

La vie devient une tragi-comédie. Josef K. se rend
compte de cette ambiguïté. A la vue des deux bouffons il
n'arrive même plus à prendre au sérieux son propre
malheur ; il leur demande :

> An welchem Theater spielen Sie ? — Theater ? — fragte
> der eine Herr mit zuckenden Mundwinkeln den anderen
> um Rat. Der andere gebärdete sich wie ein Stummer, der
> mit dem widerspenstigen Organismus kämpft. (70)

Josef K. ne peut les prendre au sérieux. Il est dominé
par l'impression théâtrale que lui inspire cette scène :

> — Vielleicht sind es Tenöre —, dachte er im Anblick
> ihres schweren Doppelkinns. (71)

Pourquoi sont-ce précisément eux qu'on a envoyés
pour le chercher ? N'a-t-il pas le droit de connaître leur
rôle exact dans cette comédie afin de pouvoir, peut-être,
en déduire le sien ? Or le mystère de la vie persiste
jusque dans la comédie. Ces messieurs ne lui accordent

---

(69) *Ges. Schriften* III, p. 234.
   En redingote, pâles et gras, et surmontée de hauts-de-forme
   qui semblaient vissés sur leur crâne.
      Traduction d'A. Vialatte, Gallimard, 1947, p. 267.
(70) *Ibid.*
   — A quel théâtre jouez-vous ?
   — Théâtre ? dit l'un des messieurs en demandant conseil à
   l'autre du regard.
   L'autre se comporta comme un muet luttant contre son orga-
   nisme rebelle.
      Ibid., p. 268.
(71) *Ibid.*, p. 235.
   — Ce sont peut-être des ténors — pensait-il en voyant leurs
   gros doubles mentons.
      Ibid., p. 269.

aucune réponse. Josef K. finit par entrer totalement dans
le rôle qui lui est dévolu (72). Arrivé dans la carrière,
K. attend en silence que son destin s'achève. Les deux
sinistres guignols lui retirent ses vêtements, les plient
minutieusement et s'efforcent de mettre la victime dans
la bonne position, besogne dont ils ne peuvent venir à
bout malgré la complaisance que met Josef K. à les
aider. Suit un échange de politesses pour savoir à qui des
deux reviendra la faveur de planter le couteau de bou-
cher dans le cœur de K. Le ridicule atroce est alors à son
comble. K. n'a plus la force de retrouver sa dignité
humaine en se donnant lui-même la mort. Il se laisse
égorger comme un animal. Sa mort est le triomphe de ce
comique grimaçant; son procès est une farce diabolique
dont il est la victime.

Le couple comique reparaît dans *Le Château* avec les
deux aides attribués à l'arpenteur par les autorités du
château. Ils n'ont rien du caractère sinistre des agents
de Josef K. Ils ne sont là que pour faire les pitres. Leur
rôle toutefois est assez obscur. On les voit incommoder
K., faire irruption dans son intimité. Ils ne cessent de
le guetter, de l'épier, mais toujours en s'amusant :

> Trotzdem aber wusste man leider aus den Erfahrungen
> bei Tageslicht, dass es sehr aufmerksame Beobachter
> waren, immer zu K. herüberstarrten, sei es auch, dass sie
> in scheinbar kindlichem Spiel etwa ihre Hände als Fern-
> rohre verwendeten und ähnlichen Unsinn trieben oder
> auch nur herüberblinzelten und hauptsächlich mit der
> Pflege ihrer Bärte beschäftigt schienen, an denen ihnen
> sehr viel gelegen war und die sie unzähligemal der Länge
> und Fülle nach miteinander verglichen und von Frieda
> beurteilen liessen. (73)

---

(72) Cf. l'épisode de la rencontre du gendarme.
        Ibid., p. 237. Trad. *ibid.,* p. 271.
(73) *Ges. Schriften* IV, p. 59.
        Malheureusement on savait même, par ce qui se passait au
        grand jour, qu'ils étaient de redoutables observateurs; ils
        ne lâchaient jamais K. du regard, soit qu'ils fissent sem-
        blant de jouer aux astronomes en mettant leurs mains en
        lunette devant leurs yeux, soit qu'ils se livrassent à tout
        autre enfantillage ou qu'ils se contentassent de lever les
        yeux sur K., tout en se donnant l'air de ne penser qu'à

L'arpenteur est désarmé par le comique de ses seconds.
Mais dépourvu de tout sens humoristique, il ne sait
comment leur tenir tête. K. est coupable de manquer
d'humour. Il ne sait s'acquitter du problème de la vie ne
voulant pas connaître l'humour, ce seul moyen de l'aborder. Les aides lui ont été donnés pour le lui apprendre
afin de le préserver de se prendre au sérieux :

> Das Wichtigste ist aber, dass ihr ihn ein wenig erhei-
> tert. Wie man mir berichtet, nimmt er alles sehr schwer.
> Er ist jetzt ins Dorf gekommen und gleich ist ihm das ein
> grosses Ereignis, während es doch in Wirklichkeit gar
> nichts ist. Das sollt ihr ihm beibringen. (74)

L'humour remplit ici une fonction morale. K. y étant
peu sensible, l'un des aides va porter plainte au château

> dass du keinen Spass verstehst. Was haben wir denn
> getan ? Ein wenig gescherzt, ein wenig gelacht, ein wenig
> deine Braut geneckt. Alles übrigens nach dem Auftrag. (75)

Autre situation comique : celle du célibataire Blumfeld aux prises avec son couple de petites balles et que
nous voyons passer de l'étonnement à la peur et à l'obsession. Il réussit à force de ruse et moyennant une opération des plus subtiles à enfermer les deux démons dans
son armoire. Arrivé à son bureau il semble qu'il les
retrouve en la personne de ses apprentis.
Blumfeld est le type du petit bourgeois important.

---

soigner leurs barbes; ils semblaient attacher une énorme
importance à ces barbes; comparaient mille fois leur longueur et leur abondance respective et prenaient Frieda pour
arbitre.
    Traduction d'A. Vialatte, p. 50.
(74) *Ges. Schriften* IV, p. 270.
    L'essentiel est que vous le distrayez. A ce qu'on me dit, il
prend tout au tragique. Le voilà à peine arrivé au village
et aussitôt il imagine que c'est un formidable événement,
alors qu'en réalité cela ne représente rien. Il faut que vous
le lui appreniez.
    Traduction d'A. Vialatte, p. 228.
(75) *Ibid.*, p. 269.
    — De ce que tu ne comprennes jamais la plaisanterie.
Qu'avons-nous fait ? Plaisanté un peu, un peu ri, un peu
taquiné ta fiancée. Le tout d'ailleurs par ordre supérieur.
    Ibid.

Kafka évoque tout ce qu'il y a de désolé et de ridicule à
la fois dans cette vie insignifiante, bouleversée un jour
par la niaiserie de deux pitres. C'est encore la tragédie
comique de l'homme qui se prend au sérieux, l'homme
d'un certain âge cette fois, miné par la routine quotidienne. Blumfeld avec sa trivialité, son zèle de bureau-
crate, son sérieux et sa terrible solitude joue le rôle
paradoxal d'un bouffon tragique. Il joue la comédie
humaine qui n'est qu'une gigantesque singerie ou pire ;
car les singes au moins en rient, tandis que les hommes
restent graves. La terrible créature, mi-singe, mi-homme,
paraît, fixant l'être humain de son regard ironique :

> Verspottung der heiligen Natur ! Kein Bau würde stand-
> halten vor dem Gelächter des Affentums bei diesem An-
> blick. (76)

Humour noir, certes, mais aussi humour extravagant
par l'audace de sa grimace, par la stricte logique de son
absurdité. — Cette comédie mystérieuse attire les spec-
tateurs, surtout ceux qui sont fatigués d'une réalité
trop rationnelle et qui cherchent le surréel dans tout
mystère.

> C'est l'homme [...] qui bout dans la marmite de Kafka.
> Il y mijote minutieusement dans le bouillon ténébreux de
> l'angoisse, mais l'humour fait sauter le couvercle en sif-
> flant et trace dans l'air en lettres bleues des formules
> cabalistiques,

dit André Breton dans son *Anthologie de l'humour
noir* (77). Evocation vraiment surréaliste de l'univers
kafkaïen, un peu partiale toutefois, faisant de Kafka un
alchimiste qui a trouvé une formule pour faire surgir un
nouveau monde fantastique.

L'œuvre de Kafka contient donc des éléments surréalistes : révolte, désespoir, phénomènes irrationnels, ce
qui fait que les surréalistes ont dû nécessairement être
sensibles à la fréquente similitude d'atmosphère. Mais

---

(76) *Ges. Schriften* I, p. 171.
    Persiflage de la nature sacrée ! Aucun édifice ne résisterait
    au rire de l'espèce simiesque à ce spectacle.
(77) Ed. du Sagittaire, Paris, 1940, p. 209, 2e éd. 1950, p. 264.

ce parallélisme qui ne se fonde nullement sur un rapport
d'influence, peut être considéré comme un phénomène de
concordance gratuit. Du fait que l'homme se trouve être
engagé dans l'histoire, son expression reflétera nécessairement et ce qui lui est propre et ce qui est essentiel à
son époque. L'*Erlebnis* fondamental de l'absurde ainsi
qu'une particulière disposition à exploiter les domaines
psychiques nouvellement découverts par la science,
apparaissent comme inhérents à la pensée du vingtième
siècle. —

Kafka, néanmoins, n'est pas un surréaliste. Une telle
assimilation se fonderait sur une méconnaissance et du
surréalisme et de Franz Kafka. Les éléments surréalistes
de l'œuvre de Kafka portent une signification parfaitement étrangère au surréalisme.

L'expérience vécue de l'absurde tout d'abord n'est pas
la même quoique l'expression en soit chez Kafka souvent
très voisine de celle qu'y ont donnée les surréalistes.
L'absurde manifeste une sorte de gratuité du monde pro-
duisant un effet particulièrement déconcertant dans le
domaine moral. Sade, dont les surréalistes se sont tant
réclamés, peut paraître un représentant de cette absurdité gratuite. Or Jean Paulhan, dans l'introduction à
son édition des *Infortunes de la vertu* (78) dit que *Justine,* à certaine époque, a été le livre de chevet de Kafka
comme il l'a été de Lamartine, de Baudelaire et de
Swinburne, de Barbey d'Aurevilly, de Lautréamont, de
Nietzsche et de Dostoïevski. Il aperçoit en Kafka un des
auteurs « interposés » à travers lesquels nous fréquen-
tons Sade. Nous lisons *Le Château* et *Le Procès* au lieu
des *Infortunes de la Vertu.* Paulhan cite les paroles
qu'Omphale adresse à Justine :

> Ce n'est pas une excuse de dire ici : ne me punissez
> pas, j'ignorais la loi. On ne vous prévient de rien, et on
> vous punit de tout ... Tu reçus hier le fouet sans commettre
> de faute. Tu le recevras bientôt pour en avoir commis.
> Surtout ne va jamais imaginer que tu sois innocente,

et il ajoute :

(78) SADE : *Les Infortunes de la vertu*, Ed. du Point du Jour, Paris,
1946.

> Ainsi tout au long de *Justine* s'entrelacent le thème du *Procès* et le thème du *Château*. (79)

Justine est jetée dans le monde de l'absurde comme K., et comme lui, elle ne peut s'en défendre. — Mais cette absurdité, chez Sade, n'a pas de valeur intrinsèque. Elle n'est là que pour souligner la vanité de l'ordre du monde et, par conséquent, pour engager l'homme à se libérer de tout ordre établi. Justine a tort parce qu'elle s'en tient à l'échelle convenue du bien et du mal. Or vertu et vice se valent; il n'y a d'absolu que dans le plaisir, de progrès que par la destruction.

En revanche l'absurde de Kafka est chargé d'une signification transcendante : il ne fonctionne pas en tant que moyen de bafouer les valeurs traditionnelles.

L'absurde surréaliste, comme celui de Sade, manifeste la nullité de l'ordre du monde. C'est là le sens de textes volontairement insensés comme on en trouve surtout chez les Dadaïstes.

La révolte surréaliste est une conséquence de cette démonstration de l'absurde. Elle ne peut qu'aboutir à l'anarchie. C'est une révolte gonflée de la joie de détruire et de dérègler, mais en même temps porteuse d'un élément prophétique visant un nouvel avenir :

> c'est la révolte même, la révolte seule qui est créatrice de lumière. (80)

Sade et Lautréamont sont pour les surréalistes les modèles de la révolte, et non Kafka. Sade est pour Breton l'homme qui a réalisé la révolte totale, « cet esprit le plus libre qui ait encore existé » (81). La révolte de Ducasse s'égale à une démission de la pensée logique et de la pensée morale. Aragon, Breton et Eluard intitulent le tract rédigé à l'occasion d'une réédition de ses œuvres : *Lautréamont envers et contre tout*.

La révolte de Kafka, premièrement, n'aspire pas au

---

(79) *Les Infortunes de la vertu*, p. 32.
(80) *Arcane 17*, Ed. du Sagittaire, 1947, p. 174.
(81) Parole d'Apollinaire que Breton cite dans l'*Anthologie de l'humour noir*, éd. de 1950, p. 31.

désordre. C'est au contraire l'absence de clarté qui
réveille en lui l'inquiétude. Josef K. passe sa vie à chercher le juge suprême, le représentant de la justice et de
l'ordre. Il ne se révolte ni contre le dérèglement de la justice, ni contre la justice, ni contre l'idée de justice en soi.
K. dans *Le Château* brigue les fonctions officielles
d'arpenteur. Il aimerait également être reconnu citoyen
du village. Son projet c'est d'être en règle.

Kafka est en quête de l'autorité absolue. Il ne croit pas
à la liberté totale telle que la conçoivent les surréalistes.
Vivre hors des conventions de la société comme K. ou à
un degré encore plus radical, Gregor Samsa, vivre hors
la loi, ne pas être placé sous la garde de la dernière autorité, cela signifie vivre dans la solitude, dans l'angoisse
et dans le danger.

En second lieu cette révolte de Kafka est passive. Rien
de constructif, au sens surréaliste, dans sa muette opposition ; celle-ci suppose assurément une dépréciation du
monde. Mais les héros de Kafka, en se révoltant, ne s'en
sentent pas moins coupables ; car leur négation ne se
rapporte pas uniquement à un monde dévalorisé, mais
aussi à une donnée supraterrestre qui, finalement, n'est
rien d'autre que l'*Absurdum*. Rejeter cette donnée, c'est
refuser de fonder son existence par rapport à elle, ce qui
équivaut à manquer sa destinée.

La révolte surréaliste est une exaltation de l'individu
qui tend à sa libération ; celle de Kafka est une soif de
légitimité. Le surréalisme refuse toute règle et toute
contrainte. Kafka refuse l'absence de la Loi. — La
révolte surréaliste est finalement une affirmation de la
vie et offre en tant que telle un aspect dionysiaque. La
révolte de Kafka est un refus coupable de l'existence.

Le désespoir surréaliste diffère également de celui de
Kafka. Il produit un effet beaucoup moins destructif —
il va même jusqu'à prendre une valeur positive. Car le
désespoir peut enrichir : autant que l'espoir. Ainsi juge
Eluard :

> C'est l'espoir ou le désespoir qui déterminera pour le
> rêveur éveillé — pour le poète — l'action de son imagi-
> nation. Qu'il formule cet espoir ou ce désespoir et ses

rapports avec le monde changeront immédiatement. Tout
est au poète objet à sensations et, par conséquent, à sentiment. Tout le concret devient alors aliment de son imagination et l'espoir, le désespoir passent, avec les sensations
et les sentiments au concret. (82)

Les surréalistes iront même jusqu'à découvrir dans le
désespoir une sensation de volupté :

> L'immense sourire de toute la terre ne nous a pas suffi :
> il nous faut de plus grands déserts, ces villes sans fau-
> bourgs et ces mers mortes. (83)

Kafka suit le chemin inverse. Son désespoir l'éloigne
de la vie. Plus il s'y laisse glisser, plus son monde est
dépourvu de sensations ; il est terne, sans couleurs et
sans parfums, sans sourire et sans passions.

Le désespoir, pour les surréalistes, est un stade bientôt
dépassé, tandis que le désespoir de Kafka porte une
signification existentielle.

Il en est de même pour la peur. La peur de Kafka va
plus loin que celle des surréalistes : elle paralyse
l'homme. Elle est sans nom ; elle est la peur de l'absence
de la Loi, la peur de la liberté et la peur de la vie.

Michel Leiris est, psychologiquement, très proche de
Kafka par sa manière d'envisager le monde. Au cours
d'un entretien que j'eus avec lui au sujet de Kafka, il me
disait avoir été frappé tout d'abord par le réalisme de
Franz Kafka, réalisme étroitement lié au merveilleux.
M. Leiris n'a lu Kafka qu'après sa période surréaliste ;
il affirmait trouver chez l'auteur du *Procès* « un merveilleux profondément vécu », à l'opposé du merveilleux surréaliste auquel il avait peine à croire. M. Leiris étant
beaucoup plus tourné vers le côté sinistre de l'existence
éprouve une absence d'authenticité dans le merveilleux
des surréalistes. Il est frappé par l'aspect sombre de la
suréalité de Kafka laquelle, en effet, n'est que l'expression de souffrances vécues ; car, finalement, il n'y a pas
de merveilleux chez Kafka, il n'y a que du fantastique.

La psychologie du désespoir de M. Leiris est, en un

---

(82) *Donner à voir*, p. 81.
(83) *Les Champs magnétiques*, p. 14.

certain sens, parente de celle de Kafka. Il dit en parlant
de lui-même :

> — vie d'un homme qui se gava de pessimisme [...] aima
> son propre désespoir, jusqu'au jour où il s'aperçut — mais
> trop tard — qu'il ne pourrait plus s'en sortir et qu'il était
> ainsi tombé dans le piège de ses propres enchantements.
> (84)

Le jeu du pessimisme exerce une fascination sur celui
qui s'y livre. Pour lui

> le monde, plein de chausse-trapes, n'est qu'une vaste pri-
> son ou salle de chirurgie ; je ne suis sur terre que pour
> devenir chair à médecins, chair à canon, chair à cercueil.
> (85)

Comment ne pas songer à l'univers de Kafka avec ses
prisons souterraines, ses engins de torture et ses exécu-
tions. La cruauté y règne : Michel Leiris, à plusieurs
reprises, parle de son désir de transformer le monde en
un univers de pierre ou de métal. Son goût pour tout ce
qui est dur et froid semble résulter de son éloignement de
la vie :

> Enfant, j'étais déjà cruel. Je haïssais les hommes (tristes
> animaux tout juste bons à s'accoupler) et même les bêtes
> et les végétaux, ne gardant quelque amour que pour ce
> qui est inanimé. (86)

Il satisfait ses besoins de cruauté en frappant ses amis
jusqu'au sang, en arrachant des plantes et en torturant
des animaux (87). Un peu plus loin il évoque des
débauches fictives s'effectuant dans des salles de marbre
à l'aide de blocs de glace, de fouets, de rasoirs — le
passage rappelle Sade, de même la devise de Damoclès
Siriel : « pureté, froideur et cruauté ». Il a horreur de
tout ce qui est chair molle, de tout ce qui est tendre et
chaud, bref, il a horreur de ce qui est vivant.

> Car je dois dire que de tout temps la vie s'est confondue

---

(84) *L'Age d'homme,* Gallimard, 1946, p. 148.
(85) *Ibid.*, p. 112.
(86) *Aurora,* Gallimard, 1946, p. 81.
(87) *Ibid.*, cf. p. 85.

pour moi avec ce qui est mou, tiède et sans mesure. N'ai-
mant que l'intangible, ce qui est hors de la vie, j'identifiai
arbitrairement tout ce qui est dur, froid ou bien géomé-
trique avec cet invariant, et c'est pourquoi j'aime les tra-
cés anguleux que l'œil projette dans le ciel pour saisir les
constellations, l'ordonnance mystérieusement préméditée
d'un monument, le sol lui-même enfin, lieu plan par excel-
lence de toutes les figures. (88)

Le dégoût de la vie, ici, ne mène pas à l'impuissance
sensitive ou à la volonté de ne vivre que dans le spirituel.

Leiris opère plutôt une transposition de la sensualité :
le toucher de ce qui est dur et froid lui cause ainsi,
d'ailleurs, qu'à Baudelaire une volupté caractérisée. Il
se crée un monde métallique peuplé de statues de marbre ; il use « de tous les ingrédients aptes à lui [à son
corps] donner un aspect granitique » (89), il contemple
« les étoiles, belles pierreries dont l'éclat froid me ravis-
sait » (90). Il satisfait ses désirs dans un monde mi-ima-
ginaire mi-réel qui est sa sur-réalité.

On ne rencontre pas chez Kafka de semblable transposition de la sensualité. Son univers est également froid
et rigide : ce manque de chaleur vitale, le lecteur le
ressent dès les premières pages de chacun de ses récits.
Mais le dégoût de la vie ne s'exprime qu'indirectement,
à travers cette absence totale de la joie de vivre. Il n'est
jamais constaté (91) comme chez Leiris et ne trouve nulle
compensation dans son œuvre littéraire, mais il aboutit
à une aliénation de la vie concrète.

La prédilection pour ce qui est dur et froid, pour ce
qui est spécifiquement inhumain, mène chez Michel Leiris au goût du métallique, du lisse et du poli. Ce qu'il
appelle « l'intangible » reste une notion concrète se révélant au contact du marbre ou à la vue de l'éclat froid
des étoiles. Chez Kafka, en revanche, le processus du
durcissement n'aboutit pas à une surface de marbre ou
à la sensation d'éclat métallique, mais à la carapace d'un
cloporte ou au squelette du champion du jeûne. Pour

(88) *Aurora*, p. 83.
(89) *Ibid.*, p. 81.
(90) *Ibid.*
(91) Sauf dans le *Journal* où il prend un sens strictement personnel.

M. Leiris il s'agit d'une sensation transposée dans un monde subjectif; pour Kafka c'est la fin de toute sensation.

Kafka et Leiris connaissent tous deux l'être devenu étranger à lui-même. Leiris donne expression à ce dégoût de soi-même : comme Kafka il se sent transformé en animal, et, comme lui, il sent peser sur lui l'absurdité de son être-là (92) :

> Plus noir qu'une bête, sombre et grimaçant comme une calèche pourrie, tu te promènes ou plutôt tu traînasses à travers les banlieues de la vie, (93)

l'atmosphère renvoie à Kafka jusque pour les décors; Leiris poursuit en évoquant la vanité et la souffrance de son existence moyennant l'image des doigts rongés :

> ... avec tes pouces rongés dont tu dévores les peaux depuis un nombre incalculable d'années. Ces doigts, que les autres emploient à de tendres caresses, à de violentes batailles ou bien à d'obstinés travaux, petit à petit tu les lacères, tu les dénudes, comme si tu voulais n'en laisser que les os et racheter, par la dîme de souffrance qu'ainsi tu t'infliges, la menace d'autres douleurs plus grandes, plus dangereuses, planant au-dessus de toi comme un vampire. (94)

C'est la peur d'un malheur inconnu qui s'égale à la peur de la vie et à la peur de soi-même; bref, c'est l'angoisse qui plane sur celui qui par l'autopunition cherche à prévenir la catastrophe. La parenté avec la mentalité du héros kafkaïen est sensible.

Le sentiment de culpabilité se joint étroitement au dégoût de soi-même. M. Leiris dit, dans *L'Age d'homme*, qu'il s'est entièrement détaché du christianisme. Intellectuellement il a rompu avec le dogme biblique du péché originel, mais il en reste obsédé. Il dit :

> je me conduis toujours comme une espèce de « maudit » que poursuit éternellement sa punition, qui en souffre

---

(92) *Aurora*, pp. 22/23.
(93) *Ibid.*
(94) *Ibid.*

mais qui ne souhaite rien tant que pousser à son comble
cette malédiction, attitude dont j'ai tiré longtemps une
joie aiguë bien que sévère. (95)

M. Leiris est parfaitement conscient de son masochisme; il l'explique par son sentiment de culpabilité et
justifie ainsi son besoin de se torturer lui-même.

Kafka est dans une situation tout analogue. L'importance du sentiment de culpabilité s'impose presque à
chaque page de son œuvre. Ecrire, pour lui, c'est établir
le protocole de son propre procès, procès de celui qui n'a
pas commis de délit mais qui est coupable par le fait
même de son être-là. Ses héros sont des maudits prédes-
tinés qui ne cherchent qu'à accomplir leur destin en se
soumettant volontairement, avec une certaine volupté
même, à leurs supplices — je pense à l'officier de la
Colonie pénitentiaire qui s'étend sur sa guillotine, au
champion du jeûne, à Josef K., etc. La dégradation de
leur propre personne leur est un besoin qu'ils satisfont
avec cruauté et avec ironie souvent. Le Moi devient un
animal repoussant, un être ridicule et absurde.

Michel Leiris, en parlant du mouvement progressif de
la vie, évoque l'image de l'escalier dont les degrés

te rapprochent de jour en jour d'un corridor glacé, rempli
de vieux épouvantails si tragiques que, les voyant, l'idée
du suicide tombe sur tes épaules et s'y attache plus tenace
qu'une chasuble de plomb. Et toute ta vie tu descendras
cet escalier. (96)

Cette ligne descendante qui symbolise le mouvement
vital, est caractéristique de Leiris et de Kafka. Tous
deux s'introduisent dans le « corridor glacé » pour y
chercher la mort. Tous deux sont en quelque sorte sépa-
rés de la vie, privés des joies de la vie. Ainsi dans
l'amour les deux auteurs sont obsédés par l'idée de la
mort. M. Leiris songe aux ravages du temps de sorte que
le bonheur du moment lui échappe. Et en parlant d'une
de ses liaisons il dit :

---

(95) *L'Age d'homme*, p. 220.
(96) *Aurora*, p. 23.

j'avais éprouvé, quoique sur un mode plus doux, la hantise
de la mort : « J'aimerais qu'on nous enterre ensemble »,
avais-je dit à Kay un des premiers matins que je passai
dans son lit. Et cette phrase doit être une des plus réellement tendres que j'aie jamais dites à quiconque. (97)

Frieda, dans *Le Château,* exprime sa tendresse de la
même manière en souhaitant se réfugier avec K. au fond
d'une tombe (98).

Les deux auteurs présentent des données psychologiques analogues ; ils montrent une certaine faiblesse en
présence de la vie ainsi qu'un goût de la souffrance. Il
est d'ailleurs significatif que tous deux aient eu un père
autoritaire dont la force les écrasait et dont l'absence
de goût artistique les offensait (99). Ils se voient par
conséquent l'un et l'autre contraints à se tenir sur la
défensive devant les prérogatives du plus fort, attitude
qui signifie en même temps une volonté de refuser la
vitalité dominante, à la fois, et l'esprit pratique et
matérialiste du père.

Or Michel Leiris, dans son œuvre fortement autobiographique, exerce une introspection beaucoup plus
scientifique que Kafka. Il se scrute lui-même pour le
plaisir de l'exploration de son inconscient, du rêve et de
l'imagination. Il reste en cela surréaliste quoiqu'il ait,
à l'époque de *L'Age d'homme,* déjà renoncé au merveilleux proprement surréaliste. Aussi ses images oniriques,
son fantastique, ses cauchemars sont-ils motivés : il
remonte à leurs sources psychologiques.

Kafka, en revanche, les évoque sans se préoccuper de
leur leçon psychologique. Il en fait des mythes d'une
surprenante originalité, mythes touchant aux sentiments
primordiaux de l'homme, mais qui, par delà, visent les
problèmes fondamentaux de l'être. Leur signification a
une portée transcendante et se rattache, souvent malgré
elle, à la pensée traditionnelle du judaïsme.

_____

(97) *L'Age d'homme,* p. 193.
(98) Cf. *Ges. Schriften* IV, p. 165.
       Traduction d'A. Vialatte, pp. 142/143.
(99) Cf. *L'Age d'homme,* pp. 95/96, 122-126.
   Cf. KAFKA : *Lettre à son père.*

Les surréalistes ont su tirer profit des moments de
désespoir et d'angoisse, tandis que Michel Leiris, qui
n'est qu'un surréaliste passager, reste fermé à leur expérience spécifique du merveilleux. C'est pour cette raison
qu'il offrait d'abord tant d'affinité avec Kafka.

Il en est de même pour la partialité des surréalistes
en faveur de la folie. En tant qu'expression libre de
l'inconscient, elle enrichit le monde. Les surréalistes y
voient une heureuse expérience. Le fou de Kafka ne ressemble guère à la lumineuse Nadja. Il est un prophète de
vérités sombres n'ayant aucunement le pouvoir d'initier
l'homme au monde merveilleux qu'est la surréalité. Il
présage plutôt la futilité de l'existence comme au cours
du *Gespräch mit dem Beter* (100), où il devient un juge
qui dévoile la faute mystérieusement, tel le père du
Verdict.

Les formes oniriques expriment chez Kafka les vérités
les plus dures de l'ordre spirituel : le dépaysement de
l'homme, sa vaine recherche, sa faute. Aussi le rêve est-il
toujours un cauchemar, si épuisant souvent, qu'il
empêche de dormir :

> Und von jetzt an bleibt es die ganze Nacht bis gegen
> fünf so, dass ich zwar schlafe, dass aber starke Träume
> mich gleichzeitig wach halten. *Neben* mir schlafe ich
> förmlich, während ich selbst mit Träumen mich herum-
> schlagen muss. Gegen fünf ist die letzte Spur von Schlaf
> verbraucht, ich träume nur, was anstrengender ist als
> Wachen. Kurz, ich verbringe die ganze Nacht in dem Zus-
> tand, in dem sich ein gesunder Mensch ein Weilchen lang
> vor dem eigentlichen Einschlafen befindet. Wenn ich
> erwache, sind alle Träume um mich versammelt, aber ich
> hüte mich, sie zu durchdenken. (101)

_____

(100) *Entretien avec l'homme qui prie.*
(101) *Tagebücher und Briefe,* Verlag Mercy Sohn, Prag 1937, p. 43.
   A partir de ce moment toute la nuit durant jusque vers les
   cinq heures, bien que je dorme, des rêves intenses me
   tiennent en éveil. Je dors littéralement à côté de moi-même
   en lutte avec mes rêves. Vers les cinq heures la dernière
   réserve de sommeil est consommée, je ne fais plus que
   rêver ce qui est plus épuisant que veiller. Bref, je passe
   la nuit tout entière dans l'état où se trouve un homme
   sain quelques instants avant de s'endormir pour de bon.
   Quand je me réveille, tous les rêves sont rassemblés autour
   de moi, mais je me garde bien de les passer en revue.
   Traduction de Pierre Klossowski, Grasset, 1947, pp. 105/106.

Kafka est bien loin du rêveur surréaliste que comble
« la production des images de rêve » (102), loin aussi
d'avoir des « impressions très fortes, nullement conta-
minables de moralité, vraiment ressenties, par delà le
bien et le mal, dans le rêve » (103).

Le meurtrier Schmar est bien un personnage onirique
qui s'est donné aux forces de l'inconscient. Mais aussitôt l'acte commis il cesse d'être un animal cruel : le
cadavre de sa victime est comme une interrogation pleine
de reproches : « Was soll die stumme Frage, die du damit
stellst ? » (104) lui dit Schmar. Le blâme silencieux du
mort l'anéantit. Il se sent pris de faiblesse ; en pressant
sa bouche contre l'épaule de l'agent de police il se laisse
emmener docilement, succombant sous le poids de son
délit.

Le fantastique surréaliste présente bien des analogies
avec celui de Kafka ; il en diffère cependant essentiellement. Bachelard (105) entreprend l'interprétation psychologique du fantastique de Lautréamont et de Kafka
en analysant l'élément animal surgissant dans l'univers
de l'un et de l'autre. Le complexe de la vie animale
constitue la source de toute l'énergie de l'œuvre de
Lautréamont laquelle est spécifiquement une énergie
d'agression. « Le vouloir-vivre est ici un vouloir-atta-
quer » (106) dit Bachelard, et la volonté d'attaque trouve
son expression en créant cet univers animal qui est un
univers de la violence pure. La métamorphose offre à
l'homme la plus parfaite satisfaction de ses désirs, car
elle introduit à ce monde où le sentiment élémentaire de
vivre atteint son comble. Pour bien comprendre cette
« accélération vitale » (107) Bachelard propose de
comparer Lautréamont à Kafka. Ici la métamorphose
prend une signification inverse :

---

(102) *Nadja*, p. 62.
(103) *Ibid.*
(104) *Ges. Schriften* I, p. 163.
        Que signifie la muette question que tu me poses ?
(105) *Lautréamont*, José Corti, Paris, 1939.
(106) *Ibid.*, p. 6.
(107) *Ibid.*, p. 15.

Chez l'auteur allemand, il semble que la métamorphose
soit toujours un malheur, une chute, un engourdissement.
D'une métamorphose, on en meurt. A notre avis, Kafka
souffre d'un complexe de Lautréamont négatif, nocturne,
noir. Et ce qui prouve peut-être l'intérêt de nos recherches
sur la vitesse poétique et sur la richesse temporelle, c'est
que la métamorphose de Kafka apparaît nettement comme
un étrange ralentissement de la vie et des actions. (108)

Lautréamont et Kafka sont ainsi « les pôles extrêmes
de l'expérience des métamorphoses ». Le fantastique
révèle chez l'un et chez l'autre une cause psychologique
ainsi qu'une structure fonctionnelle diamétralement
opposés. Et le cas de Lautréamont correspond ici à celui
des surréalistes.

La métamorphose surréaliste peut également, à l'occasion, se caractériser par un certain goût de l'animalité.
Elle correspond alors à un désir de plonger dans une
sphère de vitalité élémentaire où la sensation de vivre
peut être savourée à l'état brut. Telle est la joie obscure
de Marceline Caïn, l'héroïne de Pieyre de Mandiargues
(109), qui se laisse envahir par un sentiment d'intimité
sans réserve avec les moutons du bercail. La jouissance
de la vie animale est mêlée d'horreur : lorsque Marceline
veut crier, elle entend un bêlement sortir de sa bouche.
Mais l'horreur de la métamorphose n'est au fond qu'un
ingrédient de la volupté. Tout est sensation étrange et
nouvelle ; Marceline s'y laisse couler jusqu'à aboutir à
la bestialité qui la poussera à tuer ses parents.

De la sensation de métamorphose Kafka ne retient que
le côté répugnant. L'horreur de l'animalité provoque
une paralysie du désir de vivre. Gregor ressent avec
horreur le durcissement de son corps ; il n'est plus
qu'une carapace immobile munie de ridicules petites
pattes gigottantes. Tout mouvement lui est pénible ; la
nourriture ne lui semble mangeable que quand elle est
déjà pourrie ; souvent il en garde un morceau dans la
bouche, frappé d'une inertie vitale. Lorqu'il veut

---

(108) *Lautréamont*, José Corti, p. 16.
(109) Pieyre de Mandiargues : *Le musée noir*, Robert Laffont, Paris,
    1946.

répondre au fondé de pouvoir, il entend, comme Marceline, sa voix animale.

La métamorphose de Kafka exprime la honte et le
comble de l'abaissement que subit l'être humain.

Celle de Pieyre de Mandiargues n'implique aucune
dépréciation. Malgré son horreur, elle ne peut être
qu'une expérience positive, car elle signifie la rupture
avec les lois de la causalité et du conformisme. Cette
rupture seule rend possible l'accès à l'univers surréel.
L'animalité n'est que « l'innocence farouche d'un univers enfin déchaîné » (110).

> De cet envahissement de la réalité par le merveilleux
> surgit un pays très vaste où le témoin, assez habile pour
> observer sans faire fuir par trop d'attention les éléments
> fantasmatiques, pourra se promener avec fruit : il y verra
> comment naissent avec les œuvres d'art les objets singu-
> liers, et les monstres autour de lui s'incarneront des sou-
> pirs que l'homme, aux minutes orageuses de son existence,
> laisse descendre comme des bulles de fourrure vers le
> peuple tiède et muet d'animaux. (111)

Tout fantastique est merveilleux pour Pieyre de
Mandiargues. Parfois il cherche la jouissance dans les
fantaisies les plus sordides. Ses textes donnent l'impression d'une décadence du surréalisme.

Tout différent le fantastique de Kafka. C'est finalement une tentative pour exprimer un tourment spirituel
qui, sinon, resterait incommunicable.

M. Carrouges donne également une interprétation
psychologique et fonctionnelle de l'élément fantastique
chez Kafka dans sa comparaison du verre de Marcel
Duchamp *La mariée mise à nu par ses célibataires même*
avec l'appareil de Kafka tel qu'il est décrit dans
La Colonie pénitentiaire (112). La machine fantastique
de M. Duchamp est exécutée avec minutie comme la
maquette d'un appareil. Le fantastique, ainsi, par la
voie de la technique, fait son irruption dans la réalité.

(110) P. DE MANDIARGUES : *Le musée noir*, p. 10.
(111) *Ibid.*
(112) Michel CARROUGES : *La Machine-Célibataire selon Kafka et
      Marcel Duchamp*, Mercure de France, N° 1066, juin 1952.

De même chez Kafka, où la construction ainsi que le
fonctionnement de la machine sont décrits en détail,
M. Carrouges applique la méthode psychanalytique pour
déceler la signification de ce mécanisme : il constate la
prédominance d'un principe d'impuissance chez Kafka
et une volonté de refus à l'égard de l'érotisme chez
Duchamp. Les deux inventions techniques révèlent un
monde sans amour.

Il y a, chez les deux auteurs, « confusion préméditée
de l'homme et de la machine » (113) ; l'homme apparaît
sous forme d'objet. L'élément rationnel fusionne avec
l'irrationnel ; l'esprit scientifique s'identifie, dans sa
structure, à l'esprit artistique. Ainsi l'élément irrationnel, par des moyens techniques, est introduit dans la
réalité. C'est bien là le « surrationalisme » dont parle
un Gaston Bachelard : ce terme indique que les recherches des surréalistes lesquelles devaient aboutir avant
tout sur le plan de l'art, se propagent dans tous les
domaines de la vie. Le surrationalisme devient ainsi la
méthode de penser du poète, du peintre et du savant. La
technique et l'art s'unissent afin d'objectiver l'activité
de l'inconscient.

Ce procès de rationalisation est appliqué consciemment par Marcel Duchamp. Les plans du verre
contiennent de nombreuses indications visant nettement
l'interprétation psychanalytique que requiert son œuvre.

Il n'en n'est pas ainsi de Kafka. La valeur de sa
machine est à la fois mythique et religieuse — Carrouges
le dit expressément. Mais à l'interprète qui a été lui-
même surréaliste, il importe d'éclairer le mystère de
l'inconscient qui s'y cache ; il découvre en Kafka un
maître de l'objectivation du surréel malgré lui.

L'on retrouve le fantastique de Kafka dans un récit
de Jean Ferry *Kafka ou La société secrète* (114). Jean
Ferry essaie de reprendre le mouvement de l'*Erlebnis*
de Josef K. Il fait dépendre l'existence de tout homme
d'une société secrète à laquelle, tout en la redoutant, on

_____

(113) *Le Surréalisme et la Peinture*, p. 84.
(114) *L'Age d'Or*, Fontaine, 1946.

désire s'intégrer. La société incarne le mystère : personne ne sait en quoi elle consiste, on ne sait même pas
si l'on en fait partie ou non. On peut y atteindre le plus
haut degré de la hiérarchie et pourtant ne pas savoir si
l'on y occupe une position authentique. Toute initiation
à la société peut être fausse et n'avoir aucune validité.
Mais il est aussi parfaitement possible d'être admis dans
cette société sans avoir jamais subi d'épreuves. Le pouvoir des membres supérieurs est omniprésent et illimité ;
la moindre réunion peut, s'ils le veulent, devenir réunion
de la société secrète.

Jean Ferry recrée donc bien l'atmosphère fantastique
en y mêlant cet élément d'inquiétude qui tourmente les
héros de Kafka. L'inquiétude naît de la volonté de percer
la signification du fantastique et de connaître comment
il faut vivre afin de trouver le juste rapport avec la
société omnipotente. Car l'existence de l'homme dépend
de ce rapport ; s'il n'en trouve pas la clé, il risque d'être
anéanti. Or cette recherche, précisément, n'aboutit pas.
Tant que j'ignore tout de la société secrète je suis tran-
quille, même en en faisant partie à mon insu. Mais dès
que, d'une manière ou d'une autre, j'ai fait l'expérience
de la réalité de la puissance inintelligible, dès que je
connais l'existence de la société, je me vois contraint de
créer un rapport entre elle et moi. Puisqu'elle existe en
tant que puissance omniprésente je ne puis empêcher
qu'elle n'affecte la sphère individuelle de mon existence :
je désirerai trouver accès à la société ou je la fuierai ; et
finalement je serai réduit à chercher désespérément les
moyens d'admission car il n'y aura pour moi d'être que
par rapport à cette puissance.

Or la société ne me donne nulle indication de conduite,
au contraire, elle semble brouiller toutes mes tentatives
d'approche ; je suis entièrement livré à moi-même.

La société secrète, tout en exigeant de tout être humain
qu'il entre en rapport avec elle, se dérobe sans cesse
afin de rendre tout rapport impossible. Elle empêche ce
qu'elle exige ; elle est omniprésente et insaisissable à la
fois.

La société incarne le paradoxe. Elle engage à pénétrer

le mystère, mais elle n'est là que pour garder le mystère
et y envelopper celui qui chercherait à le percer. Jamais
elle ne révélera son but, jamais celui qui cherche à y
adhérer ne saura pourquoi il le fait : tous ses efforts sont
voués à l'absurde. La société secrète n'est là que pour
garder le secret, pour maintenir le non-sens; elle est
elle-même l'*Absurdum*.

> Si haut, si loin qu'aille l'initiation, elle ne va jamais
> jusqu'à révéler à l'initié le but poursuivi par la société
> secrète. Mais il y a toujours des traîtres, et ce n'est plus
> depuis longtemps un mystère pour personne que ce but
> est de garder le secret. (115)

Jean Ferry maintient la balance entre le ton tourmenté qui est l'expression de l'inquiétude causée par la
confrontation avec l'absurde et le ton ironique de celui
qui se rit des manœuvres dérisoires de l'être humain se
débattant contre l'absurde. Il recrée ainsi le ton de
Kafka en l'imitant sciemment et en y ajoutant une
nuance tout à fait personnelle : il ironise aux dépens de
Kafka — mais en même temps ce pastiche est l'expression originale de son expérience du fantastique
kafkaïen.

Même coordination du sérieux et de l'ironie chez les
deux auteurs, même volonté de souffrir et, en même
temps, de se rire de ses propres souffrances. Jean Ferry
reprend la description minutieuse de Kafka : l'exposé
de la situation complexe de la société secrète remplit les
trois quarts du récit; ce n'est qu'à la fin qu'il mentionne
le délit de Josef K., la perte du ticket de métro, et sa
conséquence, le début des rapports entre le héros et la
société. Cet ennui qui découle de la minutieuse peinture
de l'absurde est proprement kafkaïen; c'est la force qui
renvoie au néant de l'absurde.

L'astrologue chinois (116) reprend le thème du non-
sens de la vie : l'astrologue est en quelque sorte une
réapparition du champion du jeûne de Kafka : le héros
passe sa vie à une occupation dont la signification lui

---

(115) *Kafka ou la société secrète*, p. 14.
(116) *Ibid.*, p. 16.

semble être absolue. Quand il est sur le point de toucher
à son but, la mort intervient pour couronner son œuvre
absurde et lui révéler la duperie dont il a été la proie. —
Dans *Robinson* (117) on retrouve la bête de Kafka qui
se réfugie dans son terrier ; on retrouve aussi le thème
de la fatigue développé surtout dans *Le Procès* et dans
Le Château. Même évocation de l'être traqué cherchant
la solitude afin de pouvoir se livrer à son penchant au
sommeil. — Dans *Mon Aquarium* (118) la fatigue revient
en tant que force qui mine la joie de vivre ; les pensées
de suicide se nourrissent surtout de la fatigue de leur
auteur. — Dans *Aux Frontières du Plâtre* (119) le sommeil apparaît comme un monde souterrain, monde qui
n'est plus de ce monde :

> On ne monte jamais dans le sommeil, toujours on y
> tombe, on s'y enfonce. C'est une sombre maison profon-
> dément creusée dans le sol. Heureux ceux qui ont loué le
> dernier étage, le plus bas, où personne ne peut venir les
> déranger. Les fenêtres s'ouvrent vers l'intérieur, et la terre
> noire colle aux vitres. Au centre de l'appartement, isolée
> après des couloirs sans fin, la chambre à dormir. Le lit
> dans un creux, on y pénètre par un trou d'homme, comme
> dans un sous-marin. Un silence à couper au diamant
> tourne lentement en rond, engluant les oreilles, les pou-
> mons. Oui, ce n'est pas l'air des jours, de tous les jours,
> le vôtre, en particulier. (120)

Dans le *Tigre mondain* (121) le fantastique prend une
couleur beaucoup plus étincelante que chez Kafka,
L'apparition du tigre déguisé en être humain, la musique bruyante de l'orchestre, la lumière du grand phare,
la beauté de la dompteuse, tout cela présente un certain
attrait que l'angoisse qui se dégage également de l'attrac-
tion du tigre mondain, ne saurait éliminer, attrait qui
consiste en une « horreur surnaturelle » (122) éprouvée
par l'auteur devant ce numéro de music-hall. L'absurde

---

(117) *Kafka ou la société secrète*, p. 23.
(118) *Ibid.*, pp. 27/28.
(119) *Ibid.*, pp. 38/48.
(120) *Ibid.*, pp. 38/39.
(121) *Les Quatre Vents*, N° V, 1946.
(122) *Ibid.*, p. 57.

paraît sous le symbole d'une bête féroce ridiculement resserrée dans des habits d'homme et désavouant son naturel en adoptant des gestes humains et en mimant la galanterie. C'est un absurdum terrifiant et en même temps, par sa comédie tendre, il dégage ce « dégoût abject » (123) dont parle l'auteur. Badinage avec l'absurde à la fois repoussant et piquant.

L'absurde de Kafka ne revêt jamais ce costume chatoyant; même s'il inspire la terreur, il est toujours exempt de cet élément piquant qui caractérise le *Tigre mondain*. Mais « l'horreur surnaturelle » du fantastique dont Jean Ferry a trouvé l'expression poétique, figure également chez Kafka, dans la *Colonie pénitentiaire* ou dans la *Métamorphose*; c'est l'horreur particulière à l'expérience de l'absurde.

Outre ces divergences inhérentes au fantastique surréaliste et au fantastique kafkaïen, il y a une région encore où Kafka ne saurait suivre les surréalistes: celle des enchantements et des êtres surnaturels. Le monde du merveilleux lui reste à jamais fermé. Son fantastique ne s'aventure pas jusqu'au merveilleux. Comment l'auteur de la *Métamorphose*, du *Procès* et de la *Colonie pénitentiaire* vivrait-il en communication avec des êtres féeriques ? Comment pénètrerait-il dans les forêts magiques et les contrées enchantées tel l'auteur de *L'Amour fou* et d'*Arcane 17* ? Le héros kafkaïen n'est plus en état de contempler le monde avec les yeux d'un enfant — peut-être ne l'a-t-il même jamais pu ! L'abord spontané de la vie ainsi que « la nécessité d'un constant retour aux principes pour être à même de renouer le merveilleux » (124), le primat de l'inconscient, réceptacle du merveilleux, sont pour Kafka des postulats irréalisables.

L'affirmation surréaliste de la vie trouve son accomplissement dans l'amour. Il y a une mystique de l'amour au cours de laquelle « se réalise au plus haut degré la fusion de l'existence et de l'essence » (125). *Arcane 17* est le document de cette « extase » que son auteur com-

---

(123) *Les Quatre Vents*, n° V, 1946.
(124) *Le Surréalisme et la Peinture*, p. 182.
(125) *Arcane 17*, p. 38.

pare à l'état de grâce de Thérèse d'Avila. La « conciliation en un seul être » (126) permet la réalisation simultanée des désirs charnels et des aspirations de l'esprit et conduit à un état créateur, à une « entrée en transe » (127) où l'amour devient un moment poétique.

Cette conception de l'amour apporte nécessairement avec elle une glorification de la femme en tant que prêtresse de la surréalité. La femme est l'objet de la rencontre poétique et réunit ainsi en sa personne la fonction de l'aimée et de la muse, car elle apporte « la révélation » (128) de l'essence de l'être. De là l'extraordinaire force poétique de l'évocation de l'aimée surréaliste.

L'univers de Kafka est un univers sans amour ou un univers de l'impossibilité de l'amour. — La femme y apparaît sous un aspect bien différent ; elle ne ressemble guère aux figures mythiques que sont les Nadjas et les Mélusines surréalistes. L'élément merveilleux lui manque totalement. Physiquement elle est insignifiante et d'un aspect effacé. Ses yeux seulement se distinguent par la profondeur de leur expression. Leni a un petit visage de poupée et deux grands yeux noirs ; et Frieda :

> Ein unscheinbares, kleines, blondes Mädchen mit traurigen Augen und mageren Wangen, das aber durch ihren Blick überraschte, einen Blick von besonderer Ueberlegenheit. (129)

Les femmes de Kafka sont toujours en rapport avec ces puissances mystérieuses qui, pour les héros, sont source de conflits. — Leni est la bonne de l'infirmière de l'avocat Huld. Elle est ainsi à la périphérie du cercle judiciaire ; initiée aux mystères de cette institution, elle pourra indiquer à K. le seul chemin possible pour se

---

(126) *Arcane 17*, p. 205.
(127) *Ibid.*, p. 206.
(128) *Ibid.*, p. 105.
(129) *Das Schloss, Ges. Schriften* IV, p. 49.
    Une petite blonde insignifiante aux yeux tristes et aux joues maigres, mais dont le regard surprenait par une espèce de supériorité.
    Le Château, traduction d'A. Vialatte, p. 41.

tirer d'affaire : il faut qu'il avoue. Et en même temps
elle s'efforce de le séduire, lui fait des avances, tentative
vouée à l'échec. Car Josef K. ne la recherche guère en
tant qu'objet de son désir, en tant que femme aimée,
mais en tant que médiatrice entre lui et le tribunal. Leni
s'en rend compte : « ich gefiel Ihnen nicht und gefalle
Ihnen auch wahrscheinlich jetzt nicht » (130) lui dit-elle ;
et un peu plus loin lorsque K., au lieu de s'occuper d'elle,
contemple longuement le portrait du magistrat : « Aber
müssen Sie denn immerfort an Ihren Prozess den-
ken ? » (131).

Leni est la femme rivée à la vie élémentaire et, en
même temps, elle est initiée à la région de la suprême
justice. Parce qu'elle agit conformément à la nature,
elle est plus près que Josef K. de la puissance transcendante. Le mystère de la Loi semble se rapprocher et
s'éclaircir à travers sa personne.

Leni aime en K. l'accusé — elle aime tous les accusés
parce que, du fait de leur contact avec la justice, ils
sont marqués. Elle l'aime vraisemblablement aussi en
tant que révolté puisqu'elle le préfère nettement au petit
négociant Block, qui lui, à la suite de son procès, a perdu
toute dignité humaine jusqu'à s'abaisser au rang d'un
chien rampant devant le lit de l'avocat. Or, pour Josef
K. il n'y a plus que son accusation qui compte. L'amour
de Leni échoue parce que, chez K., il se heurte à un refus
coupable de la vie.

Mademoiselle Bürstner n'a nulle relation avec Josef K. La scène nocturne dans sa chambre se produit
malgré elle. Sa présence ne doit qu'attester la réalité de
ce qui s'est passé pendant la journée. En outre sa personne représente la vie en dehors du procès : K., pour
cette raison, s'accroche à elle ; le geste d'amour qui suit
n'est qu'un geste de désespoir :

---

(130) *Der Prozess, Ges. Schriften* III, p. 117.
       Je ne vous plaisais pas, et je ne vous plais sans doute
       toujours pas.
           Le Procès, traduction d'A. Vialatte, p. 133.
(131) *Ibid.,* p. 118.
       Mais ne pouvez-vous donc penser qu'à votre procès ?
           Le Procès, traduction d'A. Vialatte, p. 135.

> K. ... fasste sie, küsste sie auf den Mund und dann über
> das ganze Gesicht, wie ein durstiges Tier mit der Zunge
> über das endlich gefundene Quellwasser hinjagt. (132)

La femme de l'huissier du tribunal, étant indirectement en relations avec le monde judiciaire, Josef K.
sollicite son aide quoiqu'elle ne puisse lui être d'un grand
secours. Il ne lui devra que le coup d'œil aux déplorables
livres juridiques. — Si plus tard, il cherche à la défendre
contre l'étudiant, ce n'est que pour se prouver à lui-
même sa virilité.

Une des figures les plus révélatrices, c'est Frieda dans
Le Château. K. cherche en elle la liaison avec le château.
Puis il désire également le mariage avec Frieda qui lui
permettrait de s'installer au village et d'obtenir sa
légitimation.

Il y a de la part de Frieda une étrange avidité de mettre la main sur K. Douée d'une espèce de clairvoyance
elle sait dès l'entrée de K. à l'auberge qu'il n'y a qu'un
seul moyen de le conquérir : le mettre en contact avec les
puissances du château. Elle lui demande donc sans
préambules : « Wollen Sie Herrn Klamm sehen ? » (133)
Et elle le conduit près d'une porte fermée et lui fait voir
Klamm par un petit trou. En lui permettant de passer
la nuit à l'auberge qui est le parvis du château, elle
conquiert K.

Frieda est une des figures les plus harmonieuses que
Kafka ait créées. L'abandon aux puissances du château,
c'est-à-dire à Dieu, lui est donné naturellement. Son
affirmation totale de la puissance divine se manifeste
également dans sa conception harmonieuse de la vie à
laquelle elle se donne aussi entièrement et aussi naturellement qu'à Dieu.

K. est déséquilibré du fait de sa préoccupation spiri-

---

(132) *Ges. Schriften*, p. 40.
     Il l'attrapa et la baisa sur la bouche, puis sur tout le visage,
     comme un animal assoiffé qui se jette à coups de langue
     sur la source qu'il a fini par découvrir.
     Traduction d'A. Vialatte, p. 44.
(133) *Ibid.*, IV, p. 50.
     — Voulez-vous voir Monsieur Klamm ?
     Traduction d'A. Vialatte, p. 42.

tuelle jusqu'à en perdre les relations avec le monde
concret. Il devient un étranger et un proscrit : la vie le
rejette. — Frieda a compris que la vie en Dieu et la vie
dans le monde ne sont nullement incompatibles. La
recherche de Dieu ne la mène pas à un refus du monde,
mais plutôt à un abandon confiant à Dieu et à la vie. Au
fond elle ne cherche pas, elle réalise l'aphorisme :

> Wer sucht, findet nicht, aber wer nicht, sucht, wird
> gefunden. (134)

Frieda est trouvée, elle est en état de grâce.

Etant l'élue de Klamm, Frieda a accès au château.
Mais elle cherche simultanément à s'enraciner dans la
vie terrestre : de là son amour pour K. qui est l'homme
placé en dehors du château. Or K. n'est pas disponible ;
il s'entête à ne poursuivre que le seul but d'arriver jusqu'au château. Sa recherche qui, par son opiniâtreté,
porte le sceau de la révolte, l'empêche de se laisser
trouver. Elle l'éloigne de Dieu et de la vie. L'amour,
par conséquent, reste pour lui un pays étranger où il ne
se perd qu'à regret :

> Dort vergingen Stunden, Stunden gemeinsamen Atems,
> gemeinsamen Herzschlags, Stunden, in denen K. immer-
> fort das Gefühl hatte, er verirre sich oder er sei so weit
> in der Fremde, wie vor ihm noch kein Mensch, eine.
> Fremde, in der selbst die Luft keinen Bestandteil der Hei-
> matluft habe, in der man vor Fremdheit ersticken müsse
> und in deren unsinnigen Verlockungen man doch nichts
> tun könne als weiter gehen, weiter sich verirren (135)

---

(134) *Hochzeitsvorbereitungen auf dem Lande und andere Prosa aus
    dem Nachlass*, S. Fischer Verlag, Frankfurt 1953, p. 94.
    Qui cherche ne trouve pas, mais qui ne cherche pas est trouvé.
(135) *Ges. Schriften* IV, p. 56.
    Des heures passèrent là, des heures d'haleines mêlées, de
    battements de cœur communs, des heures durant lesquelles
    K. ne cessa d'éprouver l'impression qu'il se perdait, qu'il
    s'était enfoncé si loin que nul être avant lui n'avait fait
    plus de chemin ; à l'étranger, dans un pays où l'air même
    n'avait plus rien des éléments de l'air natal, où l'on devait
    étouffer d'exil et où l'on ne pouvait plus rien faire, au
    milieu d'insanes séductions, que continuer à marcher, que
    continuer à se perdre.
    Traduction d'A. Vialatte, p. 47.

L'amour de Frieda se heurte à sa mutinerie; il en
résulte ces scènes douloureuses au cours desquelles
l'amour culmine en un étrange désespoir, en une impuissance de l'amour:

> Wie Hunde verzweifelt im Boden scharren, so scharrten
> sie an ihren Körpern ; und hilflos, enttäuscht, um noch
> letztes Glück zu holen, fuhren manchmal ihre Zungen
> breit über des andern Gesicht. (136)

K. est conscient de son erreur. Il l'exprime en parlant
de Pepi, la jeune fille qui prend la succession de Frieda
à l'auberge: il se retrouve en elle:

> nur wenn ich mich mit dir vergleiche, taucht mir etwas
> Derartiges auf, so als ob wir uns beide zu sehr, zu lär-
> mend, zu kindisch, zu unerfahren bemüht hätten, um
> etwas, das zum Beispiel mit Friedas Ruhe, mit Friedas
> Sachlichkeit leicht und unmerklich zu gewinnen ist,
> durch Weinen, durch Kratzen, durch Zerren zu bekom-
> men — so wie ein Kind am Tischtuch zerrt, aber nichts
> gewinnt, sondern nur die ganze Pracht hinunterwirft und
> sie sich für immer unerreichbar macht. (137)

Olga et Amalia ne sont en relation qu'avec les puissances du château. Leur signification, surtout celle
d'Amalia, est essentiellement spirituelle.

Le héros kafkaïen échoue auprès des femmes dès que
celles-ci s'approchent de lui en tant qu'êtres de l'autre
sexe. C'est le cas de Josef K. et de K. Il en est de même

---

(136) *Ges. Schriften* IV, p. 60.
   Comme des chiens qui grattent désespérément le sol, c'était
   ainsi qu'ils s'acharnaient l'un contre l'autre, et puis, déçus,
   impuissants à s'aider pour chercher un dernier bonheur,
   ils se passaient parfois la langue sur la figure.
      Traduction d'A. Vialatte, pp. 51/52.

(137) *Ibid.*, p. 355.
   Du moment que je me compare à toi, je songe à quelque
   chose de semblable — comme si tous les deux nous nous
   étions acharnés d'une manière trop bruyante, trop puérile,
   trop inexpérimentée sur une chose qu'on peut obtenir faci-
   lement et sans qu'il y paraisse avec le calme et l'objec-
   tivité de Frieda. Nous nous sommes efforcés en pleurant,
   en griffant, en tirant avec violence ainsi qu'un enfant qui
   tire la nappe et qui n'obtient rien que de jeter par terre
   toute la magnificence et de se la rendre à jamais inaccessible.

pour Karl Rossman qui reste insensible aux avances de
Klara. Elle lutte avec lui et le punit en l'offensant dans
sa dignité masculine. — La cuisinière en chef de l'hôtel
Occidental par contre l'entoure d'une affection mater-
nelle. Karl y répond spontanément, car elle est pour lui
la protectrice bienveillante à l'égard de laquelle il n'a
que vénération et confiance. — K. dans *Le Château*
pourrait également trouver conseil auprès de l'aubergiste
étant donné qu'elle est initiée aux choses du château et
qu'elle a acquis une grande sagesse de la vie ; mais K.
ne suit que son idée, obstinément, se privant ainsi de
toute aide. Karl Rossmann gagne l'affection d'autrui
par sa candeur, K. la perd du fait de son obstination. —
Thérèse se contente d'une liaison purement amicale avec
Karl. Il semble que considérant son jeune âge, les femmes, à l'exception de Klara, pardonnent à Karl son
manque d'empressement. — Brunelda enfin personnifie
la vie purement instinctive et primordiale. Karl reste
parfaitement insensible à ses charmes et à ses manœuvres de séduction. L'asservissement de Delamarche et de
Robinson, l'extase de ce dernier en parlant de Brunelda,
ne lui inspirent que dégoût ; il cherche à s'échapper au
plus vite.

C'est la femme qui, chez Kafka, a l'initiative des liaisons amoureuses. Si elle échoue c'est que le héros ne peut
y répondre. Karl Rossmann est trop jeune et, malgré
tout, trop ouvert à la vie pour qu'on puisse lui en faire
grief. Mais le K. des romans postérieurs, ne pouvant
faire abstraction de soi, même au prix d'un instant de
bonheur, refuse de s'engager : ce refus est coupable à
l'égard de la vie.

Les lettres de Kafka à Milena témoignent d'une boule-
versante passion qui ne s'accorde aucunement avec le
caractère de ses héros. Mais la félicité est mêlée de
désespoir et d'humiliation. C'est un amour portant tous
les signes de l'irréalisable. Aussi Willy Haas, l'éditeur
des *Lettres à Milena,* remarque-t-il que l'amour pour
Milena a été avant tout un amour épistolaire comparable
à celui de Werther ou de Kierkegaard.

Les femmes de Kafka peuvent être des êtres privilégiés.

Elles ne le sont pas toutes : Amalia par exemple est une
révoltée à jamais retranchée et de Dieu et de la vie ; et
Pepi, par son zèle impatient, doit perdre sa situation à
l'auberge. Mais il y en a d'autres : l'aubergiste du
Château, Leni, Frieda. Elles réunissent en elles l'appartenance à Dieu et la disponibilité à la vie. Elles s'appartiennent, elles sont par conséquent en état de grâce.

L'homme par contre est miné par sa préoccupation
spirituelle. Il recule devant la vie jusqu'à n'en garder
qu'une impuissante nostalgie. —

On ne saurait s'écarter davantage de la conception
surréaliste ! Mais aussi bien chez Kafka que chez les
surréalistes la femme possède, intuitivement et malgré
elle pour ainsi dire, une parfaite harmonie de l'être.
Elle invite l'homme à la suivre : le surréaliste s'y trouve
prêt : K. par contre est incapable de la rejoindre.

Le surréaliste poursuit une recherche du bonheur. Il
pense que pour être heureux, il faut *vouloir* l'être et se
rendre disponible. Sa métaphysique du désir en est le fil
conducteur : le surréaliste est aux écoutes du désir dont
l'objet établit la communication entre le réel et le surréel. La réussite consiste plus encore dans cet état de
disponibilité, dans « cette soif d'errer à *la rencontre* de
tout » (138) que dans l'accomplissement du désir proprement dit. L'attente en elle-même est absolue :

> J'aimerais que ma vie ne laissât après elle d'autre mur-
> mure que celui d'une chanson de guetteur, d'une chanson
> pour tromper l'attente. Indépendamment de ce qui arrive,
> n'arrive pas, c'est l'attente qui est magnifique. (139)

C'est bien ce que Gide recommandait à son disciple :

> Nathanaël, que chaque attente, en toi, ne soit même pas
> un désir, mais simplement une disposition à l'accueil.
> Attends tout ce qui vient à toi. (140)

L'attente est ainsi un état de grâce que nul destin ne
saurait tromper. L'acte de foi dans le hasard détermine

---

(138) *L'Amour fou*, p. 41.
(139) *Ibid.*
(140) *Les Nourritures terrestres*, Gallimard, 1942, p. 31.

plutôt la rencontre du Toi, c'est-à-dire de l'objet du désir, rencontre qui apporte la transparence de l'être. La réalisation de l'instant poétique de la rencontre est la réalisation du bonheur.

La disponibilité embrasse également l'inconscient et réclame « la récupération totale de notre force psychique par un moyen qui n'est autre que la descente vertigineuse en nous » (141). Consciemment ou inconsciemment, l'homme sera toujours prêt à être touché par les signes montrant le passage vers le surréel.

La recherche de Kafka n'est pas celle du bonheur; il se refuse à ce dernier. Il n'est jamais disponible. Même quand l'amour, malgré lui, vient à sa rencontre, il lui fait comprendre qu'il est déjà pris. Il renvoie le bonheur au lieu de l'accueillir. Sa recherche du Juge ou du Seigneur du Château ne lui accorde pas un instant d'attente. Elle le frustre de la disposition à la vie et étouffe en lui le désir terrestre; elle fait de lui un ascète.

Aussi rien n'est gratuit: l'inconscient n'élève sa voix dans le rêve que pour témoigner de la disharmonie entre l'être et la transcendance; il ne fait agir le fou que pour lui démontrer sa culpabilité ou celle de son prochain.

Antonin Artaud a senti ce qu'il y a d'abstrait, de purement spirituel dans l'œuvre de Kafka. Il la rejette parce qu'elle est grevée de mythes bibliques et d'éléments cabalistiques. La contrainte traditionaliste de la pensée occidentale et, en particulier, de la pensée judaïque lui est insupportable. Dans sa *Lettre contre la Cabbale* (142), adressée à Jacques Prevel, il s'en prend à Kafka avec véhémence en l'accusant d'ésotérisme, de symbolisme, d'allégoricisme et de judaïsme en termes injurieux:

> C'est par dessus tout dans Kafka un retour du vieil esprit youpin que je poursuis (j'en ai autant pour le nom chrétien). Ce vieil esprit d'une insupportable youpinerie qui nous a une première fois asséné la Kabbale et la deuxième fois la Genèse de l'ancien testament. (143)

---

(141) *Les Manifestes du Surréalisme*, p. 111.
(142) Chez Jacques Haumont, Paris, 1949.
(143) *Ibid.*

Si Dieu est « innumérable et insondable » (144), pourquoi vouloir le sonder et l'énumérer ? Artaud ridiculise toutes les tentatives métaphysiques visant une approche et une explication de Dieu. Il se révolte contre toute pensée systématique en refusant un monde pris dans une contrainte spéculative, « un monde réglé, calculé » (145) ; il y voit une falsification du mythe de la réalité :

> Car la réalité est terriblement supérieure à toute histoire, à toute fable, à toute divinité, à toute surréalité. Il suffit d'avoir le génie de savoir l'interpréter (146)

Le « mythe de la réalité » se déduit des choses les plus terre-à-terre ; « qui ne voit que c'est justement ce cadre maintenant invétéré de chiffres et de lettres qui a fini par asphyxier et par perdre ataviquement l'humanité » (147). Kafka ne peut « comprendre l'infini sans nombre » (148), c'est-à-dire qu'il s'en approche moyennant la réflexion.

On voit tout ce qui sépare les surréalistes de Kafka. La transcendance surréaliste est celle du merveilleux ; son objet est le Toi absolu, un au-delà immanent qui ne se dérobe guère à celui qui reste disponible.

La transcendance de Kafka est celle du Dieu justicier de l'Ancien Testament ; elle est d'un autre monde.

Il y a loin du *Château* à *L'Amour fou* en dépit d'une communauté de thèmes littéraires (folie, rêve, fantastique, similitude de climat et d'images). Il est remarquable que Breton dans ses *Entretiens* ne mentionne Kafka qu'une ou deux fois en passant.

Sans doute les surréalistes ont-ils contribué à mettre en vogue Kafka. Mais il semble qu'ils aient soit mal aperçu, soit refusé l'essentiel de son apport.

---

(144) *Lettre contre la Cabbale,* s. p.
(145) *Ibid.*
(146) *Van Gogh, le suicidé de la société,* K., éditeur, Paris, 1947, p. 29.
(147) *Lettre contre la Cabbale.*
(148) *Ibid.*

CHAPITRE II

HENRI MICHAUX ET KAFKA

> Mon vide est un grand mangeur, grand
> broyeur, grand annihileur.
> Mon vide est ouate et silence.
> Silence qui arrête tout.
> Un silence d'étoiles.
> Quoique ce trou soit profond, il n'a
> aucune forme.
> Les mots ne le trouvent pas
> Barbotent autour.
>
> Henri MICHAUX (*Ecuador*, p. 100).

Henri Michaux publie son premier livre en 1922. Des œuvres importantes telles que *Mes Propriétés, Ecuador, Un certain Plume* et *La Nuit remue* paraissent en 1931 ; Kafka est encore peu connu en France. Michaux a trouvé son style dès 1927 avec *Qui je fus,* un an avant que la première traduction de Kafka ne paraisse en France.

L'on ne saurait donc parler d'influence, encore que, depuis, Michaux ait certainement pratiqué l'œuvre de Kafka.

« J'ai seul la clé de cette parade sauvage » dit Rimbaud de son œuvre ; on serait bien tenté d'appliquer cette parole à Henri Michaux. Comme Rimbaud ou Lautréamont, il se trouve en dehors de toute littérature. Son œuvre se nourrit également d'hallucinations qui

prennent corps dans ses récits et dans ses poèmes, mais
sans toutefois priver son auteur de sa lucidité.

> Je m'habituai à l'hallucination simple : je voyais très
> franchement une mosquée à la place d'une usine, une
> école de tambours faite par des anges, des calèches sur les
> routes du ciel, un salon au fond d'un lac ; les monstres,
> les mystères

— on touche parfois au monde de Michaux.

> J'écrivais des silences, des nuits, je notais l'inexpri-
> mable. Je fixais des vertiges

— comme Michaux.

> Je finis par trouver sacré le désordre de mon esprit.
> J'étais oisif, en proie à une lourde fièvre : j'enviais la féli-
> cité des bêtes, — les chenilles, qui représentent l'innocence
> des limbes, les taupes, le sommeil de la virginité !

Ou encore :

> Je me crois en enfer, donc j'y suis

et Michaux, à maintes reprises pourrait dire de son
poème :

> je vous détache ces quelques hideux feuillets de mon car-
> net de damné.

C'est un appel d'un autre monde, un monde de la
réalité des imaginations, un monde surréel donc, mais
sans l'abandon et la passivité poétique des surréalistes.
Chez Michaux comme chez Rimbaud le ton est net et
coupant ; il a souvent quelque chose de métallique, de
cruel aussi, qui permet à son auteur de dominer sa
création fantastique afin de ne pas y sombrer. Aussi
l'immersion romantique dans le merveilleux manque-
t-elle chez les deux auteurs.

Cette position littéraire, tout à fait isolée, est propre
aussi à Franz Kafka. Et son œuvre est également habitée
d' « hallucination simple », de « monstres », et de
« mystères ». Comme celle de Rimbaud et celle de

Michaux elle « fixe des vertiges » ; les vermines et les taupes peuplent son univers et son récit est bien souvent un « carnet de damné ». Son ton aussi présente cette netteté contrôlée et cette cruauté, et la retenue ne fait jamais relâche durant ses investigations fantastiques.

Or il y a un décalage entre les trois auteurs : Rimbaud, outre le cri de damnation, éprouve l'état d'illumination où les visions éblouissantes se succèdent et où le féerique alterne avec le diabolique. La joie, la tendresse et la pureté voisinent avec la cruauté et le nihilisme cynique. — Chez Michaux le brillant du fantastique se ternit ; le monstrueux domine. Rien de joyeux ni de tendre, pas de « calèches sur les routes du ciel », ni d' « écoles de tambours faite par des anges ». La sécheresse de l'expression et la cruauté des images donnent à son œuvre une certaine uniformité.

Même uniformité chez Kafka. Mais il n'a pas le brio, la violence et l'élan propres à la parole de Michaux. Le fantastique de Kafka s'extériorise d'une manière plus pesante : il est minutieusement exposé — et cette minutie, souvent chargée d'un ennui voulu, produit sur le lecteur un effet accablant ; comme le héros du récit il subit une sensation d'étouffement. —

La parenté entre Michaux et Kafka est bien plus frappante que la ressemblance de ces deux auteurs avec Rimbaud. Le côté lumineux — « Rimbaud est un feu » dit Valéry, « un éclat de météore » l'appelle Mallarmé — fait la singularité de Rimbaud : son fantastique, qu'il soit illumination ou enfer, ne manque jamais d'éclat, éclat froid et dur ou éclat ardent.

Le fantastique de Michaux et de Kafka, en revanche, malgré sa vigueur, a moins de couleur. L'imagination semble toujours être menée par le cauchemar ; aussi l'effet que produit son expression poétique est-il oppressif.

A comparer les motifs poétiques de Michaux à ceux de Kafka, l'on reconnaît aussitôt une similitude psychologique et spirituelle. Certains textes de Michaux reprennent des motifs de Kafka sur un autre plan, dans un autre rapport ; le motif peut porter une autre signification que chez Kafka, mais il évoque pourtant immédiatement l'atmosphère kafkaïenne. Michaux écrit dans *La Nuit remue* :

> Sous le plafond bas de ma petite chambre,
> est ma nuit, gouffre profond.
> Précipité constamment à des milliers de mètres de profondeur, avec un abîme plusieurs fois aussi immense sous moi, je me retiens avec la plus grande difficulté aux aspérités, fourbu, machinal, sans contrôle, hésitant entre le dégoût et l'opiniâtreté, l'ascension-fourmi se poursuit avec une lenteur interminable. Les aspérités de plus en plus infimes, se lisent à peine sur la paroi perpendiculaire. Le Gouffre, la nuit, la terreur s'unissent de plus en plus indissolublement. (1)

Ce texte ébauche l'univers de Kafka. La scène du cauchemar, c'est la chambre solitaire de l'auteur, la chambre du célibataire Blumfeld ou la chambre meublée du fondé de pouvoir Josef K. Ces quatre murs renferment le théâtre nocturne où se déploient les visions de l'angoisse : la descente dans la profondeur du gouffre sans nul espoir de retour :

> ich versinke mit einem Fuss, dann mit dem andern, die Schreie der Mädchen verfolgen mich in meine Tiefe, in die ich lotrecht versinke, durch einen Schacht, der genau den Durchmesser meines Körpers, aber eine endlose Tiefe hat. Diese Endlosigkeit verlockt zu keinen besonderen Leistungen, alles, was ich täte, wäre kleinlich, ich falle sinnlos und es ist das beste. (2)

Ensuite il y a l'effort de l'insecte pour s'agripper à la paroi du gouffre, afin de tenter l'ascension, effort insensé qui n'est que la gesticulation impuissante de l'homme métamorphosé en cafard, « l'ascension-fourmi » prédestinée à ne jamais aboutir. Le monde se transforme en

---

(1) *La Nuit remue*, Gallimard, 1948, p. 8.
(2) *Tagebücher 1910-1923*, S. Fischer Verlag, 1951, p. 384.
   J'enfonce d'un pied, puis de l'autre, les cris des jeunes filles me poursuivent jusque dans l'abîme dans lequel je sombre verticalement, à travers un puits aussi large que mon corps, mais d'une profondeur infinie. Cet infini n'invite à aucun exploit, tout ce que j'entreprendrais serait mesquin, je tombe d'une manière insensée et c'est pour le mieux.

un puits de mine sans lumière où il n'y a qu'une seule
sensation, celle de la terreur. Michaux, dans ce texte,
trace l'esquisse de son univers et de celui de Kafka,
univers de cauchemar, de l'absence de clarté et de la
peur. Le titre du recueil déjà, *La Nuit remue,* est significatif. Les larves viennent peupler son monde et, comme
chez Kafka, ces fantômes nocturnes sont les forces
motrices de sa poésie.

Ailleurs Michaux évoque tout un récit de Kafka :
l'expérience de l'auteur tchèque est transposée sur un
autre plan ; mais le noyau reste le même :

> ... et la peur n'excepte personne.
> Quand un poisson des grandes profondeurs, devenu fou,
> nage anxieusement vers les poissons de sa famille à six
> cents mètres de fond, les heurte, les réveille, les aborde
> l'un après l'autre :
> — Tu n'entends pas de l'eau qui coule, toi ? —
> — Et ici on n'entend rien ? —
> — Vous n'entendez pas quelque chose qui fait « tche »
> non, plus doux : tchii, tchii ? —
> — Faites attention, ne remuez pas, on va l'entendre de
> nouveau. —
> Oh Peur, Maître atroce !
> Le loup a peur du violon. L'éléphant a peur des souris,
> des porcs, des pétards et l'agouti tremble en dormant. (3)

Le poisson fait la même expérience que l'animal du
Terrier de Kafka. Il entend dans les profondeurs de l'eau
le signal d'alarme de la peur comme l'animal au fond de
la terre. Il en est persécuté ; il essaie d'en trouver la
cause — le poisson en questionnant ses compagnons,
l'animal en fouillant minutieusement tous les couloirs
de son terrier — et finalement le récit laisse entendre,
comme chez Kafka, que ce bruit est purement imaginaire.
La bête l'entend parce qu'elle a peur ; mais elle ne sait
pas de quoi elle a peur, elle peut le savoir parce qu'elle
n'a peur de rien. Cette peur sans objet, cette angoisse qui
reste innommée, obsède l'être. Michaux et Kafka écou-
tent la voix de la peur et recherchent opiniâtrement son
origine tout en se laissant envahir progressivement par

_____

(3) *La Nuit remue,* pp. 54/55.

son effet destructeur. Le récit n'a pas d'autre sujet que
le lent procédé de décomposition dont l'animal est la
proie.

Michaux condense cette expérience dans un petit poème
en prose d'une quinzaine de lignes à peine. Le rythme
de l'*Erlebnis* est accéléré ; Michaux développe son récit
en deux temps : celui de la descente au fond des eaux et
celui de l'interrogation des autres poissons. Le mouvement dramatique du récit s'exprime par les voies du
dialogue qui n'est au fond qu'un pseudo-dialogue puisque
la réponse fait toujours défaut. Aussi le poisson ne peut-
il pas obtenir de réponse vu l'incommunicabilité de
l'expérience de l'angoisse. Malgré la présence des poissons de sa famille il est seul comme l'animal dans son
terrier.

Le tourment intérieur se fait jour moyennant quatre
questions qui se réduisent à l'invocation significative :
« Oh Peur, Maître atroce ! » — Et ici le récit s'arrête
brusquement. Ce qui suit n'est qu'une tentative pour
reprendre le dessus : une légère teinte d'humour cherche
à surmonter la peur. La juxtaposition imprévue du loup
et du violon — le mot violon avec la sensation qu'il évoque allège un peu le texte tourmenté — présente avec sa
gratuité un aspect presque surréaliste. Le contraste grotesque de l'éléphant et de la souris poursuivi comme un
jeu avec les porcs et les pétards, sert encore à relever
le non-sens de la peur. Le petit animal qui ne peut
s'empêcher de trembler même en dormant, replonge dans
l'atmosphère étouffante du récit.

Kafka dans *Le Terrier* poursuit un développement
beaucoup plus lent et plus pesant que Michaux. Pas de
mouvement dramatique, ni d'accélération, ni, à la fin,
d'échappée dans l'imprévu. Le ton grave se maintient
toujours dans *Le Terrier*, l'imagination est tenue en
bride ; pas un écart dans l'uniformité de l'atmosphère. —
Un des traits les plus frappants de l'œuvre de Kafka
consiste dans le fait que l'élément imaginaire s'infiltre
dans la réalité quotidienne jusqu'à brouiller les cartes,
jusqu'à faire du fantastique un moment parfaitement
régulier et de la réalité une image fantasmagorique. *Le*

Procès, La Métamorphose en sont des exemples péremp-
toires, nous l'avons déjà constaté. — André Gide écrit
au sujet de Michaux :

> Le malaise vient de la relation qui s'établit involontai-
> rement en notre esprit entre l'imaginaire et le réel. Et ce
> malaise, parfois, traversant la bouffonnerie, tourne à
> l'angoisse. Après tout, se dit-on, tout cela, qui n'existe pas,
> pourrait être; et tout ce que nous savons qui est pourrait
> bien ne pas avoir beaucoup plus de réalité. Ce qui se passe
> sur cette terre n'est pas, somme toute, beaucoup plus rai-
> sonnable que ce que Michaux nous peint. (4)

Ces paroles sont valables aussi pour Kafka. Même
source d'angoisse chez les deux auteurs. Le monde réel
vacille pour l'un et pour l'autre ; l'existence devient
incertaine. L'angoisse se détache des objets de tous les
jours et dès que je la découvre, elle s'installe dans ma
vie et ne me quitte plus. Kafka et Michaux sont de ceux
qui ont senti le moment instable dans la régularité apparente de l'être, de là leur angoisse ; elle croît petit à petit,
elle envahit l'être jusque dans ses recoins les plus secrets.

> Ce n'est encore qu'un petit halo, personne ne le voit,
> mais lui, il sait que de là viendra l'incendie, un incendie
> immense va venir, et lui, en plein cœur de ça il faudra
> qu'il se débrouille, qu'il continue à vivre comme aupara-
> vant (Comment ça va-t-il ? ça va et vous-même ?) ravagé
> par le feu consciencieux et dévorateur. (5)

Il s'agit de venir à bout de l'expérience, de « vivre
comme auparavant ». Et ils vivent, mais leur vie se
ressent de cette expérience initiale. C'est comme une
maladie qui prend son essor dans l'expression poétique.
L'œuvre des deux auteurs est le champ d'action des
forces inconnues qui ont été libérées :

> Avec simplicité les animaux fantastiques sortent des
> angoisses et des obsessions et sont lancés au dehors sur
> les murs des chambres où personne ne les aperçoit que
> leur créateur. La maladie accouche infatigablement d'une
> création animale inégalable. (6)

---

(4) *Découvrons Henri Michaux*, Gallimard, 1941, p. 41.
(5) *La Nuit remue*, p. 54.
(6) *Plume précédé de Lointain Intérieur*, Gallimard, 1948, p. 55.

Et Michaux invente à profusion de ces êtres fantastiques. De même Kafka : le peuple des souris où l'espèce canine devient porteur d'un message. Un cloporte d'une grandeur surnaturelle se promène sur les murs de la chambre et vient rafraîchir son corps brûlant sur la superficie du miroir. Un animal désespéré fouille les couloirs obscurs de son terrier ; un singe prend sur lui de jouer le rôle d'un être humain et une taupe géante hante un récit. — La peur inexprimable cherche un exutoire ; elle le trouve dans ces créations fantastiques. Ainsi, chez les deux auteurs l'œuvre permet de libérer le cauchemar et rend possible une communication indirecte.

Michaux et Kafka donnent corps réel à leurs fantômes ; ils les forment, ils les nourrissent, enfin ils en sont eux-mêmes dévorés. Pour tous les deux il y a danger de métamorphose : une fois que le fantasme a pris corps, son auteur s'incorpore à lui et perd son visage humain. — Michaux se rend parfaitement compte de ce procédé. Il en est la victime, victime clairvoyante qui analyse soigneusement ce qui lui arrive. Il est conscient de la force destructrice qu'exerce sur lui sa propre création poétique :

> L'araignée royale détruit son entourage par digestion. Et quelle digestion se préoccupe de l'histoire et des relations personnelles du digéré ? Quelle digestion prétend garder tout ça sur des tablettes ? (7)

La description est exécutée avec un réalisme fantastique exprimant la cruauté et l'ironie de soi-même. L'auteur se dédouble et s'observe en tant que victime du monstre qu'il a créé :

> Petit à petit elle l'introduit en elle et le confronte avec ce qu'elle a de plus cher et de plus important et nul doute qu'il jaillisse de cette confrontation une lumière unique.
> Cependant le confronté s'abîme dans une nature infiniment mouvante et l'union s'achève aveuglément. (8)

C'est bien le sacrifice de l'individu à son univers poétique et à son « espace du dedans » dont parle Michaux.

---

(7) *La Nuit remue*, p. 57.
(8) *Ibid.*, pp. 57/58.

sacrifice qui seul rend possible le jaillissement d' « une
lumière unique ». Il faut entrer dans le corps de l'arai-
gnée afin de rendre authentique l'expression de l'expérience intérieure. Il faut se glisser dans la carapace du
cloporte et subir son existence dégradée afin de connaître
ce que signifie la perte de soi.

Les animaux jouent un rôle considérable dans l'œuvre
des deux auteurs. Ils sont les êtres d'un univers foncièrement étranger à celui des hommes ; ils sont muets, ils
ne se plaignent pas, ils acceptent la souffrance comme
une donnée naturelle : ils semblent ne pas penser. Et en
même temps ils s'apparentent à l'être humain par leur
vie végétative, leurs désirs. Toute la vie physique de
l'homme reparaît, à un degré inférieur en quelque sorte,
sans la comédie de la civilisation. Le héros de Kafka,
comme celui de Michaux, sent peser sur lui la solitude de
celui qui est différent. Il garde le silence de l'animal qui
ne sait exprimer sa souffrance et, par conséquent, il se
sent attiré vers ce monde d'êtres qui, dans leur essence,
ne nous appartiennent pas. Mais en même temps il
éprouve l'abaissement de l'homme qui vit dans la condition animale.

Le sentiment d'infériorité, d'impuissance et de faiblesse
se retrouve chez les deux auteurs. Le sportif de Michaux
qui n'est sportif que dans son rêve, se trouve en face
d' « un homme du type digestif » (9) en présence duquel
il se sent s'anéantir. L'homme est « convaincu de ce
qui est direct » (10) tandis que lui « ne saisit que les
reflets » (11), il semble s'évaporer devant la force de la
réalité. Il est comme « l'homme-serpent » juché au haut
de son armoire à glace :

> Quel aplatissement est celui de l'homme-serpent ! Il
> reste sans bouger. Pourquoi m'en occuper ? C'est pas
> [sic] lui qui me semble bien désigné pour me tenir
> compagnie dans ma solitude et pour me donner enfin la
> réplique. (12)

---

(9) *La Nuit remue*, p. 23.
(10) *Ibid.*
(11) *Ibid.*
(12) *Ibid.*, p. 25.

Le même processus de dégonflement se produit dans
l'opuscule *Un Chiffon* où le héros, tout à coup, s'affaisse,
se chiffonne : « Je n'y suis plus » (13) — et les personnes
qui l'entourent profitent de son état et le rouent de coups.
Il arrive cependant à se regonfler ; il se lève et en partant
il entend derrière lui le rire des autres. Il conclut :

> Des gens comme moi, ça doit vivre en ermite, c'est
> préférable. (14)

Ailleurs Michaux commente ainsi ses propres dessins :

> Cet amas de têtes forme plus ou moins trois personnages
> qui tremblent de perdre leur être. (15)

Le petit poème en prose *Au lit* (16) exprime, entre autres, l'enchantement qu'éprouve l'homme voué à une totale
impuissance en se peignant l'ardeur d'un combat fictif.

Kafka tend également vers l'état d'anéantissement :
comme Michaux il s'y laisse couler en constatant ensuite
froidement son impuissance fondamentale. Outre les
souffrances de l'abaissement il y a chez lui désir de se
minimiser et de se supprimer. Le stade du cloporte n'est
que transitoire, il mène au néant, à l'état de détritus.
Le champion du jeûne se réduit à un tas de paille pourrie
dans une cage oubliée et Josef K., vaincu par le tribunal,
se considère comme un être retranché du genre humain
et indigne de toute raison d'être : il se laisse égorger
comme un chien.

L'analogie psychologique des deux auteurs est frappante. L'un et l'autre manifestent ce goût de l'abaissement auto-punitif et masochiste qui répand cette atmosphère de désespoir et d'absurde caractéristique de leur
œuvre. K., le héros de Kafka, ressemble parfaitement
au Clown de Michaux : il est l'être qui s'est pris au
sérieux et dont les yeux, tout à coup, se dessillent ; il

---

(13) *La Nuit remue,* p. 103.
(14) *Ibid.*
(15) *Ibid.*, pp. 40/41.
(16) *Ibid.*, p. 134.

aperçoit son propre néant et se retrouve sous la forme dérisoire d'un insecte ou d'un singe. Les paroles de Michaux embrassent et sa propre expérience et celle de Kafka ; son clown pourrait être K. :

> Réduit à une humilité de catastrophe, à un nivellement parfait comme après une intense trouille.
> Ramené au-dessous de toute mesure à mon rang réel, au rang infime que je ne sais quelle idée-ambition m'avait fait déserter.
> Anéanti quant à la hauteur, quant à l'estime.
> Perdu en un endroit lointain (ou même pas), sans nom, sans identité.
> CLOWN, abattant dans la risée, dans le grotesque, dans l'esclaffement, le sens que contre toute lumière je m'étais fait de mon importance. (17)

C'est bien là la figure d'homme mi-comique, mi-tragique (avec prédominance du tragique évidemment) telle qu'elle apparaît dans les récits de Kafka. Michaux l'examine ; il en fixe en quelque sorte une analyse psychologique tandis que chez Kafka elle résulte de par elle-même du développement de la narration.

L'homme de Michaux se livre à une recherche appliquée. Il a l'esprit grave, le sérieux ne le quitte pas. L'auteur s'identifie à lui, mais, dans sa personne même, il se produit une espèce de dédoublement : il aperçoit son propre Moi en quête de soi-même et il contemple, non sans ironie, ses piteux efforts. Plus il pousse ses recherches, plus il se réduit. Sa dignité, son importance et sa gravité s'évanouissent ; il se retrouve devant son propre néant. La vision de l'homme de Michaux rejoint celle de Kafka :

> Qu'as-tu fait de ta vie, pitance de roi ?
> J'ai vu l'homme.
> Je n'ai pas vu l'homme comme la mouette, vague au ventre, qui file sur la mer indéfinie.
> J'ai vu l'homme à la torche faible, ployé et qui cherchait.

---

(17) *Peintures*, GLM, Paris, 1939, 2º poème.

Il avait le sérieux de la puce qui saute, mais son saut était rare et réglementé.

Sa cathédrale avait la flèche molle. Il était préoccupé. (18)

K. est en vérité un chercheur « à la torche faible », une de ces figures médiocres qui croit à ses mérites et qui prétend à être justifié. L'*Ecce homo* de Michaux renferme le même mouvement de désespoir et de totale désillusion que l'œuvre de Kafka. L'homme est voué à la souffrance et à l'absurde, il est « l'homme un instant excédé, qui attend toujours et voudrait un peu de lumière » (19). Le monde est dépouillé de toutes ses valeurs comme l'homme lui-même s'en voit dépourvu ; « ... prendre le vide dans ses mains » (20), est en quelque sorte la formule de sa destinée.

Michaux reprend un thème cher à Kafka, celui de l'homme qui se trouve devant une porte fermée, qui voit interdite une entrée à laquelle il aspirait toute sa vie. La parabole *Devant la Loi,* de Kafka, paraît à travers les paroles de Michaux ou l'épopée des efforts inutiles de K. pour parvenir au château. Michaux dit en reprenant les visions kafkaïennes :

> Pour nous les chemins de taupe, de courtilière.
> De plus, nous sommes arrivés aux portes de la Ville.
> De la Ville-qui-compte.
> Nous y sommes, il n'y a pas de doute. C'est elle.
> C'est bien elle.
> Ce que nous avons souffert pour arriver... et pour partir.
> Se désenlacer lentement, en fraude, des bras de l'arrière...
> Mais ce n'est pas nous qui entrerons. (21)

Michaux et Kafka souffrent du « froid de l'existence » (22), de la tristesse et du dégoût du monde. Michaux, au cours de ses voyages, devait retrouver la fadeur de la vie en d'autres continents. Sa caractérisation du Japonais par exemple est chargée d'une signification générale qui pourrait, par moment, dépasser le

---

(18) *Epreuves, Exorcismes,* Gallimard, 1949, p. 50.
(19) *Epreuves, Exorcismes,* p. 55.
(20) **La Nuit remue,** p. 85.
(21) *Ibid.,* p. 86.
(22) *Ibid.,* p. 89.

cadre ethnographique et rendre l'idée de l'homme telle
qu'il l'a exprimée à maintes reprises — et de nouveau
l'ombre du héros de Kafka s'y glisse :

> Les hommes sont laids, sans rayonnement, douloureux,
> ravagés et secs, l'air de tout petits, petits employés sans
> avenir, de caporaux, tous en sous-ordres serviteurs du
> baron X et de monsieur Z ou de la papatrie... (23)

Le manque de rayonnement ne se rapporte pas seulement à l'homme, mais à l'univers entier des deux
auteurs. C'est un univers sombre, angoissé, un univers
qui court toujours le danger d'être dévoré par le néant,
danger de la « succion effroyable du Vide » (24). Le
monde est un « labyrinthe » :

> La prison ouvre sur une prison
> Le couloir ouvre un autre couloir :
> .. ..
> Rien ne débouche nulle part. (25)

Ces images poétiques évoquent immédiatement l'univers de Kafka.

Cette manière sombre d'envisager le monde ainsi que
la faiblesse vitale qu'elle trahit, trouvent chez les deux
auteurs une cause extérieure analogue. Michaux sent
planer sur lui une malédiction qui date de sa naissance
et dont il rend ses parents responsables. Dans *Maudit*
il fait dire à sa mère : « Je préférerais que tu ne fusses
pas né » (26), et dans *Mes Propriétés* ses parents prennent le rôle de juges qui lui reprochent son inaptitude à
la vie, blâme qu'a dû essuyer Kafka lui aussi. Et comme
lui, Michaux l'accepte tout en le repoussant pour ce qui
concerne le domaine de son existence poétique :

> Mère m'a toujours prédit la plus grande pauvreté et
> nullité. Bien. Jusqu'au terrain elle a raison ; après le ter-
> rain on verra.
> J'ai été la honte de mes parents, mais on verra, et puis

(23) *Un Barbare en Asie*, Gallimard, 1948, p. 200.
(24) *Epreuves, Exorcismes*, p. 28.
(25) *Ibid.*, pp. 66/67.
(26) *La Nuit remue*, p. 140.

je vais être heureux. Il y a toujours nombreuse compagnie.
Vous savez, j'étais bien seul, parfois. (27)

Même tristesse au sujet de l'incompréhension des
parents, même sentiment de solitude, mêmes réserves
pour ce qui concerne « le terrain » où sont compensés les
manques de la vie pratique. Kafka, dans sa *Lettre au
Père,* analyse longuement sa mésintelligence avec le
père. Si Kafka s'en prend à son père, Michaux s'en prend
plutôt à sa mère — le conflit l'a vraisemblablement plus
absorbé que ce n'est le cas chez Michaux. Mais le sentiment d'aliénation et d'infériorité en présence des parents
est le même chez les deux auteurs. —

Georges Bataille, dans son étude sur Kafka (28), a
parlé de la volonté de Kafka d'être malheureux. Il y a
plus encore ; il y a volonté de se torturer soi-même, de
s'abaisser et de s'annihiler. De même chez Michaux. Le
fait de se glisser dans la peau d'un animal traqué, d'un
être inférieur, satisfait dans l'imagination le désir de
flagellation — et en même temps un désir de se quitter
soi-même et de se libérer des exigences conformes à la vie
d'un homme, c'est-à-dire de se dispenser d'être fort et
prêt à combattre et à prendre sur soi des responsabilités.
Les souffrances que l'on s'inflige punissent et compensent
par là même la négligence du devoir vital. Michaux écrit
dans l'introduction à *L'Ether* :

> En fait, il ne rêve que de dégringoler dans la faiblesse
> la plus entière, et de s'y exonérer de ses dernières forces
> et en quelque sorte de lui-même, tant qu'il éprouve que s'il
> lui reste de la personnalité, c'est encore de la force dont
> il doit être soulagé... Il arrive cependant à l'un ou à l'autre
> de vouloir perdre davantage son Je, d'aspirer à se dé-
> pouiller, à grelotter dans le vide (ou le tout). En vérité,
> l'homme s'embarque sur beaucoup de navires, mais c'est
> là qu'il veut aller. (29)

L'appareil à éventrer de Michaux (30), espèce de fantasme technique, rappelle la machine de la *Colonie péni-*

---

(27) *La Nuit remue,* p. 126.
(28) *Critique,* N° 41, octobre 1950.
(29) *La Nuit remue,* p. 65.
(30) Cf. *La Vie dans les Plis,* Gallimard, 1949, pp. 57-58.

tentiaire de Kafka. L'imagination fournit un travail en quelque sorte scientifique pour satisfaire le besoin de se faire souffrir. Le patient, chez les deux auteurs, est couché sur un lit et voit descendre sur lui un « bâti » planté d'instruments de métal qui viennent le percer. L'appareil de Michaux est l'objet d'un rêve ou d'une brève hallucination. Celui de Kafka est le point central d'un long récit.

Le désir de supplice et d'autopunition renvoie à un sentiment de culpabilité sous-jacent. Pour Kafka il n'y a nul doute en ce qui concerne l'existence de ce senti-ment. Son œuvre s'en nourrit ; tous ses héros sont des coupables. L'idée biblique du péché originel et la concep-tion de l'être comme un être-coupable sont à la base de la pensée de Kafka. — Le sentiment d'insuffisance et de déchéance est également très net chez Michaux sans que sa provenance spirituelle se laisse déterminer comme chez Kafka. *Mon Roi* (31) est un des textes les plus révé-lateurs à ce sujet. Le thème du *Procès* y paraît transposé dans un autre univers. Le personnage du Roi joue le rôle du juge suprême du *Procès*. On ne songe pas à douter de l'authenticité de ce juge, ni chez Michaux, ni chez Kafka. Mais on se révolte contre sa puissance, on cherche à le combattre. Josef K. veut lui imputer son illégalité ; il a recours aux avocats, aux femmes pour s'en défendre ; sans le fuir ni l'attaquer ouvertement, il lui oppose une résistance muette. — Le héros du texte de Michaux se livre à cœur joie à l'attaque. Il se délecte à imaginer toutes sortes de violences et d'injures qu'il ne craint pas d'infliger à la personne de son Roi. Mais, comme pour Josef K., le Juge persiste ; malgré son caractère extraordinaire et son aspect louche, le héros est pénétré de la certitude :

> Et pourtant, c'est mon Roi, je le sais et il le sait, et c'est bien sûr que je suis à son service. (32)

L'idée de ce juge omniprésent ne le quitte plus. Comme

---

(31) *La Nuit remue*, pp. 13-19.
(32) *Ibid.*, p. 13.

Josef K. il en est hanté jusque dans la solitude de sa chambre. Dans *Le Procès* l'obsession est étudiée sur le plan réel : Josef K. a besoin d'autrui afin de pouvoir parler du contact qu'il a pris avec son juge. Il s'introduit dans la chambre de mademoiselle Bürstner au milieu de la nuit afin de reproduire en sa présence la scène qui s'est passée pendant la journée et afin de lui démontrer son absurdité. A la banque il n'arrive plus à travailler, tant le préoccupe son procès. Le Juge ne le lâche plus, où qu'il soit, et finalement il s'adresse aux avocats pour tâcher de s'en défendre. — Le héros de Michaux ne peut s'en débarrasser non plus. Le Roi règne dans l'intimité de sa chambre et lui, sans se livrer à un tourment passif et sans demander du secours à autrui, livre un combat à outrance. Mais il en est du Roi comme du Juge invisible de Josef K. :

> Il est revenu; il est là. Il est toujours là. Il ne peut pas déguerpir pour de bon. Il doit absolument m'imposer sa maudite présence royale dans ma chambre déjà si petite. (33)

Michaux, par la suite, donne quelques précisions au sujet de son Roi. Il lui attribue le rôle de juge et place son héros dans une situation analogue à celle de Josef K.; il a un procès, mais il n'arrive jamais à se faire entendre ni à comprendre la loi :

> Il m'arrive trop souvent d'être impliqué dans des procès. Je fais des dettes, je me bats au couteau, je fais violence à des enfants, je n'y peux rien, je n'arrive pas à me pénétrer de l'esprit des Lois. Quand l'adversaire a exposé ses griefs au tribunal, mon Roi, écoutant à peine mes raisons, reprend la plaidoirie de l'adversaire qui devient dans sa bouche auguste le réquisitoire, le préliminaire terrible du jugement qui va me tomber dessus. (34)

Le héros est conscient de ses forfaits, mais il ne peut les considérer comme tels : il ne comprend pas la Loi. De même pour Joseph K. ; la Loi demeure impénétrable.

----

(33) *La Nuit remue*, p. 15.
(34) *Ibid.*

Or pour lui la situation est encore plus compliquée parce que sa culpabilité ne s'appuie sur aucun fait concret ; il est coupable quoiqu'il n'ait rien fait.

Le Juge exerce « sa puissance d'envoûtement » (35) sur les deux héros : il les domine et il réduit au néant la vie qu'ils voulaient se faire. Michaux évoque les distractions fantastiques dont il aime à peupler sa chambre ; le cortège d'animaux qui viennent le divertir. Le Roi les dissout et force ainsi le héros à demeurer seul avec lui. — Josef K. n'est pas importuné par la présence du Roi ; celui-ci ne le tient que par ce seul facteur qui fait de lui son juge et son maître : par sa culpabilité. La méditation du héros sur la facticité de son être-coupable suffit pour dissoudre dès son origine tout mouvement vital et pour le priver de tout divertissement.

Pour Michaux et pour Kafka le Roi est un personnage à plusieurs faces : il est grotesque, exposé à la risée des hommes — ainsi dans *Le Château* et dans *Le Procès* où il reste invisible, mais où son entourage, toute la hiérarchie qui dépend de lui, le lieu où il siège, bref, tout ce qui a rapport à lui est dérisoire ; ainsi dans *Mon Roi* où il est sujet aux abaissements les plus extravagants — mais en même temps il est tout-puissant ; le héros ne saurait plus se soustraire à sa domination.

Le jugement hante Michaux comme il a hanté Kafka. Interrogatoires mystérieux, châtiments, tortures, Michaux ne se lasse pas d'en inventer. René Bertelé dans l'introduction à son anthologie de Michaux (36), en abordant le problème de la culpabilité, renvoie à un texte significatif du *Pays de la Magie* :

> Mis au centre d'arènes parfaitement vides, le prévenu est questionné. Par voie occulte. Dans un profond silence, mais puissamment pour lui, la question résonne. Répercutée par les gardiens, elle rebondit, revient, retombe et se rabat sur sa tête comme une ville qui s'écroule. (37)

---

(35) *La Nuit remue*, p. 16.
(36) *Henri Michaux, Poètes d'aujourd'hui* 5. Ed. P. Seghers, Paris, 1949.
(37) *Ailleurs*, Gallimard, 1948, p. 181.

La situation de l'homme soumis à un interrogatoire
« par voie occulte » évoque l'univers de Kafka : son
héros, qu'il soit homme ou animal, est perpétuellement
questionné par le Juge ou par lui-même ; et cette question qui le presse sans cesse à répondre affirmativement,
fait de lui cet être tourmenté :

> Sous ces ondes pressantes, comparables seulement à des
> catastrophes successives, il perd toute résistance et con-
> fesse son crime. Il ne peut pas ne pas avouer. (38)

Les vagues du procès l'engloutissent sans qu'il par-
vienne à faire un seul mouvement efficace pour sa
défense. Il est dans la situation onirique où l'on se
trouve quand on est en danger sans pouvoir fuir et
avançant même irrésistiblement au devant de ce danger.
La condamnation a lieu en secret. Personne n'y assiste,
personne ne s'y oppose, le monde n'en a aucune connaissance :

> Assourdi, devenu une loque, la tête douloureuse et
> sonnante, avec la sensation d'avoir eu affaire à dix mille
> accusateurs, il quitte les arènes, où ne cessa de régner le
> plus absolu silence. (39)

Plume, en ce sens, est un frère de Josef K. Son arrestation au restaurant (40) rappelle le traitement subi par
K. Même absurdité du procédé, même délaissement du
héros. Dans *Plume voyage* (41) celui-ci est proscrit :
toutes les portes se ferment à son arrivée ; les hommes se
détournent de lui ou le traitent comme un être inférieur
à leur espèce. Plume fait l'expérience de l'arpenteur K. :
où qu'il aille, il est l'étranger.

R. Bertelé (42) croit pour autant pouvoir appeler
Plume le « coupable né » et le rapprocher du héros de
Kafka. Mais il aperçoit une différence capitale entre les
deux auteurs dans le fait d'une totale absence d'humour

---

(38) *Ailleurs*, p. 181.
(39) *Ibid.*, p. 182.
(40) *Plume*, pp. 137 sqq.
(41) *Ibid.*, pp. 141 sqq.
(42) *Loc. cit.*

chez Kafka tandis que chez Michaux l'humour est à la
base de presque toutes les situations. Or les situations
humoristiques — tiendraient-elles de l'humour noir — ne
manquent pas chez Kafka, nous l'avons déjà constaté.
Ce n'est pas en vain qu'André Breton a fait figurer
Kafka dans son *Anthologie de l'humour noir*. Or
l'humour de Michaux est exclusivement un humour noir
avec tout ce que celui-ci comporte de destructif à
l'égard de toute valeur. Il permet de rire, certes, et par
là même il aide à vivre le désespoir. Mais ce rire est aussi
grimaçant, aussi peu rassurant que celui de Kafka.

Le Dieu-Juge hante souvent l'œuvre de Michaux. Il
gouverne le destin de Plume ; il se fait entendre dans
Voix (43) en menaçant les hommes ; il reparaît dans
Ceux qui sont venus à moi (44). L'idée de Dieu, si imprécise qu'elle soit, est pourtant très vivante ; en parcou-
rant l'Asie, Michaux étudie les religions des peuples
qu'il rencontre. Il admire pour son efficacité la religion
hindoue : l'Hindou *a* Dieu :

> Dans l'ordre spirituel, il est vorace de Dieu.
> On se représente les Hindous comme des sangsues sur la
> surface de Dieu.
> Vivekananda à Ramakrishna. Sa première question :
> Avez-vous *vu* Dieu ?
> ...Avez-vous *eu* Dieu ? serait encore plus près de leur
> pensée. (45)

L'homme crée un contact direct avec Dieu, non seulement spirituellement, mais aussi d'une manière tangible :
il aime à prier nu ou dans l'eau, en se baignant. Le toucher immédiat et concret du Tout lui permet ainsi
d'éprouver la présence divine. Car Dieu est partout (46) :
dans l'amour (47), dans les ondes du Gange, dans le
soleil (48) — on n'a qu'à étendre la main pour le sentir.
Michaux semble envier ce peuple pour sa capacité de

---

(43) *Epreuves, Exorcismes,* pp. 41/42.
(44) *Ibid.,* pp. 43 sqq.
(45) *Un Barbare en Asie,* p. 46.
(46) *Un Barbare en Asie,* p. 60.
(47) *Ibid.,* p. 44.
(48) *Ibid.,* p. 65.

posséder Dieu. Il espérait, dans sa jeunesse, pouvoir
satisfaire ce désir en aspirant à l'état de sainteté (49).
Mais il a été bientôt détrompé; il reconnaît que « cette
communion dans l'immense » (50) n'est pas possible
pour lui : le visage de Dieu ne lui apparaît ni dans la
clarté du soleil ni dans les vagues du fleuve. Son Dieu
est le Roi-Juge qui lui impose sa présence dans la solitude de sa chambre.

Michaux subira donc son Dieu, sans l'adorer. Pas
d'abandon en sa présence et pas de silence, mais révolte
et cris de douleur. Dieu est insulté et réduit à l'absurde,
ainsi dans le poème *Mon Dieu* (51). Mais sa voix, son
« immense voix » (52) ne le lâche plus ; il ne peut se
défaire de la présence de ce Dieu :

> Etions-nous nés, doigts cassés, pour donner toute une
> vie à un mauvais problème ?
> à je ne sais quoi je ne sais qui
> à un je ne sais qui pour je ne sais quoi.
> Toujours vers plus de froid. (53)

Dieu est le « mauvais problème » pour Michaux et pour
Kafka, problème dont la réalité ne saurait être niée,
mais qui doit rester sans solution puisqu'il est posé d'une
manière absurde : Dieu est le juge juste, mais ses décrets
paraissent injustes et poussent l'homme à la révolte. Le
héros de Kafka, sans attaquer son Dieu ouvertement,
s'oppose à lui en faisant valoir son droit et en osant
mesurer sa connaissance de la justice à celle de Dieu.
Celui de Michaux ne craint pas de donner libre cours à
sa révolte; il déclare même à Dieu — ce que K. ne fait
jamais — qu'il se détachera de lui :

> Tu n'auras pas ma voix, grande voix
> Tu t'en passeras, grande voix. (54)

et il lui prédit son anéantissement — pensée qui reste
tout à fait étrangère à K. :

---

(49) Cf. *Saint*, in *La Nuit remue*, p. 142.
(50) *Un Barbare en Asie*, p. 45.
(51) *La Nuit remue*, p. 198.
(52) *Epreuves, Exorcismes*, pp. 11 sqq.
(53) *Ibid.*, p. 13.
(54) *Epreuves, Exorcismes*, pp. 13/14.

> Toi aussi tu passeras
> Tu passeras, grande voix. (55)

Mais la révolte passive de K., celle qui tend à résoudre le problème de Dieu en le plaçant au niveau de l'homme, ainsi que la révolte active de Michaux qui cherche à se débarrasser de Dieu, aboutissent au même résultat : Dieu persiste dans son énigme ; et l'homme, malgré lui, en est fasciné. Il ne peut pas l'ignorer et il en est tourmenté, car il se prive de vivre d'une manière immédiate ; sa vie s'écoule à l'ombre du « mauvais problème ». Ainsi Michaux s'adresse-t-il à Dieu :

> Mais Toi, quand viendras-tu ? Un jour, étendant Ta main...
> lâchant en moi ton épouvantable sonde,
> l'effroyable fraiseuse de Ta présence. (56)

On ne saurait trouver d'images plus cruelles pour donner expression à la terreur qu'est Dieu. Elles rappellent les souffrances qu'endure le héros de Kafka du fait de ses rapports avec la transcendance : l'appareil de la justice divine de la *Colonie pénitentiaire* surgit ainsi que les interrogatoires intérieurs auxquels, malgré eux, sont soumis tous les héros de Kafka. Comme ceux de Michaux ils sont creusés par la « fraiseuse » divine : K. s'en défend en tâchant de se justifier ; le héros de Michaux essaie d'en triompher. —

L'attitude envers la transcendance divine offre ainsi un aspect analogue chez les deux auteurs : elle est caractérisée par la crainte et par la haine de Dieu et conditionnée par la fragilité de l'existence. —

Indépendamment de l'affinité spirituelle, il existe entre Michaux et Kafka quelque analogie de forme qui frappe à la première lecture. Cl.-Ed. Magny (57) parle de « l'accent unique, incomparable, impossible à imiter » qu'est celui de Kafka et que tout à coup elle retrouve chez Michaux. Même retenue et même sobriété du style,

---

(55) *Epreuves, Exorcismes*, p. 14.
(56) *Mais toi, quand viendras-tu ?* in *Sifflets dans le temple*, Collect. Repères N° 15, GLM, Paris, 1936.
(57) *La Revue internationale*, N° 9, octobre 1946.

même touche banale en parlant du fantastique et même
« tempo de leur style » lequel est lié « au rythme vital de
l'être » dit Cl.-Ed. Magny. Et encore : « Chez Kafka
comme chez Michaux, mêmes petites phrases courtes,
sans consolation ; même simplicité absolue, poussée jusqu'à la banalité, au milieu de laquelle pourtant l'insolite
est d'emblée installé ». Cl.-Ed. Magny relève ensuite
l'absence de poésie chez les deux auteurs, la coupe sèche
des phrases apte à briser toute envolée. Elle parle d'un
nouveau style de notre époque qu'elle propose d'appeler
« le style apoétique », ou le style « humain, trop
humain ». Hors de Kafka et Michaux on le rencontrerait
encore chez Camus, notamment dans *L'Etranger*, et chez
Sartre. Il serait caractérisé par sa brièveté, par sa sécheresse ainsi que par son refus de toute musicalité et de
tout lyrisme. Cl.-Ed. Magny donne l'interprétation métaphysique de ce style dont la coupe des phrases renvoie à
la vanité de tout effort humain : ce style est celui de
l'expression du néant.

Ces remarques éclairent pertinemment la concordance
de ton des deux auteurs. Notons toutefois que ni Michaux
ni Kafka ne se sont totalement refusés aux consolations
du style. Si Michaux s'y prête rarement, il est pourtant
l'auteur de *Il y a* et de *Nausée ou c'est la mort
qui vient ?* (58) où il laisse libre cours à une douleur
résignée, sans y mêler l'âpreté de son ironie et sans trou-
bler le mouvement élégiaque du poème. De même dans
Icebergs (59) un pathétique contenu trouve son expression dans une vision qui ne manque pas d'être poétique.
Et les vers de *Emportez-moi dans une caravelle* (60)
portent en eux la musicalité du chant des vagues et le
doux mouvement du roulis du navire.

Kafka n'est pas poète. Il ne se permet quelque relâche
stylistique que dans son *Journal* et dans ses autres
écrits intimes où sa plainte atteint parfois la profondeur du ton biblique. Certaines paroles adressées à Dieu

---

(58) *Ecuador*, Gallimard, 1949, p. 101.
(59) *La Nuit remue*, p. 93.
(60) *Ibid.*, p. 182.

rappellent l'auteur des psaumes et nombreux de ses
aphorismes, mise à part leur originalité, évoquent le
verset biblique.

Du reste, ce style étrange, apte à faire coexister de la
manière la plus naturelle l'insolite et le quotidien, est-il
vraiment privé de toute force poétique ? L'élément
lyrique lui manque, certes, ainsi que la musicalité. Mais
son poétique consiste justement dans cette sécheresse
désolée et dans cette retenue qui le distinguent. Sa simplicité a quelque chose de magique ; l'attrait puissant
qu'il exerce est finalement d'essence poétique. Au lieu
d'un « style apoétique » je parlerais plutôt du poétique
de l'apoétique de Michaux et de Kafka.

Le style serré où la période est coupée en petites phrases
saccadées est surtout celui des premiers écrits de Kafka.
Plus tard la phrase devient plus longue, plus prolixe,
comme alourdie par le poids de la pensée. C'est donc
surtout ce premier style qui rappelle Michaux. Kafka
écrit par exemple dans *Considération* :

> Die Konkurrenten rückwärts, fest im Sattel, suchen das
> Unglück zu überblicken, das sie getroffen hat, und das
> Unrecht, das ihnen irgendwie zugefügt wird; sie nehmen
> ein frisches Aussehen an, als müsse ein neues Rennen
> anfangen und ein ernsthaftes nach diesem Kinderspiel.
> Vielen Damen scheint der Sieger lächerlich, weil er
> sich aufbläht und doch nicht weiss, was anzufangen mit
> dem ewigen Händeschütteln, Salutieren, Sich-Niederbeu-
> gen und In-die-Ferne-Grüssen, während die Besiegten den
> Mund geschlossen haben und die Hälse ihrer meist wie-
> hernden Pferde leichthin klopfen. Endlich fängt es gar
> aus dem trüb gewordenen Himmel zu regnen an. (61)

---

(61) *Ges. Schriften* I, p. 43.
> Penchés en arrière, les concurrents, rivés à leurs selles,
> tâchent d'embrasser d'un coup d'œil le malheur qui les a
> frappés et le tort qui, d'une manière ou d'une autre, leur a
> été infligé ; ils prennent un air gaillard comme s'il s'agis-
> sait d'entreprendre une nouvelle course, plus sérieuse cette
> fois-ci que la précédente qui n'était qu'un jeu d'enfant.
> Bien des dames trouvent le vainqueur ridicule parce qu'il
> s'enfle de vanité tout en ne sachant que faire des éternelles
> poignées de main, des saluts, des courbettes et des signes
> de la main, tandis que, muets, les vaincus tapotent légère-
> ment le cou de leurs chevaux hennissants.
> Enfin, le ciel s'étant couvert, la pluie se met à tomber.

Les propositions semblent se heurter, se presser vers la
fin du récit comme vers une solution qui les délivrera de
leur substance absurde. Et tout à coup elles s'arrêtent
net : une formule finale remet tout le mouvement en
question et confirme l'absurdité de tout le récit ; il n'y a
pas d'issue.

La précipitation de l'énoncé se fait sentir aussi dans
un autre des petits poèmes en prose de *Considération* :

> Es war schon Zeit. Ich küsste den, der bei mir stand,
> reichte den drei Nächsten nur so die Hände, begann, den
> Weg zurückzulaufen, keiner rief mich. Bei der ersten
> Kreuzung, wo sie mich nicht mehr sehen konnten, bog ich
> ein und lief auf Feldwegen wieder in den Wald. Ich
> strebte zu der Stadt im Süden hin, von der es in unserem
> Dorfe hiess :
> « Dort sind Leute! Denkt euch, die schlafen nicht ! »
> « Und warum denn nicht ? »
> « Weil sie nicht müde werden. »
> « Und warum denn nicht ? »
> « Weil sie Narren sind. »
> « Werden denn Narren nicht müde ? »
> « Wie könnten Narren müde werden ! » (62)

Et Henri Michaux :

> Semblablement dans une course de cent mètres s'enlè-
> vent d'un coup tous les coureurs, filent avec l'idée fixe
> d'arriver avant les autres, et voici l'arrivée, voici le grand
> champion, le grand applaudi, le recordman du monde, et
> il courut merveilleusement. Cependant vous écarquillez

---

(62) *Ges. Schriften* I, p. 30.
> Déjà il était temps. J'embrassai celui que se tenait près de
> moi en me contentant de tendre les mains aux trois autres ;
> je me mis à rebrousser chemin, personne ne me rappela.
> **Au premier carrefour où ils ne pouvaient plus me voir. je
> m'engageai dans des sentiers afin de regagner la forêt.** J'as-
> pirai à atteindre la ville dans le **Midi** dont on disait dans
> notre village :
> — Figurez-vous que là-bas il y a des gens qui ne dorment
>   pas ! —
> — Et pourquoi donc ? —
> — Parce qu'ils ignorent la fatigue. —
> — Et pourquoi ? —
> — Parce que ce sont des fous. —
> — Mais les fous ne sont-ils jamais fatigués ? —
> — Comment les fous pourraient-ils être fatigués ! —

les yeux, vous êtes ébahi. Comment ? Comment ? A un
quart de seconde près ils sont arrivés tous ensemble. (63)

Même tempo, même mouvement progressif, même
brièveté et même plongée subite dans l'absurde. —
La langue des deux auteurs se conforme à leur vision
du monde. Elle s'abstient de couleurs et de sons en
suivant une ligne sobre qui doit finalement la faire
aboutir au silence ; car leur expérience, dans son
essence, se soustrait à la compréhension du langage. —
La concordance spirituelle et psychologique de Michaux et de Kafka ainsi que la fréquente parenté de leur
langage s'imposent. Les deux auteurs produisent un
effet analogue : leur parole déroute, car elle trouble
l'ordre naturel du monde et le repos.
Mais quelles que soient les affinités de Kafka et de
Michaux, on ne saurait confondre leurs « propriétés ».
Il y a chez Michaux un élément surtout qui manque
totalement chez Kafka : l'amusement, le jeu, le divertissement. L'imagination de Michaux foisonne. Elle
entraîne son auteur malgré lui et l'engage à créer un
autre monde où règnent des lois cosmiques et biologiques
différentes des nôtres. Michaux a son « pays de la
magie » qu'il peuple de ses créatures, de ses inventions
et de ses visions. La grande Garabagne a sa géographie :
ses habitants agissent selon des lois qui restent pour
nous incompréhensibles. Michaux invente des noms pour
ses peuplades, il crée une flore et une faune imaginaires,
il dépeint les divertissements et les mœurs bizarres de
ses créatures et captive ainsi la curiosité du lecteur. Son
imagination a besoin d'un vaste terrain afin de pouvoir
pleinement se dépenser. Le matériel intellectuel que sont
les mots ne suffit souvent pas pour donner expression à
la richesse des formes qu'il couve. Il prend alors le pin-
ceau pour s'en délivrer. Il peint des gouaches qu'il fait
parfois suivre de commentaires (64). Mais toutes ces

---

(63) *Ecuador*, p. 120 .
(64) Cf. *Dessins commentés*, in *La Nuit remue*, pp. 43 sqq. et *Peintures*, GLM, 1939.

créatures existent au fond pour elles-mêmes; leur gratuité n'admet pas d'explication.

Ce goût de la forme se manifeste aussi dans les métamorphoses de Michaux. Il y en a partout chez lui. Les
formes passent les unes dans les autres : Michaux les
fait changer pour le pur plaisir de la transformation. Ce
n'est pas un état, mais un devenir qu'il nous dépeint
— ses évocations poétiques font penser aux toiles
d'André Masson — le plus souvent sans se soucier du
résultat final. Dans *Encore des changements* (65) il soumet son propre être à un véritable délire de métamorphoses. Le mouvement a son origine dans la souffrance,
et, en progressant, il perpétue toujours la souffrance.
Mais la joie de la transformation, avec l'infinie variété
de sensations qui en découle, se fait également sentir.
« Je fus toutes choses » (66) dit-il : grouillement de
fourmis, sol boisé et pénétré de racines, plage de galets,
boa, bison, typhon, bateau, etc. « Il y a tant d'animaux,
tant de plantes, tant de minéraux. Et j'ai été déjà de
tout et tant de fois... » (67). Toute son œuvre est prise
de cette frénésie de la métamorphose et offre ainsi une
prodigieuse richesse d'images et de formes.

Michaux renouvelle sans cesse la tentative de réaliser
un monde à lui. Ce monde s'évapore dès qu'il a pris
naissance; Michaux le rejette, mais recommence inlassa-
blement. Son goût de créer est plus fort que toute
destruction.

Kafka se confie beaucoup moins à son imagination que
Michaux. Elle constitue certainement un élément puissant de sa création artistique. Mais elle ne crée pas pour
elle-même. Sa gratuité ne s'impose pas d'emblée comme
chez Michaux ; elle est le plus souvent au service d'un
souci spirituel. Aussi le goût de la variété, de la plénitude des formes et du rythme progressif de la métamorphose est-il chez lui beaucoup moins prononcé. Le
monde de Kafka est plus restreint que celui de Michaux.
C'est le monde des bureaux, des chambres garnies, des

---

(65) *La Nuit remue*, pp. 129 sqq.
(66) *Ibid.*, p. 129.
(67) *Ibid.*, p. 132.

greniers et des paysages hivernaux. Son fantastique
repose bien plus sur un renversement des valeurs accré-
ditées que sur la production d'êtres fantastiques. Si
métamorphose il y a, elle ne se produit qu'une seule fois,
après quoi le héros reste enfermé dans l'étroitesse de son
univers de taupe, de souris ou de cafard. Plus de développement ultérieur possible.

Les premiers récits de Kafka, ceux de *Considération*
surtout, ainsi que *Beschreibung eines Kampfes* (68)
offrent un aspect beaucoup plus gratuit que ses écrits
postérieurs. Les images se succèdent sans justification.
Un opuscule dans le genre de *Wunsch, Indianer zu
werden* (69) n'est qu'une vision saisie au vol et à peine
fixée. — Plus tard l'énoncé s'alourdit. Après *Amerika,* le
roman le plus riche en sensations, la recherche métaphysique prend toujours plus d'espace ; l'imagination ne
fonctionne plus qu'au service du seul souci spirituel.

Michaux voyage. *Ecuador* et *Un Barbare en Asie* sont
les documents poétiques de ses tournées mondiales. Il
étudie les peuples, il dépeint leur aspect physique et
psychologique, leurs mœurs et en particulier leur
religion. On dirait souvent qu'il voyage afin de connaître
tous les aspects du monde et de trouver celui qui pourrait correspondre à la vision de son univers intérieur.
Espoir vain puisque cette vision même est sujette à son
goût du changement et de la destruction.

> Ce voyage est une gaffe [...] On trouve aussi bien sa
> vérité en regardant 48 heures une quelconque tapisserie
> au mur. (70)

Mais pourtant il voyage afin de satisfaire son désir de
mouvement et de variété. Il voyage pour se confirmer
l'échec du voyage et connaître le néant du monde. Ses
« Propriétés » à lui se passent de toute cohérence
logique ; il n'y a place que pour la bouffonnerie,
l'humour féroce et le désespoir. Le monde qu'il parcourt

---

(68) *Description d'un combat.*
(69) *Ges. Schriften* I, p. 44.
     Désir d'être Indien.
(70) *Ecuador,* p. 126.

en voyage ne vaut guère mieux : sa cohérence n'est que
superficielle, son absurdité n'est pas moins évidente.

Kafka ne voyage pas ou, s'il le fait, ne quitte guère
l'Europe. Il a laissé de brefs journaux de voyage qui ne
présentent pas beaucoup d'intérêt, quelques remarques
dans son *Journal* ; sinon on ne trouve dans son œuvre
nulle trace d'impressions décisives que lui auraient lais-
sées Paris ou les rares pays qu'il a visités. Kafka s'est
entièrement détourné du monde. La variété des peuples,
des contrées, des végétations et des animaux lui importe
peu. S'il parle des Chinois c'est que ce peuple lui paraît
assez lointain pour qu'on ne puisse connaître son visage ;
les Chinois, pour Kafka, sont un peuple sans individualité, sans couleurs. Ils vivent dans une parfaite apathie ;
ils sont le symbole d'une victime collective de l'Absurde
transcendant. — A part *Amerika* où les nourritures
terrestres jalonnent encore le chemin du héros, Kafka ne
se préoccupe pas du monde. Son monde intérieur l'accapare à tel point que sa vie en dépérit. —

Kafka et Michaux sont des déracinés. Il n'y a pas un
endroit sur terre où ils ne soient des étrangers. Mais chez
Kafka l'aliénation est plus totale que chez Michaux. Il
ne trouve de repos nulle part, ni dans le monde,
ni moins encore en lui-même puisque c'est précisément
cette recherche de lui-même qui le mène devant le Juge
et qui déclenche le conflit de l'existence. — La diver-
gence avec l'être-là, pour Michaux, est moins grave. Il y
a refus du monde de sa part, certes ; mais ce refus ne
coupe pas son goût de la vie à sa racine comme c'est le
cas chez Kafka. Au contraire de Kafka, Michaux, après
tout, peut vivre : il a « ses propriétés », elles ont leur
poésie.

Les « Propriétés » ne sont pas un paradis que l'imagination de l'auteur aurait érigé afin de compenser le
néant du monde concret. C'est plutôt un terrain vague
où les constructions les plus fantasques voisinent avec de
totales destructions. Or c'est son terrain à lui, il y
revient sans cesse afin de se délivrer de ses obsessions
moyennant la création artistique :

> Ces propriétés sont mes seules propriétés et j'y habite
> depuis mon enfance et je puis dire que bien peu en pos-
> sèdent de plus pauvres. (71)

Il y met des animaux, des plantes — mais dès qu'il se
détourne, le néant s'empare de tout ce monde :

> quand je reviens, il n'y a plus rien, ou seulement une
> certaine couche de cendre. (72)

Et pourtant il tient à ses propriétés car malgré leur
pauvreté elles sont là, et elles sont à lui :

> complètement perdu sur la planète, je pleure après mes
> propriétés qui ne sont rien, mais qui représentent quand
> même du terrain familier, et ne me donnent pas cette
> impression d'*absurde* que je trouve partout. (73)

Il précise l'idée du terrain :

> Je me soutiens grâce à cette conviction qu'il n'est pas
> possible que je ne trouve pas mon terrain et, en effet, un
> jour, un peu plus tôt, un peu plus tard, le voilà !
> Quel bonheur de se retrouver sur son terrain !... Il se
> peut qu'il n'y ait jamais d'abondantes récoltes. Mais ce
> grain, que voulez-vous, il me parle. Si pourtant, j'ap-
> proche, il se confond dans la masse — masse de petits
> halos.
> N'importe, c'est nettement *mon terrain*. Je ne peux pas
> expliquer ça, mais le confondre avec un autre, ce serait
> comme si je me confondais avec un autre, ce n'est pas
> possible. Il y a mon terrain et moi; puis il y a l'étran-
> ger. (74)

L'être du terrain correspond à l'être-soi ; le terrain
symbolise le Moi que l'auteur est certain d'avoir trouvé.
Même si le monde lui échappe et le laisse dans le néant,
il ne sera jamais perdu puisqu'il a accès à ses propriétés,
puisqu'il s'appartient.

---

(71) *La Nuit remue*, p. 119.
(72) *Ibid.*, p. 120.
(73) *Ibid.*, p. 122.
(74) *Ibid.*, p. 123.

Je parlais de désespoir. Non, ça autorise au contraire
tous les espoirs, un terrain. Sur un terrain, on peut bâtir,
et je bâtirai. Maintenant, j'en suis sûr. Je suis sauvé. J'ai
une base. (75)

La certitude de la réalité du domaine de son être-soi
l'empêche de sombrer dans le désespoir ; il possède un
point fixe auquel il peut s'accrocher dans la tempête :
« Il y a mon terrain et moi » (76).

Le héros de Kafka n'a pas ce point de repère. Renvoyé
à lui-même, il est souvent plus délaissé qu'en présence
d'autrui. Il sent toujours le besoin de se justifier ou
d'être jugé. Son Moi est en quête d'une valeur qui doit
lui permettre de se fonder lui-même. Et cette quête
n'aboutit pas ; le héros est rebuté où qu'il aille, fût-ce en
soi-même. Les hommes le redoutent et l'expulsent, il ne
peut vivre en leur société. Mais il ne peut pas non plus
vivre seul parce qu'il souffre de l'absence de lui-même.
Il ne trouvera donc jamais son « terrain ». Le comble du
délaissement c'est bien la condition ni entièrement
animale, ni entièrement humaine du cafard de *La Métamorphose*.

Michaux a l'assurance du propriétaire. Il n'est guère
exempt des souffrances de la vie, il en est même comblé.
Et si il n'y sombre pas, c'est qu'il sait se défendre. Son
monde est un monde de guerre. On y subit des violences,
des injustices, des échecs ; mais on y attaque aussi et l'on
s'y bat. Il y a chez Michaux des conduites agressives
étrangères à Kafka, des personnages bourreaux et victimes à la fois. Au désir de souffrir s'associe le goût de
cruauté et de sang.

Le héros de Kafka n'est pas agressif. Il lui manque
l'assurance nécessaire à sa défense active, il lui manque
le « terrain » où puiser des réserves. Prédisposé à la
souffrance, comme par exemple Josef K., il se rendra de
plein gré au tribunal, sans avoir reçu de convocation. Le
héros de Kafka ne peut se défendre efficacement ; aussi

---

(75) *La Nuit remue*, p. 125.
(76) *La Nuit remue*, p. 123.
  Cf. aussi ce que dit Pierre Dumayet au sujet de la catégorie de
  l'avoir chez Michaux. *Fontaine*, N° 50, mars 1946, pp. 486-491.

est-il toujours victime. Il se refuse à tenir tête aux maux qui l'accablent ; il les appelle.

Michaux a fait de la poésie un élément de ses « Propriétés ». La poésie l'aide à réaliser son « terrain » et en même temps elle le délivre de ses fantômes.

> Par hygiène, peut-être, j'ai écrit mes propriétés, pour ma santé. (77)

La profusion d'images et de cauchemars témoigne de la décharge que signifie pour lui l'activité poétique. Sa poésie est en vérité un « exorcisme ». M. Maquet (78) parle d'une « poésie d'hôpital », d'une « médecine qu'en principe on remplacerait volontiers par l'aspirine » — le terme de comparaison est d'un goût douteux — et n'exprime aucunement la poésie incontestable et spécifique de Michaux. M. Maquet rapproche Michaux de Kafka en accusant les deux auteurs de « rabaisser la littérature au niveau d'une activité de compensation ». Sans doute la compensation a sa part dans toute œuvre d'art. Compenser, équilibrer, sublimer, donner expression à un tourment ou à une joie — ce sont là des moments inhérents à la psychologie de l'artiste.

La poésie protège du monde et de soi-même. Parfois il suffit d'un son pour pratiquer l'exorcisme : le glo et glu est un jeu magique : Michaux ne le dédaigne point.

Kafka a certainement trouvé dans son art, sinon le bonheur, du moins la force de vivre. Mais l'imagination créatrice, au lieu de le délivrer du cauchemar, l'enveloppe dans un problème sans solution. Pas de poésie chez Kafka, pas d' « exorcisme » ni de jeu magique avec les mots. Kafka ignore le jeu. Son univers est lourd de signification. — Michaux, malgré ses cris et ses souffrances, « s'en tire » ; Kafka non.

Kafka comme Michaux s'inquiète de la transcendance divine. Le héros de Kafka en est paralysé : sa soumission muette n'est qu'une révolte mal étouffée. Sa recherche infatigable est la soif du Dieu juste dont parlent les

---

(77) *La Nuit remue*, p. 203.
(78) *Critique*, N° 2, juillet 1946.

prophètes de l'Ancien Testament, soif qui, pour lui, ne sera jamais étanchée.

La lutte avec Dieu, chez Michaux, est plus extérieure et plus efficace : pour un peu elle tiendrait du sport. On sait où empoigner l'adversaire, on le frappe. Mais on perd. Le Roi est là, malgré toutes mes tentatives pour l'annihiler. Mais je ne me perds pas moi-même ; j'ai mon terrain, malgré le Roi. Il s'y introduit, je combats contre lui et je suis vaincu ; mais je me relève toujours et le jeu reprend.

Kafka ne sait pas jouer ; son désespoir n'admet aucun allègement.

Les deux auteurs expriment leur expérience du néant et de l'absurde. — Kafka a succombé à cette expérience ; Michaux dispose de plus de force vitale : moyennant un jeu mi-humoristique, mi-diabolique il réussit à garder le dessus.

L'affinité de Michaux et de Franz Kafka est plus profonde que celle des surréalistes et de l'auteur tchèque. Mais une fois de plus le rapport n'atteint guère les deux auteurs dans leur essence.

CHAPITRE III

LA PAROLE
ET LA
PUISSANCE DE LA MORT

MAURICE BLANCHOT ET KAFKA

> Cette existence est un exil au sens le
> plus fort : nous n'y sommes pas,
> nous y sommes ailleurs et jamais
> nous ne cesserons d'y être.
>
> Maurice BLANCHOT
> (*La Part du Feu*, p. 17).

L'œuvre de Kafka a exercé la plus profonde influence
non seulement sur le roman fantastique mais sur le
roman moderne en général. Sa manière se retrouve aussi
bien dans la littérature française que dans les littéra-
tures anglaise et américaine. Cl.-Ed. Magny (1) égale
son influence dans les pays anglo-saxons à celle de
Proust en France. Néanmoins elle paraît plus importante encore en France et, sans aucunement prétendre à
une étude du roman français depuis 1930, nous serons
par la suite à plusieurs reprises amenés à confronter
Kafka avec des romanciers français contemporains.

---

(1) *Histoire du roman français depuis 1918*, tome I, Ed. du Seuil,
1950, p. 49.

Le romancier qui rappelle le plus Kafka, c'est évidemment Maurice Blanchot. On l'a souvent répété ; on a même voulu voir en lui un simple imitateur de Kafka, à tort naturellement, on l'a reconnu il y a longtemps.

M. Blanchot, que j'interrogeai sur l'influence de Kafka en France, m'écrivit :

> Naturellement, il [Kafka] appartient aussi à son temps qui est le nôtre. Chaque écrivain véritable appartient toujours tout à fait à son temps et est toujours tout à fait seul. Le temps a donc pris le nom et le visage de Kafka, et tous ceux qui vivent ce temps ont aussi ce nom et ce visage. Mais c'est là la seule vérité du temps.

Ces lignes confirment les résultats obtenus jusque-là au cours de notre enquête. Kafka a pressenti dans ses origines notre temps qui est le sien. Dès le début de la première guerre mondiale, il a connu dans son essence le mouvement historique du vingtième siècle, plus encore, il l'a déjà entièrement vécu. Nos angoisses sont les siennes, les préoccupations de la pensée actuelle se trouvent déjà dans son œuvre. Cette capacité d'anticiper, ainsi que le fait que son aventure spirituelle est devenue la nôtre, expliquent le prestige que lui reconnaissent nos contemporains. — Mais ce n'est pas principalement sous cet angle que le rapprochement avec Maurice Blanchot doit se faire.

C'est en premier lieu par rapport à l'élément fantastique. Celui-ci a paru dans le roman bien avant eux : chez Hoffmann, Lewis Carroll, Nodier, Balzac, Villiers, Poe, et d'autres (2), Kafka et Blanchot, pourtant, ont su lui trouver un nouvel aspect.

J.-P. Sartre, analysant le fantastique dans son étude sur *Aminadab* (3), rapproche Blanchot de Kafka. Le fantastique, écrit Sartre, n'est pas l'extraordinaire, il n'est que « l'image renversée de l'union de l'âme et du corps » (4), constituant donc un rapport qui ne peut être saisi par la logique, mais seulement dans un état mental

---

(2) Cf. la thèse de Pierre-Georges CASTEX : *Le conte fantastique en France de Nodier à Maupassant,* Ed. José Corti, 1951.
(3) *Situations* I, Gallimard, 1947.
(4) *Ibid.,* p. 124.

non contrôlé comme l'est celui du rêveur, du primitif ou de l'enfant. Il n'y a pas d'objets fantastiques, mais un univers fantastique où la matière se refuse à tout déterminisme et où l'esprit n'est que l'esclave de cette matière.

Le fantastique a évolué. Il permettait encore à la fin du dix-neuvième siècle « de créer un monde qui ne fût pas ce monde » (5) ; il servait à « transcender l'humain » (6). Il fut ensuite soumis au « retour à l'humain » (7), c'est-à-dire qu'il se contenta de « transcrire la condition humaine » (8). L'univers fantastique se réduit aujourd'hui à l'homme, « c'est la nature hors de l'homme et en l'homme, saisie comme un homme à l'envers » (9), qui renvoie à l'homme cette image inquiétante de lui-même.

Ainsi Kafka, privé de tous les décors d'un monde enchanté, a recours à la technique de l'abolition des fins.

> Le fantastique humain, c'est la révolte des moyens contre les fins. (10)

Et seul ce jeu de cache-cache entre moyens et fins rend fantastique l'univers de Kafka et, après lui, celui de Blanchot. Sartre énumère les symptômes analogues qui résultent de cette révolution : la désolante absence du sentiment de la nature et la qualité d'outil de toute chose. Les héros ne trouvent sur leur chemin que des « outils » (11) manifestant la « finalité fuyante » (12), des signes qui ne signifient rien, des messages restant des énigmes ; les héros eux-mêmes ne sont que des hommes-outils dépourvus d'individualité. L'homme n'est qu'un moyen. Son monde est la bureaucratie de la Loi absurde.

Afin de nous enfermer d'autant plus sûrement dans le monde fantastique, Kafka et Blanchot nous présentent

---

(5) *Situations* I, p. 125.
(6) *Ibid.*
(7) *Ibid.*, p. 126.
(8) *Ibid.*
(9) *Ibid.*, p. 125.
(10) *Ibid.*, p. 129.
(11) *Ibid.*, p. 130.
(12) *Ibid.*

des héros fantastiques eux-mêmes et qui, par conséquent,
ne s'étonnent nullement du monde qui est le leur. Et le
lecteur s'identifiant toujours avec le héros, sera ainsi
amené à épouser un point de vue qui n'est pas le sien.

Mais pourquoi cette peinture du monde à l'envers ? —
L'abolition des fins, c'est le « fantôme de transcendance »
(13) qui flotte au-dessus du monde. Tout ce qui nous est
familier est subitement enveloppé d'un élément étranger
et se trouve dépouillé de son sens. Le fantastique joue
le rôle du signal d'alarme qui empêche le lecteur de
s'accommoder de l'ordre établi du monde. La finalité
apparente de l'être possède un revers que l'artiste
cherche à évoquer tout en ayant conscience que la raison
n'en percera jamais l'opacité.

Telle est l'explication probante de Sartre concernant
la parité de la technique du fantastique chez Kafka et
chez Blanchot. Blanchot ne connaissait pas Kafka quand
il a écrit *Aminadab*. La coïncidence se fonderait donc
sur une expérience analogue.

Le fantastique pour Kafka et pour Blanchot est donc
un instrument de recherche métaphysique. Or le but de
ces recherches n'est pas le même pour les deux auteurs.

Le problème essentiel de l'œuvre de Kafka et qui lui
donne une certaine unité est le problème de la transcendance divine. Kafka témoigne d'un souci fondamental
qui rend son œuvre cohérente malgré son incohérence.
Blanchot, écrivant de Kafka, relève ce point qui maintient tous les fils d'un tissu impénétrable :

> Toute l'œuvre de Kafka est à la recherche d'une affir-
> mation qu'elle voudrait gagner par la négation, affirmation
> qui, dès qu'elle se profile, se dérobe, apparaît mensonge
> et aussi s'exclut de l'affirmation, rendant à nouveau l'affir-
> mation possible. C'est pour cette raison qu'il paraît si
> insolite de dire d'un tel monde qu'il ignore la transcen-
> dance. La transcendance est justement cette affirmation
> qui ne peut s'affirmer que par la négation. Du fait qu'elle
> est niée, elle existe; du fait qu'elle n'est pas là, elle est
> présente. (14)

---

(13) *Situation* I, p. 137.
(14) *La lecture de Kafka,* in *La Part du Feu,* Gallimard, 1949, p. 15.

En effet, le Dieu de Kafka s'affirme par la négation. Il s'impose par son non-être, par son non-sens et par son injustice. Or sa présence est indubitable.

Quant à Blanchot, il est beaucoup plus difficile de dégager le *Leitmotiv* de son œuvre. Son récit nous est tellement « refusé » que souvent il se neutralise. Le lecteur tout au long du *Procès*, du *Château* ou d'autres récits de Kafka, est captivé par la préoccupation du héros laquelle, si insensée qu'elle puisse être, ne cesse pas pourtant de rester tangible : Josef K. aspire à sa justification, K. prétend être accueilli au Château, un autre héros meurt devant les portes de la Loi dont il voudrait connaître le sanctuaire ; la justification est illusoire, le Château reste fermé pour K., la Loi ne se dévoilera jamais. Néanmoins le héros ne détournera pas son regard de ce juge dérisoire dont il n'aperçoit qu'un médiocre portrait, de ce Château où il n'entrera jamais, de cette Loi insaisissable : il *veut* l'absurde, le lecteur ne saurait en douter.

Le héros de Blanchot donne, en revanche, l'impression tant soit peu pénible de ne jamais connaître à quoi il tend. Il est fuyant comme l'univers dans lequel il se meut, sujet à de fréquentes crises de faiblesse durant lesquelles il n'est plus le maître de lui-même. Il est toujours occupé, semble-t-il, par une recherche dont il ignore le but. Sa personne manque de contours à tel point que le lecteur, au cours du récit, le perd maintes fois de vue. Souvent il se fond avec d'autres personnages dont le tracé n'est pas moins vague. Ce manque de consistance vécue positive demande au lecteur un effort assez considérable : il n'est pas captivé par le spectacle d'un destin individuel marqué par une aspiration fondamentale ; il est plutôt invité à entreprendre avec le héros une aventure à l'aveuglette, sans but, ou dont le but reste inexprimable. Son attention n'est pas fixée par un développement, mais sans cesse relâchée, car les signes auxquels elle essaie de s'accrocher sont incomplets ; elle doit se contenter d'allusions, qui s'amarrent au silence.

Ainsi Blanchot tente-t-il de dépasser le *ceci*, le *main-*

tenant, grâce au perpétuel dépassement que permet le
langage, dépassement qui annule la limitation.

Ce sont les deux premiers romans de Blanchot qui
offrent le plus de ressemblance avec Kafka. Le fantastique, ici, existe toutefois presque uniquement pour lui-
même (ce qui n'est pas le cas pour Kafka) et le message
reste si confus qu'il disparaît pour ainsi dire à mesure
qu'il est délivré. Il semble ainsi que le fantastique ait
à lui seul constitué le fond du message.

L'idée propre à Blanchot se détache plus distinctement
dans ses œuvres postérieures. La parole y signifie des
mythes beaucoup plus qu'elle ne désigne. Les événements
qui, au fond, n'en sont pas, les idées, les sentiments et
les sensations se forment comme des ombres dans le
brouillard pour s'évanouir aussitôt. Leur apparition ne
fait qu'indiquer que derrière leur forme il se cache ce
qui ne peut pas être dit. La parole est ainsi le fluidum
propre à établir pour nous une communication indirecte
avec l'incommunicable. Elle ne dit son dernier mot
qu'avec le point de silence. — Telle est à peu près l'impression que font des récits comme *Le Très Haut, Au
Moment voulu* ou *L'Arrêt de Mort* ; car ce n'est guère que
d'une impression — ou d'une méthode — qu'on peut parler de ces œuvres n'offrant aucun point d'attaque pour
un examen critique.

L'intention de Blanchot se dégage mieux dans ses pro-
fonds essais critiques. Et c'est là aussi qu'il éclaire ses
rapports spirituels avec Kafka. — *Thomas l'Obscur* et
Aminadab ne présentent qu'une concordance plus ou
moins superficielle : concordance de forme, de technique,
d'images, de climat. Les œuvres suivantes ne ressemblent
plus guère aux récits de Kafka. — Or la rencontre décisive qu'a été pour lui l'auteur du *Procès,* Blanchot l'a
fixée dans ses études sur Kafka. Elle est en rapport avec
l'expérience de vie, l'épreuve métaphysique que constitue
pour lui la littérature ; c'est cette initiation qu'il faut
tenter de comprendre afin de saisir ses relations avec
Franz Kafka.

La littérature est cette « force volatilisante » (15) de la

_____

(15) *La littérature et le droit à la mort,* in *La Part du Feu,* p. 307.

surexpression qui ne se laisse pas enfermer par la raison.
La réflexion n'a rien à voir donc, avec cet acquittement.

> Si la réflexion s'éloigne, alors la littérature redevient,
> en effet, quelque chose d'important, d'essentiel, de plus
> important que la philosophie, la religion et la vie du
> monde qu'elle embrasse. (16)

La littérature est consciente de sa « nullité » (17), elle
porte son regard sur son propre néant, elle est « volatile » (18), elle est cette « chose aussi vaine, aussi vague
et aussi impure » (19) ; et l'écrivain, avant de l'avoir
réalisée n'est rien. Blanchot conçoit — en reprenant
l'expression de Hegel — l'écrivain et son œuvre à naître
« comme un néant travaillant dans le néant » (20). Il ne
vit que par son œuvre, et celle-ci ne vit « que si ce qu'il
a de plus singulier et de plus éloigné de l'existence déjà
révélée se révèle dans l'existence commune » (21). —
L'œuvre, c'est la synthèse de l'individu, du « pur moi »
(22) et du mouvement de la négation créatrice, mouvement qui fait la vérité du langage absolu.
   La parole, c'est de la mort qu'elle obtient sa possibilité.
En se référant encore à Hegel, Blanchot démontre que
le mot, rien que par le fait de nommer les choses, est en
état de me les donner (ce qu'affirmaient déjà les symbo-
listes). L'acte de nommer me donne l'être, « mais il me
le donne privé d'être. Il est l'absence de cet être, son
néant, ce qui demeure de lui lorsqu'il a perdu l'être,
c'est-à-dire le seul fait qu'il n'est pas » (23). Dès qu'il
est nommé, l'objet cesse d'être objet existant ; il devient
idée. L'homme, en parlant, anéantit toute la création
afin de pouvoir la doter d'un sens. Car il est privé de
l'accès direct à l'être ; il ne peut s'approcher de l'être

---

(16) *La littérature et le droit à la mort,* in *La Part du Feu,* p. 307.
(17) *Ibid.,* p. 306.
(18) *Ibid.,* p. 307.
(19) *Ibid.*
(20) *Ibid.,* p. 308.
(21) *Ibid.,* p. 311.
(22) *Ibid.*
(23) *Ibid,* p. 325.

que par le sens qu'il lui donne. « Il est donc précisément
exact de dire, quand je parle : la mort parle en moi » (24).
C'est grâce à la mort que je possède le monde, car « elle
est dans les mots la seule possibilité de leur sens » (25).
Sans la mort il n'y aurait que le néant. Il faut donc pour
parler que je fasse l'expérience de mon propre néant.

Le langage commence par le rien. Et c'est précisément
ce rien qui brise le cadre du mot : le mot est incapable
d'exprimer toute la vérité qu'il contient. « Ainsi naît
l'image qui ne désigne pas directement la chose, mais ce
que la chose n'est pas. » (26) Le Langage, c'est la négation se réalisant « à partir de la réalité de ce qu'elle
nie » (27). L'existence, par la parole, doit mourir et en
même temps elle donne vie à l'être : la parole ainsi « est
la vie de cette mort » (28).

La littérature d'une part est donc négation : elle est la
mort de l'existence ; et d'autre part elle est à la recherche
de l'être de l'existence, être dont l'homme est exclu et
dont il ne peut s'approcher qu'en lui apportant la mort.
Le langage littéraire porte en lui le désir de la lumière
de l'être et celui de la nuit de l'existence réelle insensée.
Outre qu'il a pour fonction d'engendrer le sens, il tend,
du fait de sa matérialité, à se soustraire au sens et cherche à rejoindre l'existence brute ; à côté de sa fonction
spirituelle laquelle lui est attribuée par l'homme, « le
langage exige de jouer son jeu sans l'homme qui l'a
formé » (29). Il rend les choses « réellement présentes
hors d'elles-mêmes » (30). De là le caractère essentiellement paradoxal du langage littéraire : il est « ce mouvement par lequel sans cesse ce qui disparaît apparaît »
(31). En nommant il supprime ; mais ce qui est supprimé
existe par la chose qu'est le mot. La littérature est négation et recherche de la réalité des choses ; d'une part

---

(24) *La Part du Feu*, p. 326.
(25) *Ibid.*, p. 326.
(26) *Ibid.*, p. 328.
(27) *Ibid.*, p. 329.
(28) *Ibid.*
(29) *Ibid.*, p. 330.
(30) *Ibid.*
(31) *Ibid.*, p. 331.

elle est chargée de la révélation du sens qui n'est rien d'autre qu'une séparation des choses d'elles-mêmes, et d'autre part elle est la présence gratuite et anonyme des choses.

L'artiste poursuivra donc deux directions : celle de la « prose significative » (32) qui tâche de désigner les choses par leur sens jusqu'à ce qu'il s'aperçoive que la parole elle-même manque de sens, et celle de la réalité des choses, « de leur existence inconnue, libre et silencieuse » (33). Cette seconde direction est celle de la poésie : la littérature est alors « un pouvoir impersonnel qui ne cherche qu'à s'engloutir et à se submerger » (34) sans s'occuper du monde et de son exigence du sens. — L'écrivain connaît les deux directions ; en suivant la première il glisse vers la seconde : être être signifiant et existence privée de sens, voilà les deux possibilités du langage littéraire.

Le sens dirige le langage jusqu'à un certain point ; puis il est dépassé : la parole se précipite dans ce gouffre de non-sens qu'est l'existence jusqu'au moment où elle se reprend et retourne à l'être. L'œuvre littéraire « a le sens opaque d'une chose qui se mange et qui mange, qui dévore, s'engloutit et se reconstitue dans le vain effort pour se changer en rien » (35).

La mort est donc essentielle au langage littéraire. Tout auteur qui parle sans percevoir la mort derrière sa parole, est aveugle à l'existence réelle. Nous ne parvenons à l'être qu'en lui donnant la mort ; et ce n'est que grâce à la conscience de la mort que nous pénétrons jusque dans les profondeurs de l'être. Et ceci précisément moyennant la parole : « Pour parler, nous devons voir la mort, la voir derrière nous. » (36) C'est ainsi que « la mort se fait être » (37). Il n'y a pour nous de l'être que parce qu'il y a du néant. Blanchot conclut :

---

(32) *La Part du Feu*, p. 334.
(33) *Ibid.*, p. 332.
(34) *Ibid.*, p. 335.
(35) *Ibid.*, p. 337.
(36) *Ibid.*, p. 338.
(37) *Ibid.*

> La mort est le plus grand espoir des hommes, leur seul espoir d'être hommes. (38)

L'existence est au-delà de la mort ; elle est « présence au fond de l'absence » (39) ; c'est le privilège de la littérature de nous y conduire et c'est sa mission de nous faire hommes, c'est-à-dire de nous faire voir l'existence élevée à l'être. Je ne suis que parce que je suis mortel ; ma possibilité de mourir fait que je suis homme. Le tragique de la mort ne consiste que dans le fait que celle-ci m'enlève la possibilité de mourir.

La parole littéraire, par conséquent, est étroitement liée au destin de l'homme. Elle lui révèle sa condition contradictoire qui est celle d'un être partagé entre la négation de l'existence et l'affirmation sensée du monde qui en résulte. La littérature, c'est l'irréalité de l'idée de l'homme devenue réalité moyennant le mouvement négateur de la parole. Et elle reste en dehors de l'histoire à cause de l'irréalité de son point de départ :

> il y a dans sa nature un glissement étrange entre être et ne pas être, présence, absence, réalité et irréalité. (40)

La fiction poétique devient réelle par la réalité de la parole. C'est le pouvoir de « cette mort sans mort » (41) qui fait de la littérature une puissance immortelle. Son « travail de la mort » (42) qui est en même temps une naissance de « la vérité de leur nom » (43) fait l'ambiguïté du langage : en réalisant le néant elle crée l'œuvre condamnée à ne jamais pouvoir mourir. Le « jour des affirmations » (44) et le « contre-jour des négations » (45) donnent aux mots cette polyvalence qui assujettit l'œuvre à une perpétuelle transformation.

Tout se passe comme si, au sein de la littérature et du

---

(38) *La Part du Feu*, p. 338.
(39) *Ibid.*
(40) *Ibid.*, p. 341.
(41) *Ibid.*
(42) *Ibid.*, p. 342.
(43) *Ibid.*
(44) *Ibid.*, p. 344.
(45) *Ibid.*

langage, par delà les mouvements apparents qui les trans-
forment, était réservé un point d'instabilité, une puissance de métamorphose substantielle, capable de tout en
changer sans rien en changer. (46)

La littérature en tant que « mort-qui-aboutit-à-l'être »
(47) trouve ainsi son origine dans le destin même de
l'homme.

L'ambiguïté de la parole littéraire, son oscillation entre
l'être et le néant, tel est le souci fondamental que Blanchot met à l'épreuve dans ses récits ; la parole ne s'y
restreint presque jamais à un sens, elle n'est pas là uniquement pour ce qu'elle veut dire, laissant le lecteur
songer par lui-même à la possibilité du pouvoir négatif
qui est le revers de toute parole. Elle pose un sens pour
le quitter, en prend un autre ou feint de le prendre et
s'esquive dans une absence de tout sens. Ce jeu de la
parole qui n'est joué que pour marquer son sérieux douloureux, pour souligner « la déchirure de l'homme » (48),
cause l'aspect fuyant des récits de Blanchot, sa perpétuelle incertitude destinée à nous révéler « l'origine
[de notre] sort malheureux » (49).

Y a-t-il quelque chose d'analogue chez Kafka ? Et
Blanchot se retrouverait-il lui-même dans le monde de
Kafka ?

En pratiquant la *Lecture de Kafka* (50) Blanchot nous
dit y découvrir ses propres problèmes ; et tout en aug-
mentant cette lecture de son expérience personnelle, il
apporte au texte de nouvelles lumières. Il retrouve en
Kafka le souci de l'écrivain qui ne peut devenir ce qu'il
est que par cette parole qui se meut entre « les deux
pôles de la solitude et de la loi, du silence et du mot
commun » (51). La pensée de Kafka se confond avec son
« histoire strictement individuelle » (52) : opaque, son
moi s'efforcerait vers la transparence.

---

(46) *La Part du Feu,* p. 344.
(47) *Ibid.,* p. 345.
(48) *Ibid.*
(49) *Ibid.*
(50) In *La Part du Feu,* pp. 9 sqq.
(51) *La Part du Feu,* p. 11.
(52) *Ibid.*

C'est donc à travers Kafka aussi que la littérature
apparaît comme « volatile » et « vaine », portant en soi
son propre néant. La réflexion ne peut en venir à bout
car « la pensée est devenue une suite d'événements injus-
tifiables et incompréhensibles, et la signification qui
hante le récit, c'est la même pensée se poursuivant à
travers l'incompréhensible comme le sens commun qui
le renverse » (53). Ambiguïté, malentendu, impossibilité
de comprendre ce qu'on lit, caractériseraient les écrits
de Kafka. L'aspect fragmentaire de toute son œuvre
serait également symbolique de ce « manque » (54) qui
lui ronge le cœur et qui s'en prend au sens de sa parole.
Le mouvement négatif qui fait la vérité de l'œuvre,
reparaît : c'est la mort qui parle en Kafka, cette « possibilité mystérieuse » de chaque thème de son œuvre
« d'apparaître tantôt avec un sens négatif, tantôt avec
un sens positif » (55). La parole de Kafka reflète une des
idées centrales de Blanchot : celle voulant que la négation fasse la force motrice du message de l'écrivain.
Blanchot, en la décelant, éclaire la pensée kafkaïenne
avec beaucoup de pénétration :

> A force de creuser le négatif, il [Kafka] lui donne une
> chance de devenir positif, une chance seulement, une
> chance qui ne se réalise jamais tout à fait et à travers
> laquelle son contraire ne cesse de transparaître. — Toute
> l'œuvre de Kafka est à la recherche d'une affirmation
> qu'elle voudrait gagner par la négation, affirmation qui,
> dès qu'elle se profile, se dérobe, apparaît mensonge et
> aussi s'exclut de l'affirmation, rendant à nouveau l'affir-
> mation possible. (56)

Le Dieu de Kafka est la Négation ou la puissance de
la mort qui est la puissance de la vérité.

> L'ambiguïté du négatif est liée à l'ambiguïté de la mort.
> Dieu est mort, cela peut signifier cette vérité encore plus
> dure : la mort n'est pas possible. (57)

---

(53) *La Part du Feu*, p. 12.
(54) *Ibid.*, p. 14.
(55) *Ibid.*
(56) *Ibid.*, pp. 14-15.
(57) *Ibid.*, p. 15.

Dieu est la « transcendance morte » (58) : Blanchot
rappelle l'empereur mort de *La Muraille de Chine*, le
commandant défunt de *La Colonie pénitentiaire* ainsi que
le juge invisible du *Procès*. Mais quoique mort, il est
pourtant tout-puissant, car « c'est la mort qui est sa
puissance, la mort qui est sa vérité et non pas la vie »
(59). Et cette puissance il l'exerce en empêchant les
hommes de mourir :

> Ce malheur, c'est l'impossibilité de la mort, c'est la
> dérision jetée sur les grands subterfuges humains, la nuit,
> le néant, le silence. Il n'y a pas de fin, il n'y a pas de
> possibilité d'en finir avec le jour, avec le sens des choses,
> avec l'espoir : telle est la vérité dont l'homme d'Occident
> a fait un symbole de félicité, qu'il a cherché à rendre
> supportable en en dégageant la pente heureuse, celle de
> l'immortalité, d'une survivance qui compenserait la vie.
> Mais cette survivance, c'est notre vie même. (60)

Blanchot cite *Le Chasseur Gracchus* ainsi que des
fragments du *Journal* de Kafka correspondant exacte-
ment à son idée de la transcendance de la mort. En effet,
le héros de Kafka ne peut pas vivre — mais il ne peut
pas non plus s'empêcher de vivre parce que la vie ne
connaît pas d'issue et que la mort est sans fin. Il ne vit
pas, il ne meurt pas, il survit. De là son espoir désespéré
dont il ne peut être délivré. — C'est bien là une des
remarques les plus profondes que la critique littéraire
ait soulevées pour éclairer l'ambiguïté de la pensée de
Kafka et pour pénétrer l'exil qu'est son existence.

Blanchot, après avoir reconnu dans la parabole de
l'œuvre de Kafka ce qui fait le destin de l'existence,
interroge l'auteur tchèque au sujet du rôle que joue la
littérature dans ce destin même (61). Il cite de nombreux
passages du *Journal* où Kafka revendique avec beaucoup
d'insistance le titre de littérateur et où il fait dépendre
le but de sa vie de la littérature. Blanchot constate :

---

(58) *La Part du Feu*, p. 15.
(59) *Ibid.*
(60) *Ibid.*
(61) *Kafka et la Littérature*, in *La Part du Feu*, pp. 20 sqq.

Il est étrange qu'un homme pour qui rien n'était justifié, ait regardé les mots avec une certaine confiance. (62)

Ensuite il pose la question :

Comment l'existence peut-elle tout entière s'engager dans le souci de mettre en ordre un certain nombre de mots ? (63)

Il commence par réfuter l'opinion erronée qui prétend voir en Kafka un auteur exempt de toute préoccupation artistique. En se référant au *Journal* il rend évident l'importance que le souci esthétique avait pour Kafka. Etre écrivain, c'est être porteur d'un message *et* être esthète : l'un ne va pas sans l'autre. Ecrire, c'est écrire bien. Etre conscient de cette double mission, c'est

croire à la littérature, croire à sa vocation littéraire, la faire exister — par conséquent, être littérateur et l'être jusqu'au bout. (64)

Un message mal exprimé est un faux message. L'authenticité de la substance va de pair avec la perfection de la forme. Et si l'une peut exister sans l'autre, ce n'est le cas que pour la forme. Il y a « des chefs-d'œuvre du seul point de vue de l'esthétique » (65) ; mais il n'y en a guère qui soient d'une haute portée et d'expression médiocre. La vérité intérieure dépend donc de la qualité esthétique ; à l'opposé de Zarathoustra Blanchot formule :

On écrit avec l'esprit et l'on croit saigner. (66)

On ne meurt pas du fait d'écrire, mais on « multiplie son existence » (67). Ecrire, c'est exister, du moins pour un écrivain. La parole est le seul moyen de donner naissance à l' « immensité du monde que j'ai dans ma tête » comme dit Kafka ; « quelque chose d'important peut surgir, à condition que le langage le recueille » (68).

---

(62) *La Part du Feu*, p. 20.
(63) *Ibid.*, p. 21.
(64) *Ibid.*, p. 22.
(65) *Ibid.*, p. 23.
(66) *Ibid.*, p. 23.
(67) *Ibid.*, p. 24.
(68) *Ibid.*, p. 25.

Ainsi la littérature se met à parler où tout autre langage devient impossible : elle dépasse ainsi la connaissance. Grâce à son irréalité l'art ne connaît pas de limite. La connaissance, à un moment donné, doit abdiquer et renoncer à elle-même ; après avoir été « la voie nécessaire » (69) elle devint « l'obstacle insurmontable » (70). L'art, par contre, dès qu'il ne peut plus être connaissance, « s'affirme non-connaissance » (71) ; « il change de sens et de signe. Il se détruit tout en subsistant » (72). Cette transformation aboutit à une sorte d'illumination : il y a naissance d'un monde qui se fonde non pas sur la matérialité du corps, mais sur celle des mots. A l'affirmation de l'objet par la parole préexiste une négation de l'existence de cet objet : c'est « le travail de la mort » du langage littéraire.

Dans le langage de Kafka Blanchot étudie aussi le mouvement de négation affirmative. « Les mots de Kafka, par le fait qu'ils tentent une véritable régression à l'infini, donnent l'impression aussi bien de se dépasser d'une manière vertigineuse que de s'appuyer sur le vide. On croit à un au-delà des mots, à un au-delà de l'échec, à une impossibilité qui serait plus qu'une impossibilité et ainsi nous restituerait l'espoir, [...] mais comme les mots s'arrêtent, nous ne tenons ni l'espoir d'une infinité réalisée, ni la certitude d'un contenu fini » (73) ; Blanchot peut ainsi retrouver en Kafka la confirmation de sa théorie de la fonction littéraire : elle est destruction et reconstruction ; par la mort elle aboutit à la vie.

Ce langage littéraire, Blanchot, dans son étude *Le Langage et la Fiction* (74), l'oppose au langage de l'existence courante qui est un langage de signes se référant à une réalité. Le langage de la fiction par contre ne peut présumer chez le lecteur un monde déjà connu. Il doit révéler son monde à lui et rendre réelle son irréalité. Les mots par conséquent, ne se contentent plus d'être des

(69) *La Part du Feu,* p. 26.
(70) *Ibid.*
(71) *Ibid.*
(72) *Ibid.*
(73) *Ibid.,* pp. 31-32.
(74) *Ibid.,* pp. 80 sqq.

signes, mais « rendent sensible, matérialisent ce qu'ils signifient » (75). Le langage de la vie quotidienne est absence, il tend à la « communication pure » (76) du silence ; celui de la fiction poétique est « physiquement et formellement valable » (77) ; il doit nous faire vivre son monde, nous faire « éprouver la parole comme la clé d'un univers d'envoûtement et de fascination où rien de ce qu'il [le lecteur] vit ne se retrouve » (78). — Blanchot soumet à son examen le langage de l'allégorie, du mythe et surtout celui du symbole dont le sens ne peut être que « global » (79), c'est-à-dire concernant le « monde dans son ensemble » (80) et « l'existence humaine dans son ensemble » (81). La fiction est chargée de révéler le sens de la vie, avec l'aide de l'imagination : celle-ci s'empare d'un objet en se donnant son image, mais en se donnant aussi l'absence de l'objet, son vide, « l'existence de l'inexistence » (82).

L'image symbolique renvoie ainsi au problème de l'être dont la réponse ne peut se trouver que dans l' « absence absolue » (83). Blanchot en vient de nouveau à la négation en tant que « condition de toute activité d'art et de fiction. Le symbole évoque des détails, des faits, des mouvements, des gestes — et en même temps il les dépasse, il se dépasse lui-même » (84). « Il est son propre vide. » (85) Il tend à réaliser l'irréalité de l'absence, tentative qui doit aboutir à un échec, car l'image n'arrivera jamais à coïncider avec le sens global. Mais ce manque précisément fait l'essence du symbole, il fait qu'il « est toujours une expérience du néant, la recherche d'un absolu négatif » (86). L'écrivain qui l'a créé exprime ainsi son expérience de la transcendance de la mort.

(75) *La Part du Feu*, p. 82.
(76) *Ibid.*, p. 83.
(77) *Ibid.*
(78) *Ibid.*, p. 84.
(79) *Ibid.*, p. 85.
(80) *Ibid.*
(81) *Ibid.*
(82) *Ibid.*
(83) *Ibid.*, p. 85.
(84) *Ibid.*
(85) *Ibid.*
(86) *Ibid.*, p. 87.

Le récit symbolique est particulièrement apte à rendre présent ce qui fait essentiellement la condition humaine. Blanchot ici renvoie de nouveau à Kafka. Tous les récits de celui-ci seraient des « recherches d'un absolu négatif », tous ses personnages oscillent entre l'existence et l'inexistence. Le travail de négation qui est le travail de la mort détermine sa parole et la soustrait ainsi à toute interprétation définitive. —

Peu après la publication du *Journal* complet et des *Entretiens avec G. Janouch* en Allemagne, Blanchot examine ces deux livres (87) et le fait encore sous l'angle de ce dépaysement de soi-même propre à tout écrivain. L'exigence de la parole déclenche pour Kafka le conflit avec l'exigence de la vie : il lutte contre la vie quotidienne qui l'accapare et qui l'empêche d'écrire; mais il lutte aussi contre le néant de la parole, contre « la profondeur vide de l'infini » (88). Blanchot souligne les passages du *Journal* relatifs à ce combat. Or la littérature n'est pas seulement un combat pour Kafka, elle est aussi une consolation parce qu'elle est « la conscience du malheur » (89), la conscience de sa situation hors du monde, la conscience de soi. L'art est sa vérité.

Franz Kafka, pour Blanchot, est l'écrivain de la mort sans mort et en même temps l'homme qui a trouvé sa vie dans la parole. Il est le créateur du symbole de la grande contradiction qu'est l'existence humaine.

La délicatesse et la perspicacité des explications de textes de Blanchot documentent la rencontre spirituelle que signifie pour lui l'œuvre de Kafka. — Certes, Kafka parle le langage du néant; son monde laisse paraître son revers négatif. Mais peut-on vraiment dire de sa tentative littéraire, qu'elle a abouti à « ne rien dire, à parler pour ne rien dire » ? (90) Selon Blanchot « le poète est celui pour qui il n'existe pas même un seul monde, car il n'existe pour lui que le dehors, le ruissellement du dehors

---

(87) *Kafka et l'exigence de l'œuvre*, dans *Critique*, N° 58, mars 1952.
(88) *Critique*, N° 58, p. 207.
(89) *Ibid.*, p. 214 .
(90) *La Part du Feu*, p. 327.

éternel » (91). Or pour Kafka la transcendance divine
existe! Elle est force négative, elle est puissance de la
mort, certes; mais elle est aussi une notion concrète: elle
est le Dieu personnel qui s'impose à l'homme et qui le
fait souffrir. Et ce Dieu vit! Tandis que la transcendance de Blanchot est une abstraction; elle est le mouvement éternel de l'homme pour saisir « le sens original
de l'existence » (92); elle reste immanente. — La transcendance de Kafka, c'est la transcendance radicale telle
qu'elle est présente en Occident, chez les grands philosophes chrétiens. Kafka ne parle pas « pour ne rien
dire »; il parle pour dire la souffrance qu'est pour
l'homme l'absurdité de Dieu.

---

(91) *Critique*, N° 58, p. 221.
(92) *La Part du Feu*, p. 85.

CHAPITRE IV

DIEU L'INCONNU :
KAFKA, BATAILLE ET BECKETT

DEM UNBEKANNTEN GOTT

Noch einmal eh ich weiter ziehe
Und meine Blicke vorwärts sende,
Heb' ich vereinsamt meine Hände
Zu dir empor, zu dem ich fliehe,
Dem ich in tiefster Herzenstiefe
Altäre feierlich geweiht,
Dass allezeit
Mich deine Stimme wieder riefe.

Darauf erglüht tiefeingeschrieben
Das Wort : dem unbekannten Gotte.
Sein bin ich, ob ich in der Frevler Rotte
Auch bis zur Stunde bin geblieben :
Sein bin ich — und ich fühl' die Schlingen,
Die mich im Kampf darniederziehn
Und, mag ich fliehn,
Mich doch zu seinem Dienste zwingen.

Ich will dich kennen, Unbekannter,
Du tief in meine Seele Greifender, [fender,
Mein Leben wie ein Sturm Durchschwei-
Du Unfassbarer, mir Verwandter !
Ich will dich kennen, selbst dir dienen.

                                        NIETZSCHE.

Georges Bataille comme Maurice Blanchot découvre
le silence au cœur du langage ; mais non pas du fait
d'une magie de la parole, c'est-à-dire d'une puissance
inhérente à la réalité du mot comme chez Blanchot ; le

silence résulte plutôt chez lui du caractère irrationnel
de l'expérience mystique. C'est au moyen de « mots glis-
sants » (1) déconcertant la prise logique, tel le mot
« silence » que Bataille essaie de forcer le langage à
approcher l'expérience mystique. L'attention prêtée aux
mots nous dérobe le secret de « la présence intérieure,
silencieuse, insondable et nue » (2) des objets. « Le
silence qui n'est plus rien » (3), c'est « le reposoir » (4)
où l'expérience peut s'accomplir.

Mais n'est-ce pas une erreur de vouloir rapprocher de
l'univers mystique Franz Kafka ? Est-il possible qu'il y
ait une affinité d'expérience entre Bataille et l'auteur
du *Procès* ? La réponse, dans son ébauche du moins,
peut être anticipée : non, Kafka n'est certainement pas
un mystique. Sa langue déjà diffère de celle de Bataille ;
nulle prédication chez lui, nul transport, nul pathos.
Sartre dit au sujet de Bataille (5) :

> Tantôt le style va s'étrangler, se nouer, pour rendre les
> brèves suffocations de l'extase ou de l'angoisse [...]
> Tantôt il sera haché par les brèves secousses du rire,
> tantôt il s'étalera dans les périodes balancées du raison-
> nement. La phrase de la jouissance intuitive, qui se ra-
> masse dans l'instant, voisine dans *L'Expérience intérieure*
> avec le discours qui prend son temps.

Chez Kafka jamais de prépondérance affective, jamais
d'états extatiques échappant au contrôle de la lucidité.
On connaît son énoncé froid et objectif, sa phrase minutieuse, la simplicité voire la banalité de son langage.
Seuls certains passages des écrits intimes apportent une
nuance plus chaude et plus personnelle. Mais eux aussi
sont loin des épanchements résultant de l'expérience
mystique — également loin aussi des raisonnements philosophiques qui souvent coupent les états extatiques de
Bataille.

L'union transformante avec le néant ou avec le Dieu

---

(1) *L'Expérience intérieure*, Les Essais XIII, Gallimard, 1943, p. 35.
(2) *Ibid.*
(3) *Ibid.* ..
(4) *Ibid.*
(5) *Un nouveau Mystique*, dans *Situations* I, Gallimard, 1947, p. 146.

mort qui continue pourtant d'exister, ne se trouve guère chez Kafka.

Le mobile de cette expérience intérieure est, par contre, le même que celui qui engage Kafka à écrire *Le Château* ou *La Colonie pénitentiaire*. Des termes tels que « silence », « absurdité », « angoisse », « l'inconnu », sans cesse usités par Bataille, renvoient à la pensée de Kafka. Sartre, dans son étude sur Bataille (6), résume ainsi le problème qui, depuis Nietzsche, assaille l'homme moderne :

> Dieu est mort, mais l'homme n'est pas pour autant devenu athée. Ce silence du transcendant, joint à la permanence du besoin religieux chez l'homme moderne, voilà la grande affaire, aujourd'hui comme hier. (7)

C'est l'expérience absurde d'un Dieu que la raison seule a condamné. Mais l'affaire ainsi jugée, au lieu de goûter le repos de la certitude, on se retrouve devant le fantôme de ce Dieu que nulle négation ne saurait plus atteindre maintenant qu'il a été supprimé.

Ce primus motor qui met en branle la pensée, est commun à Bataille et à Kafka. Aussi y a-t-il ça et là des passages qui, par leurs images, par leur atmosphère, rappellent Kafka, mais un Kafka grandiloquent ; ainsi par exemple :

> Dans le vide idéalement sombre, chaos jusqu'à déceler l'absence de chaos (là tout est désert, froid, dans la nuit profonde, bien qu'en même temps d'un brillant atroce, irradié de fièvre) la vie s'ouvre à la mort, le *moi* grandit jusqu'à l'impératif pur : cet impératif, dans la partie hostile, éplorée de l'être, se formule « meurs comme un chien » et se détourne de toute application du monde. (8)

Le « comme un chien » qu'entend tout lecteur du *Procès*, l'évocation du froid, de l'obscurité, le Moi marchant volontairement vers sa mort, suggèrent l'univers de l'auteur tchèque. — La psychologie de la victime, du

(6) *Loc. cit.*
(7) *Situations* I, p. 153.
(8) *L'Expérience intérieure*, p. 113.

coupable né qui est celle du héros de Kafka, reparaît
dans certains fragments de Bataille :

> Ce que j'attends est une réponse dans l'obscurité où je
> suis. Peut-être, faute d'être broyé, je demeurerais comme
> un déchet oublié ! (9)

La prétention d'obtenir réponse de la transcendance
est par elle-même coupable. Comme Kafka, Bataille
attend ; et cette attente fait du monde une prison :

> Mais je n'oublie pas un instant mon ignorance et que
> je suis perdu dans un couloir de cave : ce monde, la
> planète et son ciel étoilé, ne sont pour moi qu'une tombe
> étroite. (10)

Bataille, en parlant de la révolte contre Dieu, va
jusqu'à invoquer Kafka lui-même à travers son héros :

> Selon A., Kierkegaard donne à Job un droit, celui de
> crier jusqu'au ciel. Je hais les cris. Je *veux* les conditions
> de « l'arpenteur », ce jeu qui, selon l'expression d'A., in-
> troduit du possible dans l'impossible. Dans ce jeu, tout
> au moins la parole et les catégories du langage ne règlent
> rien. (11)

Bataille garde le paysage du *Château* et il revendique
la condition de l'arpenteur tout en essayant d'en rire :

> Bien que ma vie dans ce village soit vide — étrange et
> décousue —, je ne veux pas que tout m'enlise. Gentillesse?
> résignation? Mais, par définition, l'« arpenteur »? Indif-
> férence ! Je me sens rire. Je suis coupable d'être *moi*?
> de ne pas être mort ? Si l'on y tient. Je paye, j'accepte
> de payer. Comment n'en rirais-je pas. (12)

Au thème de la culpabilité succède celui de l'angoisse:

> L'angoisse est la vérité de Kierkegaard, davantage en-
> core celle de l'« arpenteur » (de Kafka). Mais moi-même?
> Si je ris ou devine en riant ce qui est là, ce qui est plus

---

(9) *Le Coupable*, Les Essais XIV, Gallimard, 1944, p. 19.
(10) *Ibid.*, p. 17.
(11) *Ibid.*. p. 79.
(12) *Ibid.*

loin, qu'ai-je à dire à ceux qui m'entendraient ? que l'angoisse les noue ! (13)

Bataille invoque donc Kafka en tant qu'homme qui a connu simultanément le désir de Dieu et la révolte contre Dieu, révolte qui fait naître le sentiment de culpabilité et l'angoisse. Le « je suis coupable d'être *moi* » est une vérité essentiellement kafkaïenne. Bataille et Kafka ont vécu des expériences analogues. — Mais il y a chez Bataille un côté nietzschéen totalement étranger à Kafka. L'homme absurde, destiné à vivre l'angoisse et repoussé par la transcendance divine, tend à se transcender lui-même.

> Je ne puis, revenant en arrière, si je refais ce chemin que l'homme a fait à la recherche de soi-même (de sa gloire), qu'être saisi d'un mouvement fort et débordant — qui chante. Je m'en veux quelquefois de laisser le sentiment de l'existence souffreteuse. La déchirure (14) est l'expression de la richesse. L'homme fade et faible en est incapable. (15)

C'est l'homme qui se surpasse lui-même, l'homme qui « rit », c'est bien le surhomme de Nietzsche, mais prétendant à l'éternité.

Rien de pareil chez Kafka. Comme Kierkegaard, il a connu la misère de l'homme sans Dieu et ne songe nullement à ériger cette misère en une disposition mystique. La joie douloureuse qui consiste dans le fait d'une union mystique avec un Néant transcendant, lui est inconnue ; de même la divinisation de l'homme laquelle s'effectue au cours de cette union, lui est totalement étrangère. — La sobriété de Kafka est également à l'opposé de l'exubérance de Bataille. Il n'y a chez Kafka ni éloquence ni emphase. Nulle dramatisation de la vie intérieure — au contraire. Nulle exaltation, mais plutôt le goût d'ironiser, lequel atteste sa souffrance authentique. Le tragique ne réside pas dans l'expression, mais

---

(13) *Le Coupable*, p. 80.
(14) La « déchirure » s'égale au « Rien », au « Non-savoir », à la « Nuit », c'est-à-dire au Dieu négatif.
(15) *L'Expérience intérieure*, p. 126.

dans ce qui ne peut être exprimé. Il n'y a pas d'orchestration du malheur ni de volupté du chagrin ; il n'y a pour lui que le morne silence. —

Bataille, s'expliquant sur Kafka (16), a souligné chez celui-ci un côté enfantin, une volonté de se soustraire à l'action afin de pouvoir rester dans la sphère puérile de rêves littéraires, mais tout en se reprochant d'avoir fui la vie. Il aurait voulu être reconnu du monde des adultes, accepté par leur société à condition de rester « l'enfant irresponsable qu'il était » (17). — Bataille accuse aussi la tendance masochiste de Kafka jusqu'à y voir « la cruauté de l'extase » (18), le « moment d'ivresse que sera la mort » (19) ; Bataille renvoie ici à la phrase finale du *Verdict* et à un texte de *Méditation* — qui est un texte de jeunesse, bien entendu — pour relever le mouvement de joie sensible çà et là dans l'œuvre de Kafka. Ses remarques éclairent pertinemment la psychologie de l'auteur tchèque. Il me semble pourtant difficile de tourment, lié à un désir d'autopunition et de justifica-trouver chez Kafka « extase » et « ivresse ». Son goût du tion par la mort, est indiscutable. Mais il y a loin de là à l'extase de la Nuit de Bataille.

Cette conception pathétique de la lutte avec Dieu, qui est celle de Bataille, s'accompagne d'une attitude objective. L'homme prend note de sa condition absurde et, sans se permettre un seul geste dramatique, il s'y installe afin de la vivre jusqu'au bout. Le seul luxe qu'il s'offre, ce sont les éclairs d'humour noir dont il illumine sa misère.

Ainsi les deux « clochards » qui, chez Samuel Beckett, passent leur vie à attendre Godot. Qui ne penserait à Kafka en assistant à cette comédie grimaçante de l'abandon. Certes, le poétique diabolique de Samuel Beckett, le mouvement de son dialogue, ses saillies, sa tension dramatique, ne sont pas du monde de Kafka. Mais le

---

(16) *Franz Kafka devant la Critique communiste*, dans *Critique*, N° 41, octobre 1950.
(17) *Ibid.*, p. 27.
(18) *Ibid.*, p. 32.
(19) *Ibid.*

malaise causé par la présence absente de celui qu'on ne
nomme pas ou que l'on désigne d'un nom qui ne saurait
le nommer, le délaissement total qu'accusent les personnages, leur solitude, même s'ils sont deux, leur situation
fausse par rapport à la société, le comique de leur aspiration absurde — tout cela se retrouve et **chez Beckett et
chez Kafka.**

Le récit de Beckett porte le même caractère fermé que
celui de Kafka. Il se dérobe à l'interprétation tout en
suggérant plusieurs manières de comprendre. Mais,
comme chez Kafka, le symbole est si puissant que l'on
est porté à croire qu'il prétend à l'absolu. —

Le personnage des romans de Beckett vit dans l'attente
comme celui de Kafka. Seulement il y a chez Beckett une
évolution vers l'être impersonnel et imaginaire. Dans ses
premiers récits il porte un nom : il s'appelle Murphy ou
Malone, il a plus ou moins une histoire. Puis progressivement sa personnalité s'efface : « l'Innommable » n'a
plus de traits, plus de caractère et ce qu'il dit reste
incompréhensible. L'absurde est ici si radicalement destructif qu'il ne laisse subsister de l'univers qu'un
bégayement incohérent. — Or la parole, chez Kafka,
reste sensée ; elle conduit vers un certain but, si obscur
soit-il. Le lecteur y peut fonder sur la signification des
mots ; il entre dans un univers d'apparence tout à fait
cohérente, croirait même être resté dans son propre
univers ; il peut céder au désir de s'identifier au héros
jusqu'à l'apparition du Juge.

L'Absurde de Beckett par contre fait son travail « au
détail » : il ronge chaque phrase et chaque idée. En
lisant ces romans, on est emporté dans un tourbillon de
gratuité, que l'on lise une page ou le roman en entier
— l'impression de néant est la même. Finalement, à quoi
bon parler puisque le langage ne veut rien dire ?

En attendant Godot est comme un retour de cette dis-
solution du langage telle qu'elle est pratiquée dans
L'Innommable. La parole reprend sa force suggestive et
le contenu de la pièce trahit un mouvement déterminé
capable de captiver le spectateur. —

Les rapports avec la transcendance s'effectuent de

manière négative pour Kafka, pour Bataille et pour
Beckett. Elle exerce sa force attractive en précipitant
l'homme dans un combat auquel il ne participe qu'à
regret.

La transcendance se révèle à Kafka en tant que justice
absolue et impénétrable ; les rapports avec elle se fondent
sur la culpabilité indéniable et indémontrable de
l'homme.

Georges Bataille transcende la négation de Dieu
et fait du tourment de cette absence une joie mystique.

Samuel Beckett, en se risquant au-delà des limites de
la pensée, ne s'égare pas seulement dans l'inintelligible,
mais dans le sensible. Son expérience de la transcendance semble celle d'une confusion totale de l'être.

CHAPITRE V

LE CONCEPTION DE L'ABSURDE
CHEZ
ALBERT CAMUS ET FRANZ KAFKA

> Je veux porter ma lucidité jusqu'au
> bout.
> Albert CAMUS (*Noces*, p. 40).

Certains romans modernes sont hantés par un personnage neutre, impersonnel et terne. Il figure dans les romans de Kafka, il est le narrateur de *L'Etranger,* il reparaît dans *La Nausée* de Sartre. Sous une enveloppe impassible il réussit à envisager avec calme les maux qui s'acharnent sur lui et à les supporter avec une sorte de dolente indifférence. — Aussi le style de ces romans est-il d'une parfaite sobriété : toujours le même mouvement modéré, évitant soigneusement toute pointe émotionnelle et tout épanchement lyrique, sauf chez Camus où le sentiment de la nature perce çà et là et vient tricher au jeu. Le style objectif se bornant à la simple constatation des faits divers est propre au roman détaché. De là son uniformité et l'ennui qu'il dégage, ennui génial en quelque sorte pour rappeler cet état de néant que Heidegger appelle *Langeweile* et Camus « la lassitude », état de vacuité où la conscience se réveille.

Car le héros est lucide. Il semble avoir vécu une rencontre décisive d'où il a tiré la connaissance de l'être.

Toute « élision » lui est désormais interdite. Il connaît ;
il n'est dupe d'aucune émotion, si douce soit-elle.

L'absurde est au centre de cette rencontre décisive, un
absurde qui, sans y être toujours le même, revient chez
Sartre, Camus et Kafka. Il détermine l'être-là d'Antoine
Roquentin comme celui de Meursault et de K. Les trois
héros butent en quelque sorte sur l'absurde, « au détour
d'une rue » (1). La révélation de l'absurde n'a rien d'une
illumination ; il s'installe plutôt dans la vie de tous les
jours, au cœur même de la banalité. — Nulle exaltation
ne peut résulter de ce nouvel état de lumière. Le héros
semble être frappé d'accablement.

Réservons le personnage d'Antoine Roquentin pour ne
nous occuper que de la parenté de Camus et de Kafka. —

Henri Hell, par exemple, devine en Camus « un esprit
nourri de Kafka, de Léon Chestov et, à plus forte raison,
de Kierkegaard » (2) ; il le place donc avec l'auteur
tchèque dans la lignée des penseurs existentiels. —
Sartre (3), au contraire, ne voit en Kafka que le romancier de la transcendance impossible : il y a chez lui un
envers du décor qui n'existe pas chez Camus dont le
souci est tout terrestre. L'angoisse de Kafka lui est
totalement étrangère.

En effet, le Dieu justicier de l'auteur juif n'inquiète
guère Meursault. Et K. de son côté est infiniment loin
des plaisirs de la mer et de la terre que goûte Meursault
en dépit de son impassibilité. Camus est un latin qui est
parti de Gide et de Montherlant.

Camus s'est exprimé au sujet de l'univers romanesque
de Kafka (4). Il n'y a qu'à suivre sa pensée afin de déceler ses rapports exacts avec l'auteur tchèque. Camus
parle de Dostoïevski et de Kafka comme des deux seuls
auteurs qui aient osé envisager le problème de l'absurde.

En quel sens Kafka a-t-il créé une œuvre absurde ?

Camus souligne en premier lieu « le naturel » (5) de

_____

(1) *Le Mythe de Sisyphe*, Les Essais XII, Gallimard, 1948, p. 26.
(2) *Deux Récits*, dans *Fontaine*, N° 23, p. 354
(3) *Explication de l'Etranger*, dans *Situations* I.
(4) *L'espoir et l'absurde dans l'œuvre de Franz Kafka.* Appendice du
Mythe de Sisyphe, 2ᵉ édition.
(5) *Le Mythe de Sisyphe*, p. 174.

l'absurde de Kafka. Qu'il soit naturel, c'est le signe de l'authenticité de l'absurde. Pour Camus le naturel va de soi. Il n'y a rien dans ses écrits qui outrepasse l'ordre rationnel du monde. Pas de fantastique chez Camus, pas de visions oniriques ni d'escapades de l'imagination. L'incohérence chez Camus — Sartre l'a montré — naît du fait que tout geste n'y est enregistré que dans sa pure apparence, vidée de sens, et que toute action y est considérée comme isolée; il y a une cloison vitrée entre les personnages du roman et le lecteur, « on l'a construite de telle sorte qu'elle soit transparente aux choses et opaque aux significations » (6). — Chez Kafka les moments irrationnels sont fréquents : le fantastique et le rêve ne sont pas exclus de son univers. De même une puissance surnaturelle et absurde préside-t-elle à la destinée de son héros : elle brouille les cartes sans qu'il s'en étonne. Le choix du milieu, le caractère du héros, les images, le style sobre, la façon modérée de manier le fantastique, tout contribue à rendre « naturelles » les aventures les plus extraordinaires. C'est uniquement la raison du lecteur qui, réflexion faite, note l'étrangeté des dénouements; pour le héros l'absurde est l'air qu'il respire.

L'arrestation de Meursault est finalement aussi « naturelle » que celle de Josef K. : elle est la conséquence de la rencontre avec l'absurde, rencontre qui se solde pour Meursault par une action sans fin et pour Josef K. par la confrontation avec la transcendance absurde.

L'extraordinaire au cœur du naturel est un signe de l'œuvre absurde : l'absurde s'installe au milieu de la vie de tous les jours; « l'esprit projette dans le concret sa tragédie spirituelle » (7). Il y a donc une alternance perpétuelle entre le plan de l'aventure spirituelle et celui de la vie concrète, entre « le naturel et l'extraordinaire » (8), « le tragique et le quotidien, l'absurde et le logique » (9). Ce sont deux mondes qui interfèrent, et c'est à l'art

(6) *Situations* I, p. 115.
(7) *Le Mythe de Sisyphe*, p. 175.
(8) *Ibid.*, p. 176.
(9) *Ibid.*

absurde de les faire coïncider. — La réussite de Kafka
est ici indéniable.

Camus résume la fonction de l'œuvre d'art dans la
description : l'élément consciemment vécu par l'auteur,
qu'il soit d'ordre sentimental, spirituel ou physique, et
sa simple reproduction artistique ; « l'œuvre est alors la
chance unique de maintenir sa conscience et d'en fixer
les aventures » (10). Cette accentuation du vécu s'effectue aux dépens du travail d'interprétation. L'aventure
soumise à l'analyse intellectuelle n'est plus authentique,
par conséquent sa reproduction doit être brute. L'artiste
ne doit ni l'expliquer, ni essayer de la résoudre. Son
affaire, c'est « d'écrire en images plutôt qu'en raisonnements » (11). Camus refuse de considérer l'œuvre d'art
comme un symbole ; elle ne peut l'être puisqu'elle ne
connaît pas de solution. Si elle est symbole, c'est un
symbole muet ou polyvalent : il ne veut rien dire ou il
peut tout dire. L'œuvre d'art « est elle-même un phénomène absurde » (12).

Kafka, en ce sens, est un romancier absurde : en tant
que problématique. Il est philosophe comme tous les
grands romanciers (13), c'est-à-dire que sa pensée s'en
prend à son expérience concrète. Elle essaye d'y apporter des lumières, non systématiquement, mais en cherchant son expression dans les images tout en restant
parfaitement lucide, c'est-à-dire consciente des ombres
que ses lumières ne pourront jamais chasser. Le lecteur
qui essaie de suivre l'écrivain dans ses tentatives de
pénétration reconnaît que toute tentative aboutit à une
invitation à recommencer. Si symbole il y a, il est « toujours dans le général » (14), il ne servira jamais en
exclusivité une seule interprétation. Le symbole dépasse
son auteur ; il est plus significatif que ne le prévoyait ce
dernier. Car si l'œuvre d'art fait dire à son auteur « plus
qu'il n'a conscience d'exprimer » (15), elle peut lui

---

(10) *Le Mythe de Sisyphe*, p. 130.
(11) *Ibid.*, p. 138.
(12) *Ibid.*, p. 132.
(13) *Ibid.*, cf. p. 138.
(14) *Ibid.*, p. 173.
(15) *Ibid.*

révéler son propre Moi. Et si le lecteur, tout en étant
conscient de la variété des possibilités d'interprétations,
s'attache à elle afin d'en obtenir sa propre intelligence,
c'est encore lui-même qu'il y retrouve. — La création
absurde est un risque, et pour son auteur et pour son
lecteur. Créer ainsi qu'essayer de comprendre, c'est
s'engager.

On a tout vu en Kafka : la hantise de Dieu et un
athéisme total : une phénoménologie gratuite aussi bien
qu'un symbolisme rigoureux; un penseur cabalistique et
un malade mental essayant de se délivrer de sa terreur
du père et de ses complexes d'impuissance. Kafka a servi
tous ses commentateurs. Il aurait été fort probablement
très embarrassé de nous fournir la clé du *Procès* ou du
Château, car il n'y a pas de clé. Il n'y a que différentes
possibilités d'accès. Comment par exemple prouver la
présence de Dieu dans une œuvre qui ne le nomme
jamais ? Le *Journal* l'invoque, certes, ainsi que les
écrits intimes. Mais de quel droit se servir des dires d'un
livre pour en juger un autre ? En suivant *Le Procès* mot
à mot, on peut objectivement prouver la métaphysique
immanentiste du roman; de même pour *Le Château.*

Et pourtant, dit Camus, « aucun artiste n'a jamais
exprimé plus d'une seule chose sous des visages différents » (16). Kafka de fait dégage son climat qui reste
le même dans tous ses écrits. C'est ainsi que pour le lecteur attentif le ton du *Journal* revient dans les récits;
ici et là le problème est le même.

Kafka, conclut Camus, est donc bien un créateur
absurde. Il répète son expérience intérieure; il la pénètre
de sa pensée sans essayer de la fixer par une explication.
« La pensée abstraite rejoint [...] son support de
chair » (17) comme c'est le cas pour tous les grands
créateurs, qu'ils soient romanciers ou philosophes. C'est
la passion qui dirige la pensée et non le système. —

On pourrait ici se demander si Camus correspond lui-
même au modèle du romancier absurde tel qu'il nous le

---

(16) *Le Mythe de Sisyphe,* p. 133.
(17) *Ibid.,* p. 138.

propose dans son *Mythe de Sisyphe* ? — *L'Etranger* est
bien le roman qui n'explique pas, mais qui se contente
de décrire. Il dépayse. Or, confronté avec le *Mythe de
Sisyphe,* il s'éclaire. Le roman est l'application de la
théorie de l'absurde. Sartre démontre l'habileté avec
laquelle Camus mène la « substructure » (18) de son
roman, lequel ne paraît être composé que de faits incohé-
rents juxtaposés, sans rapport intérieur. La gratuité de
l'existence, l'opacité de la réalité, le goût de la variété
des expériences, l'abolition de toute valeur, l'abolition
de la causalité, tout y est. Chaque phrase vise à
l'absurde ; ainsi, « *L'Etranger* est une œuvre classique,
une œuvre d'ordre, composée à propos de l'absurde et
contre l'absurde » (19). L'inintelligibilité de cet univers
romanesque s'impose au lecteur. Mais peu après il en
découvre la clé : le *Mythe* le débarrassera de son malaise
en lui révélant la structure logique ainsi que la nécessité
de l'absurde. L'absurdité du roman prend un sens, son
héros étant destiné à illustrer la théorie de l'absurde
(Sartre souligne « le côté théorique du caractère de
Meursault » (20). Camus, en écrivant son roman, sert la
cause de l'absurde et en même temps la dessert ; son
Mythe rend le récit transparent ; il illumine la scène
comme un éclairage qui fonctionnerait derrière les
coulisses.

Kafka n'a pas écrit son traité. Malgré sa passion
logique qui l'apparente à Camus sa création romanesque
reste plongée dans les ténèbres de l'inintelligibilité. Le
lecteur cherchera vainement un écrit-clé dans son œuvre.
L'auteur ne saura le guérir du malaise dont il souffre
lui-même. — Kafka est ainsi un créateur plus sévèrement absurde que l'auteur de la théorie de l'absurde
lui-même. —

Kafka serait donc à la fois un maître de la technique
absurde et un penseur absurde. — Camus découvre également chez Kafka un élément qui dépasse l'idée de
l'absurde. *Le Château* lui renvoie le cri d'espoir qu'a

(18) *Situations* I, p. 120.
(19) *Ibid.,* p. 121.
(20) *Ibid.,* p. 109.

poussé Dostoïevski. Le conflit de l'âme dépassant la nature à laquelle elle se voit attachée, est rejeté sur Dieu ; « la déification de l'absurde » (21) s'accomplit ; Kafka entre dans le courant de la pensée existentielle. Il fait partie de ces auteurs qui ont envisagé la condition absurde et qui ont fait le saut.

En effet, l'identification de l'absurde avec le divin s'impose après la lecture du *Château*. L'histoire d'Amalia autorise le rapprochement avec Kierkegaard, rapprochement que fait Camus à la suite de Max Brod. D'ailleurs Kafka lui-même dans son *Journal* a comparé son cas à celui de Kierkegaard (22). La vanité de la logique et de la morale est démontrée dans *Le Château* avec une cruauté sans pareille. Or le héros puise toutes ses forces dans son immense désir d'être accueilli au château. Cette seule aspiration lui fait supporter sa vie désolée d'étranger ; sa vie connaît un but.

Mais c'est précisément l'assignation de ce but qui, pour Albert Camus, signifie la trahison de l'absurde. L'absurde, d'après lui, n'est qu'un rapport : il naît de la comparaison de l'homme et du monde, « il est dans leur présence commune » (23), il est « divorce » (24), il est « contradiction » (24). La seule attitude honnête de l'homme est de regarder l'absurde, c'est-à-dire de se maintenir dans le divorce, d'être conscient, et par le refus, de sa condition.

Or Kafka se soustrait à la condition humaine en faisant de l'absurde un absolu. Ainsi la vie de l'homme qui, pour être authentique, doit nécessairement être gratuite, prend un sens du moment qu'elle se tourne vers Dieu.

Camus aperçoit deux moments en Kafka. Le premier pose le problème, le second le résout. Le premier est une mise en évidence de la condition absurde de l'homme, le second fait entrevoir une issue à cette condition. Camus considère le problème comme posé par *Le Procès* et par

---

(21) *Le Mythe de Sisyphe*, p. 183.
(22) Cf. *Tagebücher*, Fischer Verlag 1951, p. 318.
(23) *Le Mythe de Sisyphe*, p. 48.
(24) *Ibid.*

Au bagne, qu'il cite dans une note (25). La solution, en
revanche, il la trouve dans *Le Château* : ici la grâce
divine met fin à l'absurdité de l'être. « Josef K. et
l'arpenteur K. sont seulement deux pôles qui attirent
Kafka » (26), dit-il, et pour illustrer cette polarité il
juxtapose deux phrases. La première est tirée de *La
Colonie pénitentiaire* : « La culpabilité (entendez de
l'homme) n'est jamais douteuse » (27) ; et la seconde
figure dans *Le Château* : « La culpabilité de l'arpenteur
est difficile à établir » (28). Esse absurdum, c'est être
coupable — Camus l'admet. Ce qu'il n'admet pas, c'est
l'espoir et la rémission du pêché par la grâce.

Il me semble cependant contestable de fonder toute son
argumentation sur l'innocence possible de l'arpenteur et
la culpabilité indéniable de Josef K. Pourquoi l'arpenteur serait-il arrivé plus près de la grâce que Josef K. ?
Il n'y a aucun indice dans le roman qui nous permette de
croire à l'accueil au château. Son espoir n'est pas plus
fondé que celui de Josef K. Si la culpabilité de l'arpenteur est difficile à établir, elle existe néanmoins. Et
d'ailleurs il n'est guère plus facile de prouver la faute
de Josef K., puisqu'il n'a rien fait. — Pourquoi Josef K.
serait-il conscient de « pêcher dans une baignoire,
sachant qu'il n'en sortira rien » (29) tandis que l'arpenteur jetterait sa ligne dans les profondeurs de la mer ?
Car si le Seigneur du château vise l'idée de la transcendance divine, pourquoi le Juge suprême du *Procès* ne le
ferait-il pas ? Le Seigneur du château ne paraît jamais
au cours du récit ; le héros n'entre en contact qu'avec les
autorités subalternes de la hiérarchie. Le drame de
l'arpenteur, c'est d'ignorer la raison de sa récusation. Il
a bien été appelé, mais il n'est pas élu ! Et tous ses
efforts pour s'incorporer à la communauté des villageois
échouent. Plus il montre de zèle à forcer les portes du
château, plus il se voit délaissé. — Il en est de même

---

(25) *Le Mythe de Sisyphe,* p. 187.
(26) *Ibid.*
(27) *Ibid.,* p. 187 note.
(28) *Ibid.,* note.
(29) *Ibid.,* p. 179.

pour Josef K. Le Juge suprême ne paraît jamais. Le
héros n'a affaire qu'à un tribunal qui dépend de lui. Et
c'est bien là une institution offrant un aspect aussi
louche que l'administration de la seigneurerie du château. Josef K. est soumis aux mêmes tourments que
l'arpenteur ; on le laisse dans l'ignorance. Et, comme
l'arpenteur, il essaye de se conformer à la morale générale, de faire comme les autres afin de se justifier et de
prouver son innocence.

Le tort des deux héros consiste dans le fait qu'ils
fuient leur être-coupable. La culpabilité est essentielle à
leur condition humaine. Ils en sont conscients, mais ils
essaient d'en détourner les yeux. — Comment l'arpenteur pourrait-il être dispensé de cette condition ? Il n'y
a pas un seul héros kafkaïen qui ne soit coupable. Même
le petit Karl Rossmann — le seul être innocent de
Kafka — est renvoyé de la maison paternelle pour une
faute involontaire ; il porte déjà en lui le germe du péché.

Comme Josef K., l'arpenteur s'accroche aux valeurs
morales et logiques et, comme lui, lassé de la lutte avec
l'absurde, il y succombe. Mais les deux héros ne doutent
jamais de la vérité de la puissance auprès de laquelle
ils désirent se justifier. Leur tentative de justification
n'est pas vouée à l'échec parce que cette puissance
n'existe pas, parce que le héros a fondé son espoir sur
une illusion, mais parce qu'il ose se mesurer avec Dieu.
Il veut raisonner avec l'Absurde ; il veut paraître en tant
qu'homme juste devant la Justice impénétrable.

Josef K. et l'arpenteur K. ont affaire à la réalité indéniable de Dieu. Il ne s'agit pas de « pêcher dans
la baignoire », ni pour Josef K. ni pour l'arpenteur. La
ligne de tout héros kafkaïen plonge dans les profondeurs
de la transcendance divine. Le problème consiste plutôt
dans le fait que ce Dieu, dans sa vérité, est absurde.

Subsister devant le regard de Dieu, franchir le seuil
de la Loi, pouvoir vivre l'absurde, tel est pour Kafka
l'espoir, la « nostalgie des paradis perdus » (30) — toute
aspiration métaphysique est une nostalgie des paradis

—————————

(30) Le *Mythe de Sisyphe*, p. 181.

perdus — mais il ne s'agit pas d'une élision de l'absurde
comme le prétend Camus. Si *Le Procès* pose le problème
de l'absurde, ce n'est que par rapport à la transcendance
qu'il peut le faire. Et s'il « décrit », c'est précisément
parce qu'il a affaire à l'Absurde. *Le Château* ne fait que
reprendre le problème. Comment pourrait-il « résoudre » (31), comment pourrait-il « expliquer » (32) puisqu'il s'agit encore de l'Absurde ? L'arpenteur est miné
par le même souci que Josef K. Etre proscrit et être
condamné, cela revient au même. Il est aussi innocent et
aussi coupable que Josef K. Dieu, dans *Le Procès,* est
aussi proche et aussi lointain que dans *Le Château.*

Il y a donc certainement continuité dans l'œuvre de
Kafka. L'impuissance de l'homme à envisager ses rapports avec l'absurde en fait la tragédie. Et c'est
une tragédie sans fin. Dieu serait la solution, mais Dieu
demeure inaccessible.

Reste le reproche que fait Camus à Kafka d'identifier
l'absurde à Dieu. Même si Dieu est trop éloigné de
l'homme, il existe pourtant ! Et cette certitude, c'est
précisément « l'infidélité » (33) à l'égard de l'absurde.

Camus demande à l'homme absurde qu'il se main-
tienne dans sa situation indécise, c'est-à-dire qu'il ne
perde jamais de vue que le sens de la vie lui restera à
jamais caché ; et en même temps il lui demande de se
révolter contre l'obscurité de sa condition. « L'absurde
n'a de sens que dans la mesure où l'on n'y consent pas »
(34). L'attitude de révolte permanente et parfaitement
gratuite est donc nécessaire à l'homme absurde. — C'est
là une attitude qui est certainement difficile à soutenir.
Une révolte qui se veut perpétuelle et qui, à cette fin,
évite soigneusement d'écarter l'objet de révolte, n'est
qu'un mouvement stérile. Vouloir conserver la cause de
sa révolte, ce n'est plus se révolter, c'est accepter. Aussi
Camus dit-il un peu plus loin :

---

(31) *Le Mythe de Sisyphe,* p. 180.
(32) *Ibid.*
(33) *Ibid.,* p. 185.
(34) *Ibid.,* p. 50.

> Il s'agissait précédemment de savoir si la vie devait
> avoir un sens pour être vécue. Il apparaît au contraire
> qu'elle sera d'autant mieux vécue qu'elle n'aura pas de
> sens. Vivre une expérience, un destin, c'est l'accepter
> pleinement. (35)

Comment me révolterais-je contre mon destin tout en
l'acceptant ? Comment ma pensée s'indignerait-elle
contre ses limites tout en s'interdisant d'essayer de les
franchir ? Une pensée bridée cesse d'être une pensée
parce qu'on lui a enlevé son mouvement progressif.

Cette révolte est difficile à imaginer aussi du point de
vue psychologique. M. Georges Blin lui reproche
l'absence d'un objet : « Contre qui, contre quoi la
révolte prendra-t-elle appui ? La haine meurt, qui n'est
pas charnellement nourrie et dirigée. Nul n'est capable
de se maintenir en état permanent d'insurrection » (36).
Et Jean Grenier nous renvoie à la possibilité que cette
révolte en fin de compte se dirige encore contre Dieu : car
si je suis conscient que la vie est absurde « il existe un
monde *par rapport auquel* elle est absurde » (37). Mais
alors le saut, quoique de caractère négatif, s'effectuerait
malgré tout. — Quoi qu'il en soit, la révolte pour elle-
même est certainement moins absorbante que la révolte
contre le Dieu de Kafka.

Un dernier problème se pose : comment vivre en face
de l'absurde ? La réponse de Camus n'est pas très claire.
Vivre le plus, dit-il, vivre au niveau de la quantité et
non de la qualité. Epuiser la vie, mais tout en gardant
la plus parfaite lucidité, c'est-à-dire en étant conscient
qu'elle est désespérément absurde. « Ne pas croire au
sens profond des choses, c'est le propre de l'homme
absurde » (38). Camus d'une part semble s'en tenir
encore au plan de l'esthétisme gidien comme dans *Noces*.
Et d'autre part il plaide pour le divertissement au sens

---

(35) *Le Mythe de Sisyphe,* p. 76.
(36) *Albert Camus ou le sens de l'Absurde,* dans *Fontaine,* N° 30,
    p. 560.
(37) *Une œuvre, un homme,* dans *Les Cahiers du Sud,* février 1943,
    p. 227.
(38) *Le Mythe de Sisyphe,* p. 101.

pascalien qui, pour l'homme, ne peut être qu'un détour-
nement de lui-même.

Il semble pourtant que la joie de vivre et la confrontation permanente avec l'absurde soient deux attitudes
incompatibles.

Camus en écrivant *Noces* s'était placé du côté des
nourritures terrestres et de l'instant. Mais le *Mythe*
essaie d'un compromis irréalisable. Son postulat se
compose de deux moments contradictoires.

Aussi Camus n'en est-il pas resté là. Ses articles de
journaux, ses *Lettres à un ami allemand* comblent le vide
du regard lucide qui ne veut rien voir : ils substituent à
l'absurde l'idéal du parfait humanisme et de la justice.
De même *La Peste* et *Les Justes*. La révolte (39) prend
racine dans la contradiction d'un univers idéal se fon-
dant sur les lois de la morale et du monde tel qu'il est.
Le non de la révolte plaide pour un oui de la justice, de
la pureté du cœur et de l'intégrité de l'homme.

L'étude sur Kafka n'apparaît que dans la seconde édition du *Mythe de Sisyphe* ; depuis l'auteur ne s'est plus
exprimé à son sujet. L'œuvre de Kafka est donc pour
Camus un échec de l'absurde. Or Camus lui-même ne
tardera pas à quitter les déserts du *Mythe*. Il blâme
l'œuvre de Kafka parce qu' « elle donne un sens à la vie
de l'auteur » (40) mais encourt le même reproche. Toute
pensée peut évoluer jusqu'à ses antipodes.

Peut-on dire enfin, comme le fait Camus, que Kafka se
soit rendu coupable d' « infidélité » envers lui-même ?

L'absurde du *Mythe de Sisyphe* ne saurait longtemps
nous tenir en haleine. Aussi son auteur l'a-t-il aban-
donné au profit d'un idéal humanitaire. La qualification
d'absurde ne se rapporte plus guère qu'à un monde
étranger à cet idéal. L'absurde cesse d'être force motrice
de la pensée. Aussi les recherches métaphysiques de
Camus n'étaient-elles que passagères. Ses préoccupations
rejoignent finalement celles du moraliste.

En revanche, la rencontre de Kafka avec l'Absurde a

---

(39) La révolte de *L'Homme révolté,* non celle du *Mythe.*
(40) *Le Mythe de Sisyphe*, p. 185.

été décisive. Pas de compromis possible dans sa pensée. L'Absurde, dès le début, est une puissance concrète ; la transcendance divine est sa vérité existentielle. Kafka lui a voué sa vie avec une constance qui n'est comparable, peut-être, qu'à celle de Kierkegaard. — Le héros kafkaïen s'est à tel point engagé qu'il sacrifie sa vie à sa vérité. Il n'a d'un homme que l'apparence extérieure et les facultés de l'esprit. Quand Camus dit en résumant l'aventure de Josef K. : « Entre temps, il ne néglige pas d'aimer, de se nourrir ou de lire son journal » (41) on a lieu de croire que le héros, à côté de son procès, trouve le temps de se livrer aux agréments de la vie. Nous n'appellerions pas « amours » les étranges rencontres de Josef K. avec les femmes ; quant à sa vie quotidienne, elle n'est qu'un pénible effort pour faire comme les autres, afin de ne pas être anéanti dès le début par la Justice. —

Kafka a délibérément opté pour le Dieu absurde et il reçoit de sa main les maux dont est faite son existence. Il prend la vie comme une concession qu'il est bien obligé de faire à sa condition humaine.

Le drame de Kafka, c'est de n'avoir jamais pu perdre de vue sa vérité, et ne fût-ce que pour un instant. — Camus dit à propos de Kafka : « dans ce saut qui caractérise toute pensée existentielle, dans cet entêtement, dans cet arpentage d'une divinité sans surface, comment ne pas voir la marque d'une lucidité qui se renonce ? » (42) Kafka est au-dessus de ce reproche. Camus a fini par fuir l'Absurde ; Kafka en est mort, consumé par une lucidité surhumaine.

---

(41) *Le Mythe de Sisyphe,* p. 174.
(42) *Ibid.,* p. 186.

CHAPITRE VI

KAFKA ET JEAN-PAUL SARTRE

> De Kafka je n'ai rien à dire, sinon
> qu'il est un des écrivains les plus
> rares et les plus grands de ce
> temps.
>
> (*Situations* I, p. 139).
>
> J.-P. SARTRE

I. — LE NÉANT

> Da-sein heisst : Hineingehaltenheit in
> das Nichts.
>
> HEIDEGGER
> (*Was ist Metaphysik ?*)

Afin de savoir si Kafka a pu exercer quelqu'influence
sur la pensée existentielle telle qu'elle s'est développée
en France, nous tenterons de le rapprocher de Jean-Paul
Sartre choisi non pas seulement comme le philosophe
ayant eu le plus d'audience, mais comme étant lui-même
romancier et conteur.

Lors d'un entretien que j'eus avec Sartre en 1949 il
me dit que son athéisme s'opposant à la religiosité israé-
lite de Kafka, il avait tendance à « laïciser le monde
kafkaïen ». Il me parla de la grande influence que Kier-

kegaard avait exercée sur Kafka. Kafka paraît en France
à un tournant de la pensée, me dit-il. Vers les années
1930 la philosophie allemande fait son irruption en
France ; et c'est à ce moment-là aussi qu'on commence à
traduire les œuvres de Kierkegaard. Sartre me confirma
que ç'avait bien été par l'atmosphère de Kafka que les
Français avaient trouvé accès à Kierkegaard et après
lui à Hegel. Il insista particulièrement sur le climat
kierkegaardien de Kafka et me cita le fameux épisode
d'Amalia et de Sortini dans *Le Château*. « Avant Kakfa,
me dit-il, on ne lisait pas Kierkegaard en France et on ne
s'occupait pas de Hegel. »

Sartre voit donc un Kafka enraciné dans la pensée
existentielle. En examinant Kafka par rapport à ses
affinités avec cette philosophie afin de tenter de comprendre ce que Sartre entendait en disant : « Je suis profondément influencé par Kafka », il faut donc confronter
l'auteur du *Procès* non seulement avec Sartre, mais aussi
avec des penseurs antérieurs ayant eu un certain ascen-
dant sur Kafka et sur Sartre ou qui, étant postérieurs à
Kafka, présentent des aspects propres aussi à Kafka et
à Sartre.

Comme Sartre me l'indiqua, c'est en premier lieu sous
l'angle kierkegaardien qu'il faut envisager ses rapports
avec Kafka. Les éléments kierkegaardiens de la pensée de
Kafka peuvent reparaître chez Sartre, mais « laïcisés ».

De même trouve-t-on des aspects kafkaïens chez Heidegger. Souvent il faut souligner que la parenté de Kafka
avec Heidegger ou avec Kierkegaard surtout, est bien
plus étroite que celle de Kafka avec Sartre; ce que
Kierkegaard et Kafka ont de commun, c'est le point de
départ biblique. Kierkegaard dont l'influence a orienté
la philosophie d'aujourd'hui, nous aidera donc à éclairer
les rapports possibles de Kafka avec un philosophe
existentialiste français.

On a relevé avec raison la force prophétique des écrits
de Kafka. Ce qui chez lui était symbole d'une expérience
intérieure s'est révélé par la suite, historiquement, dans
la réalisation de l'univers absurde de la seconde guerre
mondiale, univers qui se reflète dans les écrits de Sartre.

Que, ainsi, le parallèle s'impose immédiatement après la lecture d'un roman de Sartre et d'un récit de Kafka, cela tient à une même atmosphère de vide, de désespoir et d'absurdité qui doit remonter à une expérience analogue, celle des conditions historiques de ce temps. L'époque contemporaine ne peut plus s'appuyer sur l'autorité d'un système religieux ni sur les lumières acquises par la civilisation. L'homme refusant tout appui traditionnel se trouve absolument seul. Mais sa subjectivité aussi tend à se résorber. Car l'individualité court le risque de perdre sa signification du fait de son enrôlement dans le mécanisme d'un monde livré à la science et aux techniques. C'est un univers qui s'accroît par sa division en une immense organisation dans laquelle l'individu n'est plus que le rouage, infime et substituable, d'une machine dont il a perdu de vue la finalité. Le renvoi à soi lui découvre la privation de soi ; séparé de la tradition spirituelle — il se trouve en face du vide. Telle est l'expérience du néant.

La sobriété, l'avarice, souvent, du style de Kafka sont symboliques de ce vide, de cette absence figurant dans chacun des récits et dans le *Journal*. Même les paroles les plus nécessaires à la communication lui semblent parfois superflues : Sans être nommé, le vide est chez lui toujours présent. Kafka tait la cause de cette sensation de néant ; il ne dit pas non plus ce qui pourrait combler le manque dont il souffre. Le « rien » est voilé par le mystère, comme c'est le cas pour le Grand-Tout qui correspond à la dernière instance dans *Le Château* et dans *Le Procès*.

Que faire pour remédier au néant ? Que faire pour parvenir jusqu'à son pôle opposé, jusqu'à l'Absolu ? L'œuvre de Kafka semble se concentrer dans cette double interrogation. Son symbolisme tient-il la clé de la solution du néant ou est-il signe du néant lui-même ? Il faut bien dire que nous avons affaire avec l'œuvre de Kafka à une communication indirecte dont la vérité ne se laisse guère systématiser en un code infaillible, mais ne peut être acquise que subjectivement par la re-méditation du lecteur. La vérité étant ainsi objet de communicabilité

indirecte, elle s'exprime ou logiquement ou par la médiation du mythe là où elle dépasse la logique. C'est
l'ambivalence platonicienne du *Dichter* et du philosophe
qu'on retrouve chez Kafka et chez Sartre et qui finalement les rapproche. —

Pour Kierkegaard aussi la méditation avait trouvé son
point de départ dans ce qu'il nomme : « L'immense
néant de l'ignorance » (1).

La conscience du néant est pour tous trois ce qui
permet de poser le problème de l'être. Des distinctions
s'imposent pourtant ici aussitôt.

C'est l'attitude interrogative, pour Sartre, qui place
l'homme en face du néant. Ainsi son non-savoir se
rattache-t-il par l'interrogation à la possibilité de non-
être dans l'être transcendant :

> C'est la possibilité permanente du non-être, hors de
> nous et en nous, qui conditionne nos questions sur l'être.
> (2)

Par l'interrogation nous arrivons donc au non-être.
Matthieu, Antoine Roquentin, tous les héros de Sartre
sont des interrogateurs qui cherchent, avec plus ou
moins de succès, à se libérer de toute fausse affirmation
en se soumettant à l'expérience du néant. — De même
les héros de Kafka. Sans prononcer de questions précises
ils sont en interrogation perpétuelle.

Le néant soulevé par l'interrogation semble, chez les
deux auteurs, se rapprocher et envahir l'existence sous
forme d'une sensation vague et angoissante :

> A présent, il était debout, sous un rideau de nuages
> gris; c'était comme s'il existait dans le vide. « Ce silence... »
> pensa-t-il. C'était plus que du silence, c'était du néant. (3)

Et chez Kafka même anéantissement accompagné
d'une sourde résignation d'exister « dans le vide » :

> Deshalb bleibt doch der beste Rat, alles hinzunehmen,

(1) *Le Concept de l'Angoisse,* traduit du danois par Knud Ferlov et
Jean J. Gateau, Les Essais XXV, Gallimard, 1949, p. 65.
(2) *L'Etre et le Néant,* Bibliothèque des Idées, Gallimard, 1943, p. 40.
(3) *Le Mur,* Gallimard, 1948, p. 191.

> als schwere Masse sich verhalten, und fühle man sich
> selbst fortgeblasen, keinen unnötigen Schritt sich
> ablocken zu lassen, den andern mit Tierblick anschaun,
> keine Reue fühlen, kurz, das, was vom Leben als Gespenst
> noch übrig ist, mit eigener Hand niederdrücken, das
> heisst, die letzte grabmässige Ruhe noch vermehren und
> nishts ausser ihr mehr bestehen lassen. (4)

Le sentiment de se perdre, d'être emporté par un
souffle ou de se dissoudre dans un brouillard, vise une
première phase de la « néantisation » qui est celle de la
perte du Moi. Quand je dis « moi », je m'aperçois que je
ne sais pas de quoi je parle ; je ne parle de « rien ». Ainsi
Lucien dans *L'Enfance d'un Chef* :

> « Qu'est-ce que je suis, *moi* ? » Il y avait cette brume,
> enroulée sur elle-même, indéfinie. « *Moi* ! » Il regarda
> au loin ; le mot sonnait dans sa tête et puis peut-être
> qu'on pouvait deviner quelque chose comme la pointe
> sombre d'une pyramide dont les côtés fuyaient, au loin,
> dans la brume. Lucien frissonna et ses mains tremblaient.
> Ça y est, pensa-t-il, ça y est ! J'en étais sûr : je n'existe
> pas. (5)

Et Antoine Roquentin :

> A présent, quand je dis « je », ça me semble creux. Je
> n'arrive plus très bien à me sentir, réellement je suis
> oublié. (6)

Quand il se regarde dans la glace, son propre visage
lui apparaît comme un corps étranger ; une sensation
animale surgit :

> ce que je vois est bien au-dessous du singe, à la lisière
> du monde végétal, au niveau des polypes. [...] Les yeux

---

(4) *Ges. Schriften* I, p. 34.
   Ainsi le meilleur expédient c'est malgré tout de tout accepter,
   de se comporter comme une masse inerte et, même en se sentant emporté par un souffle, de ne pas se laisser entraîner à
   faire un pas de trop, de fixer son prochain d'un regard animal, de ne pas sentir de repentir, bref, d'étouffer de sa propre
   main ce qui reste du fantôme de la vie, c'est-à-dire d'ajouter
   à l'ultime silence funèbre et de ne rien laisser subsister
   hormis ce dernier.

(5) *Le Mur*, p. 158.
(6) *La Nausée*, Gallimard, 1948, p. 213.

surtout de si près sont horribles. C'est vitreux, mou aveugle, bordé de rouge, on dirait des écailles de poisson. (7)

Kafka décrit souvent cette descente dans le monde végétal. La bête symbolise l'abaissement et la dépossession du Moi, finalement la perte du Moi. L'homme se trouve dépouillé de sa singularité et de la conscience de son unicité. Il glisse dans un état anonyme et végétal, il se transforme en cafard comme dans *La Métamorphose,* où dès le début du récit il se conçoit comme chien, comme taupe géante ou comme singe. « Nichts fehlt mir, ausser ich selbst » (8) dit-il en 1911.

La perte de ce qui est essentiellement mon Moi, perte qui peut aller jusqu'au sentiment de l'étrangeté de mon corps, inquiète donc également Kafka et Sartre.

Pour Sartre le procédé de ramollissement ou d'évaporation (9) prend naissance en moi pour rayonner ensuite sur mon entourage : je découvre le monde comme « fragile » (10), je lui découvre une « apparition d'une possibilité permanente de non-être » (11). Le néant en moi « hante l'être » (12). Ainsi l'objet que j'ai dans ma main est-il emporté par ce vertige d'instabilité. L'expérience du galet dans *La Nausée* quoiqu'elle reste encore imprécise, vise cette contingence de tout ce qui est. Plus claire déjà la réflexion, ou mieux la sensation d'Antoine à la bibliothèque municipale :

> Je regardai avec effroi ces êtres instables qui, dans une heure, dans une minute allaient peut-être crouler : eh bien oui; j'étais là, je vivais au milieu de ces livres tout pleins de connaissances, dont les uns décrivaient les formes immuables des espèces animales, dont les autres expliquaient que la quantité d'énergie se conserve intégralement dans l'univers; j'étais là, debout devant une

---

(7) *La Nausée,* p. 31.
(8) Max BROD : *Franz Kafka,* eine Biographie, Schocken Books, New-York, Copyright 1946, p. 95.
   Rien ne me manque si ce n'est moi-même.
(9) Cf. l'image du brouillard.
(10) *L'Etre et le Néant,* p. 43.
(11) *Ibid.*
(12) *Ibid.,* p. 47.

fenêtre dont les carreaux avaient un indice de réfraction
déterminé. Mais quelles faibles barrières ! C'est par paresse, je suppose, que le monde se ressemble d'un jour à
l'autre. Aujourd'hui, il avait l'air de vouloir changer. Et
alors *tout, tout* pouvait arriver. (13)

La Nausée qui a son origine en moi-même semble maintenant se dégager de ces objets se dérobant à toute
nécessité. L'écœurement me saisit au moment où je
prends conscience de la gratuité absolue du monde et de
moi-même.

Kafka est également pris par la Nausée par rapport à
l'objet : le philosophe du petit récit *La Toupie* se tient
toujours près d'enfants qui jouent. Dès qu'il voit tourner
la toupie il se précipite pour s'emparer du jouet sans se
soucier des cris des enfants.

> Er glaubte nämlich, die Erkenntnis jeder Kleinigkeit,
> also zum Beispiel auch eines sich drehenden Kreisels,
> genüge zur Erkenntnis des Allgemeinen. (14)

Mais à chaque fois il fait la même expérience :

> drehte sich der Kreisel, wurde ihm im atemlosen Laufen
> nach ihm die Hoffnung zur Gewissheit, hielt et aber dann
> das dumme Holzstück in der Hand, so wurde ihm übel
> und das Geschrei der Kinder, das er bisher nicht gehört
> hatte und das ihm jetzt plötzlich in die Ohren fuhr, jagte
> ihn fort, er taumelte wie ein Kreisel unter einer unge-
> schickten Peitsche. (15)

L'écœurement vient de cet objet, de ce morceau de bois
dépourvu de signification qu'il tient dans sa main. De
même en est-il pour Antoine Roquentin :

---

(13) *La Nausée,* p. 105 .
(14) *Ges. Schriften* V, p. 120.
   C'est qu'il croyait que la connaissance des choses les plus insi-
   gnifiantes, par exemple d'une toupie en mouvement, suffisait
   pour connaître l'universel.
(15) *Ibid.*
   La toupie tournait-elle sur elle-même, son espoir devenait une
   certitude pendant qu'il courait derrière elle jusqu'à perdre
   haleine; mais dès qu'il tenait dans sa main le stupide morceau de bois il se trouvait mal et les cris des enfants qu'il
   n'avait pas entendus jusque là et qui maintenant lui per-
   çaient subitement les oreilles, le chassaient; il chancelait
   comme une toupie sous le fouet d'un maladroit.

C'était une espèce d'écœurement douceâtre. Que c'était
donc désagréable ! Et cela venait du galet, j'en suis sûr,
cela passait du galet dans mes mains. Oui, c'est cela, c'est
bien cela : une sorte de nausée dans les mains. (16)

La sensation du néant, pour Antoine, se dégage de
l'objet.

Le philosophe de Kafka, (le qualificatif de « philosophe » attribué au héros contribue à l'ironie de l'auteur
pour toute recherche spéculative) sollicite la révélation
de l'objet : la même sensation du néant l'en récompense.

Le néant vient au monde par l'être ; c'est donc par
moi-même qu'il prend naissance ; je le porte en moi, il est
« au sein même de l'être, en son cœur, comme un ver »
(17). Il en est ainsi pour Antoine Roquentin et pour K. :
le monde dans lequel ils se meuvent, tout en gardant un
aspect banal, est vu sous un angle « néantisant », c'est-à-
dire qu'il se détache de l'ordre causal qui lui a été donné
par la société pour montrer brusquement son revers. Il
tourne vers le héros un visage inconnu jusque là : il se
révèle fuyant, incohérent, gratuit. Bouville noyé dans le
brouillard, le café Mably, la chambre d'hôtel, tout
diffère aux yeux d'Antoine, tout a perdu sa raison d'être.
Antoine est conscient de ce changement qui se produit en
lui : « Quelque chose m'est arrivé, je ne peux plus en
douter » (18) — et à force de se scruter il réussit à découvrir les causes de la disparition de la réalité raisonnable
et de la positivité du monde. K., lui, ne songe jamais à
s'analyser. Son monde ne se transforme pas sous les yeux
du lecteur. Dès le début du récit il est incohérent ; son
aspect normal n'entre pas en question. — Antoine
découvre la gratuité fondamentale de l'être, K. y a
d'abord été. Le réveil de Josef K. dans *Le Procès* ou de
Gregor Samsa dans *La Métamorphose* montre le procédé
qui consiste à mettre l'homme devant le fait accompli. Ce
monde louche des greniers du tribunal, des bureaux
d'administration du Château, de l'hôtel du Pont, etc...,
est là et K. ne cherche jamais à s'en expliquer la gra-

---

(16) *La Nausée*, pp. 23/24.
(17) *L'Etre et le Néant*, p. 57.
(18) *La Nausée*, p. 15.

tuité, trop préoccupé qu'il est d'avoir à le subir. L'expérience d'Antoine et de K. est la même — mais chez Sartre le souci de la justification ontologique est toujours présent, la philosophie intervient sans cesse dans les descriptions ou narrations littéraires. Le personnage d'Antoine ne représente pas seulement l'expérience vécue : il fixe une critique de la structure de l'Etre ; celui de K., en revanche, se borne à l'expérience vécue.

Antoine et K. voient un monde qui diffère de celui des gens « normaux ». Par conséquent ils sont autres! ils sont seuls, célibataires, sans amis, vivant en garni, proscrits en quelque sorte par la société. Antoine accepte cet état retranché, K. essaie de s'en défendre en cherchant à retrouver accès à la société.

Le néant est donc « le ver » qui ronge l'être de l'univers de Kafka et de Sartre. Il sera pour Sartre, et en un certain sens aussi pour Kafka, la condition de la liberté.

Mais avant d'en arriver là, mentionnons que le néant de Kafka présente un aspect qu'on ne trouvera pas chez Sartre. Son néant semble souvent s'identifier à la non-valeur, à l'idée de la négativité morale. Malgré l'absence de lien ontologique entre le négatif et la non-valeur, le négatif s'égale au mal (19). Le mal vient donc combler le vide du néant. Telle est la fonction du diable biblique, du négateur de l'ordre divin. L'homme mesure bien qu'il n'est de démon que dans sa propre conscience, que ce n'est qu'en lui-même, ainsi, qu'il peut combattre la négation absolue, mais la personnification du mal ne lui en est pas moins nécessaire. Il se produit une espèce de dédoublement entre le Moi et l'être démoniaque tel que l'éprouve Stawrogin dans *Les Démons* de Dostoïevski : il doute si l'être méchant et malicieux qui lui apparaît sous différentes figures est le démon ou si c'est l'autre, et finalement il reconnaît que le démon c'est le Moi. — Kafka ne connaît pas cette personnification du mal. Si, chez lui, le mal se glisse dans l'espace vide du non-être, il reste pourtant notion abstraite. Le mal ne sera pas Satan, adversaire personnel qu'on cherchera à combat-

---

(19) Platon déjà coordonnait la vérité à l'être et l'erreur au non-être.

tre, il est plutôt constitutif de l'être. Il se fond dans
l'être et ne pourrait être anéanti que par une extirpation
de l'être dans sa totalité. Aussi tous les héros de Kafka
sont-ils voués à l'anéantissement, car ils sont tous
coupables. Leur destin de non-être se rattache à leur
faute.

Kafka, en outre, se forme une conception du néant
qu'on ne trouve pas chez Sartre : celle de la synthèse de
Dieu et du néant. La Cabbale et les mystiques identifient
Dieu au néant — Kafka a étudié la Cabbale et les écrits
de Maître Eckhardt. La fusion de Dieu et du Néant se
retrouve chez lui, mais transposée sur un autre plan. Il
ne s'agit plus d'une fusion sentimentale, d'une pénétration de Dieu jusqu'à l'anéantissement du Moi au sens
d'un accomplissement du désir d'atteindre Dieu et au
sens d'une solution de tous les contraires. Répondant
d'abord au nihtgot, nihtgeist, nihtpersône » d'Eckhardt,
au rappel de l'ineffabilité de Dieu, le rapport de Dieu
au néant va chez Kafka tourner à la suggestion d'une
synthèse de Dieu et du néant : image grotesque où le
néant paraît s'en prendre à la divinité ; il la ronge, il
l'infecte, il la caricature : le résultat de la fusion n'est
pas l'idée transfigurée du Dieu de l'amour des mystiques, mais une figuration équivoque mi-Dieu, mi-démon.
Et elle ne devient figurée que par nécessité, par la nécessité de la communiquer. Finalement cette figuration
reste abstraite, inintelligible ; elle se résout dans la mise
en doute, ou l'essai de négation de Dieu.

Elle apparaît — pour *Le Château* par exemple — dans
le personnage du seigneur qui exerce sa force magique
sur l'arpenteur en l'attirant vers lui :

> Die Augen auf das Schloss gerichtet, ging K. weiter,
> nichts kümmerte ihn. (20)

Le Château n'est au fond qu'un amoncellement de
maisons piteuses surmontées d'une tour étrange, une

---

(20) *Ges. Schriften* IV, p. 18.
    K. poursuivit son chemin, les yeux braqués sur le château ;
    rien d'autre ne l'inquiétait.
        Trad. A. Vialatte, Gallimard, 1947, p.13.

« misérable petite ville » causant une vive déception à K.
Ce n'est qu'un « prétendu château » :
    La tour est ronde, uniforme

> gnädig von Efeu verdeckt, mit kleinen Fenstern, die jetzt
> in der Sonne aufstrahlten — etwas Irrsinniges hatte das
> — und einen söllerartigen Abschluss, dessen Mauerzinnen
> unsicher, unregelmässig, brüchig, wie von ängstlicher
> oder nachlässiger Kinderhand gezeichnet, sich in den
> blauen Himmel zackten. (21)

Et aussitôt surgit la vision de l'habitant de ce triste
édifice :

> Es war, wie wenn ein trübseliger Hausbewohner, der
> gerechterweise im entlegensten Zimmer des Hauses sich
> hätte eingesperrt halten sollen, das Dach durchbrochen
> und sich erhoben hätte, un sich des Welt zu zeigen. (22)

Dès le début du roman la puissance surnaturelle est
anticipée et reconnue comme instance suprême. Et, dès le
début, cette même puissance incontestable habite un
château bizarre qui, vu de plus près, n'est même pas un
château. Elle siège dans une tour ridicule aux contours
indécis et entourée d'une volée de corbeaux ; au sommet
la tour est dentelée ; elle semble être percée du dedans
pour laisser passage à une tête ébouriffée imposant son
aspect au monde. C'est bien la seule fois que le personnage, inconnu, du Château est évoqué : il apparaît
comme une figure grotesque, ridicule, une apparition
ironique semblant viser le non-être de la puissance sei-

---

(21) *Ges. Schriften* IV, p. 19.
> dont le lierre recouvrait gracieusement une partie ; elle était
> percée de petites fenêtres que le soleil faisait étinceler ; elle
> avait quelque chose de fou et se terminait par une sorte de
> plateforme dont les créneaux incertains, irréguliers et rui-
> neux, gravaient dans le ciel bleu des dents qui semblaient
> avoir été dessinées par la main craintive ou négligente d'un
> enfant.
>> Trad. A. Vialatte, p. 14.

(22) *Ibid.*
> On eût dit qu'un triste habitant, contraint de vivre enfermé
> dans la pièce la plus reculée de la maison, avait crevé le
> toit et s'était levé pour se montrer au monde.
>> *Ibid.*

gneuriale. Le Château ne peut être vide puisqu'il est là,
puisque sa domination se sent partout, mais, vu de près,
il se révèle dérisoire et ne manque pas de prêter ce caractère à son habitant.

L'évocation du Seigneur est comme une vengeance de
son pouvoir ; son apparition qui ne pourrait être qu'une
vision, est vaine — mais cette vanité, ce néant, sont tout-
puissants.

Le juge de compétence absolue dans *Le Procès* n'apparaît jamais. Josef K. s'efforce de le trouver ; au moment
d'être tué par les deux messieurs, il a un dernier mouvement de révolte contre cette mystérieuse absence de
l'autorité suprême. L'interrogation surgit :

> Wo war der Richter, den er nie gesehen hatte ?
> Wo war das hohe Gericht, bis zu dem er nie gekommen
> war ? (23)

Le juge n'existe pas ; et pourtant ce non-être est omni-
potent. Josef K. ne peut se soustraire à lui ; il n'y
songe même pas. Il accepte son pouvoir comme étant
a priori et, docilement, il se laisse égorger par lui. — Le
paradoxe du non-être-étant n'est plus figuré ; il n'est que
vécu et subi.

Mais K. n'aboutit à cette résignation qu'après une
lutte avec ce Dieu injuste. Comme Job il désire connaître la cause de ses souffrances. Si ses peines sont
justifiées, il est prêt à les endurer. Mais si elles ne sont
pas fondées, c'est l'abandon à l'arbitraire de Dieu,
abandon que Job et K. ne veulent pas accepter. Or Job,
lorsqu'il a retrouvé la foi, s'en remet à la sagesse divine
qui fait bien tout ce qu'elle fait, et dès lors sa révolte
s'apaise. Tandis que K. n'a pas cette foi. Il persiste dans
la réflexion sur le sens moral de la volonté divine et
demande à son Dieu la justification de son *ens abscondi-
tum*. Il essaie de combattre Dieu par la négation, mais
en vain. Dieu persiste. Le néant se retourne plutôt vers

---

(23) *Ges. Schriften* III, p. 239.
    Où était le juge qu'il n'avait jamais vu ?
    Où était la haute cour à laquelle il n'était jamais parvenu ?
    Trad. A. Vialatte, Gallimard, p. 273.

celui qui l'a invoqué. Et K. accepte l'anéantissement en se reconnaissant coupable devant Dieu. —

Le néant, chez Kafka, peut donc s'identifier au mal sans toutefois prendre la personnification du négateur. Ou bien le néant s'insinue dans l'idée de Dieu comme une attaque contre Dieu, une tentative pour anéantir Dieu, tentative prédestinée à l'échec. Ces deux aspects de la conception du néant de Kafka sont spécifiquement religieux et, par conséquent, étrangers à la pensée de Sartre. —

Le néant qui s'identifie au non-être inspire cette angoisse propre aux textes de Kafka et aux récits de Sartre. Comment se défendrait-on contre le non-être et même, comment le craindre ? Le non-être ne saurait inspirer la peur — ce serait une peur sans contenu positif : il n'inspire que l'angoisse qui est précisément, comme la définit Kierkegaard, la peur de rien.

L'angoisse est une disposition fondamentale de la pensée de Sartre et de Kafka, une *tonalité fondamentale* dit Kierkegaard. Elle « se distingue de la peur par ceci que la peur est peur des êtres du monde et que l'angoisse est angoisse devant moi » (24) dit Sartre en se référant à Kierkegaard. Je me défie de mes réactions en face d'une situation dangereuse : j'ai « peur d'avoir peur » (25), je m'angoisse devant moi-même. — L'angoisse me révèle que je suis toujours séparé de mon essence par le néant du fait de la compréhension préjudicative que j'ai de mon essence ; « l'angoisse *c'est moi* » (26), c'est la conscience spécifique que j'ai de ma liberté.

> Dans l'angoisse, la liberté s'angoisse devant elle-même en tant qu'elle n'est jamais sollicitée ni entravée par rien. (27)

La peur de rien qui est donc angoisse devant moi-même et saisie réflexive de ma liberté par elle-même, conditionne l'expérience de la Nausée d'Antoine Roquentin

---

(24) *L'Etre et le Néant,* p. 66.
(25) *Ibid.*
(26) *Ibid.*, p. 71.
(27) *Ibid.*, p. 73.

qui fera passer le héros du plan de l'existence à celui de
l'essence. Cela commence doucement, comme une maladie ; il croit d'abord que ce n'est qu'une « fausse alerte »
(28) ; puis les impressions se précisent :

> Si je ne me trompe pas, si tous les signes qui s'amassent
> sont précurseurs d'un nouveau bouleversement de ma vie,
> eh bien, j'ai peur. Ce n'est pas qu'elle soit riche, ma vie,
> ni lourde, ni précieuse. Mais j'ai peur de ce qui va naître,
> s'emparer de moi — et m'entraîner où ? (29)

Antoine consent à son angoisse ; il ne veut nullement
s'en garantir en cherchant refuge auprès des hommes,
en essayant de se réintégrer à leur cadre social, à leurs
habitudes et à leur code de pensée. Il se maintient dans
sa solitude indispensable à l'expérience de l'angoisse ;
il se laisse couler dans l'angoisse :

> je glisse tout doucement au fond de l'eau vers la peur. (30)

Les personnages de Kafka n'exercent pas dans leur
angoisse cette introspection précise à laquelle se livre
Antoine. Ils subissent leur peur comme un animal souffre un tourment, en tâchant de s'en délivrer, de trouver
une issue. L'animal dans son terrier est aussi seul et
aussi angoissé qu'Antoine dans sa chambre d'hôtel à
Bouville. Ses principaux ennemis ne sont guère ceux
qui viennent du dehors, ceux qui vous attaquent, ceux
qu'on voit et qu'on peut combattre ;

> Es gibt auch solche im Innern der Erde. Ich habe sie
> noch nie gesehen, aber die Sagen erzählen von ihnen und
> ich glaube fest an sie. Es sind Wesen der innern Erde ;
> nicht einmal die Sage kann sie beschreiben. Selbst wer
> ihr Opfer geworden ist, hat sie kaum gesehen. (31)

---

(28) *La Nausée*, p. 15.
(29) *Ibid.*, p. 17.
(30) *Ibid.*, p. 21.
(31) *Der Bau, Ges. Schriften V*, p. 174.
> il en existe aussi sous terre. Je n'en ai encore jamais vu,
> mais les légendes parlent d'eux et j'y crois ferme. Ce sont
> des esprits souterrains ; la légende elle-même ne peut pas
> les décrire, leurs victimes elles-mêmes ne les ont pas vus.
> Trad. A. Vialatte, in *La Colonie pénitentiaire et autres
> récits*, Gallimard, 1948, p. 115.

L'animal passe sa vie à attendre la catastrophe, à
guetter le danger, à craindre l'ennemi inconnu et inexis-
tant, à craindre le rien. Ce qu'il appelle « Wesen der
innern Erde », ce sont les fantômes de l'angoisse qui
s'agitent en lui. Il surveille l'entrée de son terrier —
et subitement il s'aperçoit que c'est lui-même qu'il
observe :

> Mir ist dann, als stehe ich nicht vor meinem Haus,
> sondern vor mir selbst, während ich schlafe, und ich
> hätte das Glück, gleichzeitig tief zu schlafen und dabei
> mich scharf bewachen zu können. Ich bin gewissermassen
> ausgezeichnet, die Gespenster der Nacht nicht nur in der
> Hilflosigkeit und Vertrauensseligkeit des Schlafes zu
> sehen, sondern ihnen gleichzeitig in Wirklichkeit bei
> voller Kraft des Wachseins in ruhiger Urteilsfähigkeit zu
> begegnen. (32)

Séparé de lui-même, c'est lui-même qu'il guette, car
c'est bien lui son propre ennemi. En construisant son
terrier il croyait se mettre en sûreté, à l'abri de son Moi
bien clos, préservé de tout danger, préservé du monde.
Le terrier c'était le refuge contre l'angoisse, c'était la
forme d'existence que l'animal s'était créée lui-même
et qui devait le protéger contre l'incertitude de l'être.
Mais en retournant dans les sombres couloirs de sa
construction il entend subitement la « fausse alerte »
d'Antoine qui se révélera aussitôt comme alerte justifiée : il perçoit un léger bruit venant de l'intérieur de
son terrier, se faisant bientôt entendre partout, dans
chaque couloir, dans toutes les murailles. L'animal
creuse de nouveaux souterrains en direction du bruit.

---

(32) *Ges. Schriften* **V, p. 183.**
     Il me semble alors que je ne suis pas devant ma maison,
     mais devant moi-même, devant un moi-même en train de
     dormir, et que j'ai à la fois le bonheur de sommeiller pro-
     fondément et de veiller sur moi comme une sentinelle. Il
     me semble que j'ai le don non seulement de voir les fan-
     tômes de la nuit dans l'impuissance et le voluptueux aban-
     don du sommeil, mais encore, et en même temps, de les
     rencontrer réellement, en pleine lucidité, en plein calme
     d'esprit.
         Trad. A. Vialatte, in *La Colonie pénitentiaire et autres
     récits,* pp. 126/127.

Il lui faut une certitude au sujet de l'origine de ce
trouble. Il ne peut plus s'arrêter de fouiller la terre, en
proie à une espèce de frénésie.

> Was ist denn ? Ein leichtes Zischen, in langen Pausen
> nur hörbar, ein Nichts, an das man sich, ich will nicht
> sagen, gewöhnen könnte; nein, gewöhnen könnte man sich
> daran nicht, das man aber, ohne vorläufig geradezu etwas
> dagegen zu unternehmen, eine Zeitlang beobachten
> könnte, [...] nicht um eigentlich etwas zu finden, sondern
> un etwas der inneren Unruhe Entsprechendes zu tun. (33)

Toute recherche est inutile au sens où il n'y a rien
à trouver. Il pressent la vanité, l'absurdité de son travail :

> wenn mich der Verstand nicht zurückhielte, würde ich
> washrscheinlich am liebsten an irgendeiner Stelle, gleich-
> gültig, ob dort etwas zu hören ist oder nicht, stumpfsinnig,
> trotzig, nur des Grabens wegen zu graben anfangen. (34)

L'alerte intérieure le pousse à une action insensée. Il
lui est « arrivé quelque chose » comme à Antoine ;
l'angoisse s'est installée en lui pour ne plus le quitter.
L'angoisse peut aussi se manifester par une terreur
devant les choses. Antoine s'aperçoit que les objets le
« touchent » :

> J'ai peur d'entrer en contact avec eux tout comme s'ils
> étaient des bêtes vivantes. (35)

---

(33) *Ges. Schiften* V, pp. 201/202.
   Qu'est-ce donc ? Un petit sifflement qu'on entend par intermit-
   tences, un rien auquel on pourrait, je ne dis pas s'habituer,
   — on ne peut pas s'y habituer, — mais qu'on pourrait
   observer quelque temps sans entreprendre encore rien pour
   l'étouffer; [...] moins, au fond pour trouver que pour exécuter un geste qui réponde à l'inquiétude de l'âme.
      Trad. A. Vialatte, in *La Colonie pénitentiaire et autres
         récits*, pp. 147/148.
(34) *Ibid*, p. 202.
   si le bon sens ne me retenait pas, je me mettrais sans doute
   à fouir n'importe où comme une brute, par bravade, qu'on
   entende quelque chose ou pas, rien que pour le geste.
      ***Ibid.*, p. 148.**
(35) *La Nausée*, p. 23.

Et Eve dans *La Chambre* observe que les gens normaux
« empoignent » les objets avec violence comme s'ils voulaient les figer dans leur entité. Or les objets changent.
Leur métamorphose va jusqu'à faire chanceler le monde :
les pavés, les maisons, tout menace de dévoiler son
inconsistance ; les objets sont impuissants, désormais,
« à fixer les limites du vraisemblable » (35 bis).

Antoine, pour se défendre, a recours à la force magique de son regard : « Tant que je pourrais fixer les
objets, il ne se produirait rien : j'en regardais le plus
que je pouvais, des pavés, des maisons, des becs de gaz ;
mes yeux allaient rapidement des uns aux autres pour
les surprendre et les arrêter au milieu de leur métamorphose » (36) — ensuite il expérimente la magie des mots
(le nom ne fixe-t-il pas le sens de l'objet ?) : « Je me
disais avec force : c'est un bec de gaz, c'est une borne-
fontaine » (37). Mais « l'aspect quotidien » (38) des
choses se dérobe, les maisons « de leurs yeux mornes »
(39) le regardent fuir, traqué par son angoisse.

Le jeune homme du *Gespräch mit dem Beter* de Kafka
a également vécu cette métamorphose des objets :

> Es hat niemals eine Zeit gegeben, in der ich durch mich
> selbst von meinem Leben überzeugt war. Ich fasse näm-
> lich die Dinge un mich nur in so hinfälligen Vorstellun-
> gen, dass ich immer glaube, die Dinge hätten einmal
> gelebt, jetzt aber seien sie versinkend. Immer, lieber Herr,
> habe ich eine Lust, die Dinge so zu sehen, wie sie sich
> geben mögen, ehe sie sich mir zeigen. (40)

Il voudrait, comme Antoine, voir les objets sous « leur
aspect quotidien », mais il n'y parvient pas. Les objets
s'évanouissent dès qu'il dirige son regard sur eux. Il ne

(35 *bis*) *La Nausée*, p. 104.
(36) *Ibid.*, p. 106.
(37) *Ibid..*
(38) *Ibid.*
(39) *Ibid.*
(40) *Ges. Schriften* I, p. 17.
  Jamais, de par moi-même, je n'étais convaincu de ma propre
  existence. Je ne saisis les choses qui m'entourent qu'en
  images fugaces de sorte que je crois toujours que les choses
  ont existé une fois, mais qu'elles sont maintenant en train
  de disparaître.

peut les voir tels qu'ils sont dans l'ordre de la hiérarchie
que l'homme leur donne ; il subit leur métamorphose.

Le monde « néantisé » de Sartre et de Kafka c'est le
monde de l'homme angoissé. Il est rongé par le néant
qui lui vient de la réflexion de l'être pensant.

Finalement cette irréalité réelle du monde kafkaïen
tient, elle aussi, à cette métamorphose. Kafka se défie de
son existence. Ne vivant que par rapport à son éternelle
recherche, il opère malgré lui un décalage de valeurs :
le monde se restreint aux couloirs, aux bureaux, au paysage glacial du *Château*, au souterrain de l'animal. Il
est figé dans ce cadre et ne pourra jamais le déborder. Le
monde n'a plus qu'un seul visage, celui que l'auteur lui
a assigné ; il n'existe que par les valeurs qui lui viennent
du héros pensant qui se meut dans son cadre.

C'est d'ailleurs bien la raison de l'étroitesse d'espace
de l'univers de Kafka et de celui de Sartre. Leur monde
ne connaît pas la plénitude de sensations vécues d'une
manière spontanée. La faim des couleurs, des sons et des
parfums leur manque ainsi que l'abandon à la jouissance
d'un monde donné. Jamais de contemplation gratuite de
la nature chez les deux auteurs. La vie ne comble pas
leurs personnages, elle les frustre ; ils sont en disharmonie avec le monde. Le monde en tant que tel ne peut
être accepté ; il n'existe que par la valeur qui lui est
attribuée par l'être pensant. Sans valeur en lui-même il
ne saurait fonder aucune félicité.

Le monde de Kafka n'existant que par cette *Umwer-
tung* ressemble surtout à celui de *La Nausée ;* il n'existe
que par rapport à la préoccupation spirituelle d'Antoine
et du héros kafkaïen. Il y a un abîme entre l'homme et
le monde : le néant empêche l'accès immédiat à la vie.

La Nausée révèle donc le néant de l'être. Antoine et K.
s'angoissent devant l'anéantissement du monde intelli-
gible. La méditation au Jardin public fait découvrir à
Antoine l'être « de trop » qu'est l'existence, son absurdité fondamentale ainsi que « le caractère absolu de
cette absurdité » (41). Il subit l'existence comme un

---

(41) *La Nausée*, p. 168.

événement absurde qui fond sur lui ; l'existence brute est
une donnée à laquelle on ne saurait se soustraire. Se
sentir en face d'elle, comprendre son néant de signification, « être dedans » comme dit Antoine, ce n'est plus un
acte de la pensée. L'existence ne se laisse pas penser, il
faut la subir ; « il faut que ça vous envahisse brusquement » (42), il faut la sentir peser sur son cœur « comme
une grosse bête immobile » (43). C'est l'angoisse
qu'éprouve Gregor Samsa en se réveillant et en sentant
peser sur lui l'immense absurdité de l'existence, absurdité figurée dans son propre corps qui s'est transformé
en un cloporte géant.

Tous les héros de Kafka portent sur leur cœur « la
grosse bête immobile » ; ils ont tous vécu l'absurdité de
l'existence ; ce sont tous des angoissés. *Le Château, Le
Procès, Le Médecin de Campagne,* tous les récits de
Kafka insistent, comme le fait *La Nausée,* sur la parfaite
gratuité de l'existence. Le manque d'ouverture ou de
transparence de leur univers donne au lecteur la sensation d'étouffement caractéristique de ces conceptions.

L'angoisse devant le néant est en même temps une
saisie de la liberté par elle-même. L'exigence de tenir
tête à l'absurdité et de surmonter le chaos est inhérente
à l'angoisse. Les personnages de Sartre ainsi que ceux
de Kafka cherchent donc par delà le creux subjectif
leur fondement. Recherche où ils se voient seuls et sans
appui. Ils auront à porter toutes les conséquences, ils
seront responsables. Le néant est donc bien, et à travers
l'angoisse qu'il inspire, l'origine de la liberté.

L'angoisse telle qu'elle est présente chez Kafka et
après lui chez Sartre, s'éclaire encore davantage si on
la rapproche de la conception de l'angoisse de Heidegger.
L'angoisse de Heidegger est cette peur indéterminée et
pénétrée d'un « calme singulier ». L'indétermination est
l'essence de l'angoisse : je m'inquiète, je ne sais pourquoi. Heidegger tâche de fonder cette angoisse : l'étant
dans sa totalité m'échappe, je ne peux le retenir. C'est

---

(42) *La Nausée,* p. 174.
(43) *Ibid.*

précisément ce qui m'angoisse. Je me sens glisser au
milieu de l'étant — il n'y a plus que le *Dasein* resté en
suspens et ne pouvant s'accrocher nulle part. Le néant
prend la place de l'étant dans sa totalité : l'angoisse me
dévoile le néant. Mais l'angoisse ne peut pas apporter la
saisie du néant, le néant ne se révélant pas comme un
étant. Il se révèle en tant qu'unité avec l'étant dans sa
totalité, c'est-à-dire que cet étant devient périssable
dans l'angoisse. Mais il ne saurait être détruit,
l'angoisse se trouvant impuissante en face de lui.

> Vielmehr bekundet sich das Nichts eigens mit und an
> dem Seienden als einem entgleitenden im Ganzen. (44)

L'étant n'est donc nullement nié ; le néant surgit avant
la négation, précisément comme une unité avec l'étant
qui s'échappe. Dans l'angoisse il y a donc un recul de
quelque chose, un recul plein de calme qui ne ressemble
aucunement à une fuite. Le néant n'attire pas, il renvoie
à l'étant dans sa totalité qui s'échappe. Heidegger
essaie d'exprimer en ces termes ce qui, finalement,
constitue l'essence du néant :

> Diese im Ganzen abweisende Verweisung auf das entglei-
> tende Seiende im Ganzen, als welches das Nichts in der
> Angst das Dasein umdrängt, ist das Wesen des Nichts :
> die Nichtung. (45)

La « néantisation » n'est ni destruction de l'étant, ni
négation : c'est le néant lui-même qui néantise. La
néantisation révèle l'étant dans sa totalité comme

---

(44) *Was ist Metaphysik* ? Cohen, Bonn, 1929, p. 18.
    En vérité, le Néant se dénonce avec et dans l'existant, en tant
    que celui-ci nous échappe et glisse dans tout son ensemble.
    Trad. Henry Corbin, in Martin Heidegger : *Qu'est-ce que
    la Métaphysique ? suivi d'extraits sur l'être et le temps
    et d'une conférence sur Hölderlin*, Gallimard, Les
    Essais VII, 1951, p. 33.
(45) *Was ist Metaphysik* ? p. 19.
    Cette expulsion totalement répulsante, qui renvoie à l'existant
    en train de glisser dans tout son ensemble, c'est elle dont
    le Néant obsède la réalité-humaine dans l'angoisse, et qui
    est comme telle l'essence du Néant : le néantissement
    (Nichtung).
    Trad. Henry Corbin, p. 34.

l'Autre — l'autre en face du néant. C'est dans l'angoisse seulement que l'étant se rend compte qu'il est étant et non néant. Mais ce n'est que par le néant néantisant que le *Dasein* peut se trouver en face de l'étant dans sa totalité :

> Da-sein heisst : Hineingehaltenheit in das Nichts. (46)

Par cette pénétration du néant, le *Dasein* dépasse l'étant, il le transcende. Et ce n'est que par cette transcendance, par cette pénétration du néant que le *Dasein*, c'est-à-dire le sujet interrogeant, peut entrer en rapport avec l'étant et par conséquent aussi avec lui-même. Le néant rend possible l'existence :

> Ohne ursprüngliche Offenbarheit des Nichts klein Selbstsein und keine Freiheit. (47)

Le néant est ainsi porteur de la plus haute valeur existentielle : il est pour le *Dasein* le révélateur de l'étant. La condition de l'existence, la condition, pour moi, d'être ce que je suis, présume cette révélation. Le néant est la condition de ma liberté.

L'angoisse qui place le *Dasein* au bord de l'abîme d'où il a pris naissance et qui le place en même temps devant l'incertitude de son avenir, c'est l'angoisse qui renvoie à l'univers de Kafka et qui se retrouve dans la pensée de Sartre. L'existence, à travers l'angoisse, se conçoit solitaire ; la nuit du néant s'étend derrière et devant elle.

Il faut toutefois mentionner que le néant de Heidegger n'est pas identique à celui de Sartre. Pour Sartre le néant vient au monde par l'être : c'est le néantisant que je suis, qui par son interrogation, par sa possibilité de négation, pose le néant. L'homme se saisit comme pou-

---

(46) *Was ist Metaphysik ?* p. 20.
   Réaliser une réalité-humaine (Dasein) signifie : se trouver retenu à l'intérieur du Néant
       Ibid.
(47) *Ibid.*, p. 20.
   Sans la manifestation originelle du Néant, il n'y aurait ni être personnel, ni liberté.
       Ibid., p. 35.

voir de transcender l'être; il est transcendant à son propre être.

Heidegger au contraire a « inséré » le néant « dans la transcendance même » (48), comme le fait remarquer Sartre lui-même. Selon Heidegger « le néant se donne comme ce par quoi le monde reçoit ses contours de monde » (49). Il est force active, force créatrice qui donne naissance au monde. Il est l'origine de ce qui est essentiellement l'être lui-même.

La dialectique hégélienne arrive par la voie purement spéculative à cette équation apparemment paradoxale, mais démontrée comme logique: l'être c'est le néant (50). Heidegger, lui, fait de ce résultat son point de départ et il poursuit le développement : son néant se superpose à l'être; il en devient le fond, il glisse de la sphère ontologique dans la métaphysique. Il devient une notion dont l'essence, pour trouver expression, demande la création d'un nouveau terme : celui de *Nichtung*. Finalement cette essence se soustrait à toute définition logique. Elle devient puissance mystique s'adressant à l'homme avec un postulat éthique. La formule qui essaie de fixer l'essence du néant en introduisant le terme de *Nichtung* (51) afin de tâcher de le serrer de plus près; ensuite l'affirmation que le néant se révèle « mit und an dem Seienden als einem entgleitenden im Ganzen »; enfin l'impossibilité de poser la question du néant, tout cela exclut la notion heideggerienne d'un système logique. Heidegger aboutit à une sorte de mysticisme. Son néant est un lieu de coïncidence : le réveil du *Dasein* s'accomplit au sein du néant. Le néant par conséquent est le fond de tout être. Ce n'est qu'en me laissant couler vers ce fond que je deviens un être existant. - Or se référer ainsi existentiellement à une notion supposée, n'est-ce pas faire de cette notion une autorité, une puissance ? On a l'impression d'assister à une déification du néant.

---

(48) *L'Etre et le Néant,* p. 55.

(49) *Ibid.,* p. 54.

(50) Das reine Sein und das reine Nichts ist also dasselbe. *Wissenschaft der Logik,* 1. Teil, hg. v. Lasson, Phil. Bibl., Bd 56, Leipzig, 1923, p. 53.

(51) Cf. ci-dessus, p. 158, note 45.

Le néant se soustrait à la logique; il ne se révèle à l'homme que dans un certain état affectif, dans une *Grundstimmung*, qu'est l'angoisse — et il exige de l'homme qu'il quitte ses dieux, ses idoles et qu'il se donne à lui. C'est, si l'on veut, une religion sans culte. Cette divinité possède une force éthique refluant sur celui qui s'adonne à sa puissance : elle le rend libre. — Au reste des expressions telles que *sich befinden inmitten, entgleiten, schweben, sich hineinhalten, sich loslassen in das Nichts*, rappellent la terminologie mystique.

On songe donc à l'identification du néant avec Dieu chez Kafka. Mais le Dieu du *Procès* et du *Château* reste trop sensiblement le Juge biblique; son néant n'est que caricature. Chez Kafka le néant n'a pas cette efficacité d'une force divine; efficace il le serait plutôt dans le sens du néant de Sartre.

Or le sentiment fondamental qu'est l'angoisse, sentiment révélant le néant sur le plan du quotidien relie, malgré les divergences intérieures, les trois auteurs. Cette phrase de Heidegger résume ce qui les unit par principe:

> Und in der gleichgültigsten und harmlosesten Alltäglichkeit kann das Sein des Daseins als nacktes « Dass es ist und zu sein hat » aufbrechen. Das pure « dass es ist » zeigt sich, das Woher und Wohin bleiben im Dunkel. (52)

L'obscurité du néant et l'opacité du *Woher und Wohin* sont donc ce qui angoisse l'homme; l'homme est celui qui s'effraye de sa liberté. —

L'angoisse de Kafka diffère pourtant sur un point essentiel de celle des deux philosophes existentiels: elle semble plus distinctivement liée à la notion du péché. La *Grundstimmung* qu'est l'angoisse est pour Kafka l'état d'âme du coupable. Les héros du *Procès* et du *Château* deviennent coupables par angoisse devant eux-

---

(52) *Sein und Zeit*, Neomarius Verlag, Tübingen 1949, p. 134.
   Et dans ce que la vie courante comporte de plus indifférent et de plus anodin, l'être du Dasein peut éclore dans la nudité *du fait qu'il est et qu'il a à être*. Cela seul *qu'il est* se fait voir; d'où il vient et où il va, cela reste dans l'ombre.

mêmes. L'angoisse devant le péché donne naissance au
péché ; K. s'angoisse de devenir coupable par le fait de
s'angoisser devant la possibilité de passer pour coupable.
Le « rien » de l'angoisse, chez Kafka, ce n'est pas rien :
c'est la faute.

Kafka, ici, se place nettement sur le plan religieux.
Son angoisse, au fond, est encore plus l'angoisse de
Kierkegaard que celle de Sartre. Telle qu'elle reparaît
chez Sartre, elle est au contraire dépourvue de son
essence religieuse.

Kierkegaard a longuement traité de la notion d'angoisse qui, grâce à lui, est devenue le point de départ de
la méditation existentielle. Il démontre que le péché se
dessine dans cet état psychologique particulier qu'est
l'angoisse. Le péché originel ne saurait faire objet de
science : il se dérobe à la morale par le fait qu'il est
l'exception qui se soustrait au mécanisme de la connaissance de l'erreur et du repentir. Il est au-delà du savoir.
C'est bien ce qu'exprime Kafka avec ses personnages
coupables qui n'ont rien fait ; leur faute leur est insaisissable. — Tout premier péché fait venir le péché au
monde, dit Kierkegaard dans *Le Concept de l'Angoisse*
et non pas seulement celui d'Adam. L'élément qualitatif
du péché d'Adam consiste dans le fait que le péché est
venu au monde par un péché, fait qui, pour la raison,
implique la difficulté de saisir la conséquence que le
péché se présume lui-même ; il vient au monde de manière
qu'il soit supposé étant là :

> Le péché entre donc comme le subit, c'est-à-dire par le
> saut ; mais ce saut pose en même temps la qualité, or dès
> la qualité posée, le saut est déjà impliqué en elle et pré-
> supposé d'elle comme elle-même l'est du saut. (53)

La tendance au mal est donc venue au monde par le
péché ; Adam, par son péché, fait partie du cercle du
genre humain.

Cette prédétermination de l'existence par la peccabi-
litas est le fond sur lequel se déroule la pensée kierke-

---

(53) *Le Concept de l'Angoisse,* p. 47.

gaardienne. Elle est le fond également de l'être-là des
héros de Kafka : ceux-ci prennent tous leur point de
départ dans l'état du péché ; exister, pour eux, signifie
entrer en rapport avec le péché. Josef K. se sait coupable. Sa recherche de la justice n'est rien d'autre que la
manifestation de son désir d'obtenir une explication de
la condition de pécheur qui, fatalement, doit être la
sienne. La possibilité d'existence dépend de la possibilité
de créer le rapport entre le Moi et la fragilité au péché,
rapport qui sera finalement le fondement de l'être-soi.

Kierkegaard fonde le néant existentiel en le posant
comme objet de l'angoisse que l'homme éprouve dans son
état d'innocence, c'est-à-dire d'ignorance du bien et du
mal :

> Mais qu'est-ce alors ? Rien. Mais l'effet de ce rien ? Il
> enfante l'angoisse. (54)

L'angoisse de Kierkegaard est l'effet de cette saisie de
soi dans laquelle il voit « la réalité de la liberté parce
qu'elle en est le possible » (55), saisie de soi qui correspond à « la reconnaissance d'une possibilité comme *ma*
possibilité » de Sartre, mais qui, pour Kierkegaard, est
une possibilité corrélative à l'état de culpabilité. Le
« saut qualitatif » réalise l'être-soi en provoquant la
transition de l'état d'innocence à celui de culpabilité.
De même pour Kafka : la saisie de soi s'égale chez lui à
la capacité de se concevoir coupable.

Kierkegaard compare le néant angoissant qui, dans la
conception du paganisme prend le nom de Destin, à la
conception juive qui désigne le néant de péché. En tant
qu'objet destiné à se substituer au néant, la faute est en
communication secrète avec l'angoisse : elle attire l'homme, elle réveille en lui le désir et en même temps la
crainte de la faute. Kierkegaard, au cours de cet aperçu
profond sur la psychologie judéo-chrétienne, parle du
« regard enchanteur du serpent » dont dispose la faute.

---

(54) *Le Concept de l'Angoisse,* p. 61.
(55) *Ibid.,* p. 62.

C'est bien là « le rôle de la sympathie dans l'angoisse de
la faute » (56) auquel le Juif (et après lui le chrétien)
ne peut se soustraire — et, selon Kierkegaard, c'est ce
qui crée l'abîme entre l'antiquité et la pensée occidentale
moderne, la première s'en remettant naïvement à la
volonté du Destin.

La faute est donc impénétrable comme le Destin des
anciens. Le judaïsme cherche à la scruter par le sacrifice.
Le sacrifice biblique est le pendant de l'oracle païen. Il
est ambigu parce qu'il ne peut supprimer la crainte de la
faute ; il doit donc sans cesse être répété.

Ce rapport avec la culpabilité est l'origine du besoin
toujours inassouvi de l'être religieux de racheter sa
faute, de se sacrifier, besoin qui peut aller jusqu'à l'ascétisme méthodique ou au masochisme qui sont les deux
expressions du désir d'autopunition. Kierkegaard et
Kafka sont marqués par ce trait de tourment dirigé vers
soi. Le parallélisme de leur histoire de fiançailles en est
une preuve évidente. Et Kierkegaard qui aimait la musique (ainsi qu'en témoignent ses réflexions sur Mozart),
qui était poète, s'est détourné de toute aspiration et de
toute jouissance esthétique. Il a condamné le poète en
lui. Et les personnages de Kafka sont à tel point dévorés
par leur souffrance intérieure qu'ils ne songent même
pas à la possibilité d'une jouissance, de quelqu'ordre
qu'elle puisse être. — L'ascétisme est commun aux deux
auteurs.

Le saut qualitatif de Kierkegaard équivaut au choix
de la liberté de Sartre, à ceci près que pour Kierkegaard
la liberté est inséparable de la culpabilité :

> Dans le possible de la liberté la règle veut que la pro-
> fondeur de découverte de la faute mesure la grandeur du
> génie. (57)

Kierkegaard parle du génie religieux qui, du fait de
sa condition d'être coupable, ne peut être sauvé que par
la foi. — Chez Kafka on retrouve la même indissolubilité
de la liberté et de la culpabilité.

---

(56) *Le Concept de l'Angoisse*, p. 151.
(57) *Ibid.*, p. 160.

Le néant de Kierkegaard porte en lui tous les traits caractéristiques du néant de la philosophie du vingtième siècle. Mais il a pris naissance à l'intérieur d'une pensée spécifiquement religieuse. L'angoisse kierkegaardienne se dirige vers un néant qui, finalement, est projeté sur la transcendance qu'est le Dieu biblique. Ce néant, chez les philosophes postérieurs, reste le même dans ses éléments ; il ne fait que subir une athéisation : son dernier point de rapport c'est la transcendance dans l'immanence.

Il en est de même du néant de Kafka qui se situe également dans la tradition de la pensée biblique. Le réveil de Josef K. au début du *Procès* symbolise le réveil de l'être-soi. En ouvrant les yeux il comprend subitement que tout son être est mis en question. Il se conçoit coupable, il saisit son *Dasein* en tant que *Hineingehaltenheit in das Nichts,* et il s'angoisse. Son premier mouvement est de fuir son angoisse : il s'accroche aux besognes quotidiennes de sa vie d'employé ; il s'efforce de trouver le tribunal afin de prouver sa vraisemblable innocence ; il met en mouvement tout un appareil juridique pour se voir justifié — et finalement il doit se reconnaître incapable de satisfaire à l'exigence de la recherche de soi. Le vertige causé par le regard au fond de l'abîme le fait succomber. — Le même réveil se produit dans *La Métamorphose.* La subite connaissance de soi est tellement monstrueuse que le héros met beaucoup de temps à la recevoir. Puis il essaie de fuir, lui aussi, en se réfugiant dans son passé et en songeant à ses nombreux devoirs de commis voyageur. Le dévoilement de son être-soi coupable, traduit par le symbole de la métamorphose de son corps, est si écrasant qu'il en est anéanti.

Kafka rejoint Kierkegaard dans l'*Erlebnis* fondamental du tourment de la faute. Car Kierkegaard par sa conception du péché et par la position centrale qu'il attribue à la culpabilité montre une affinité spirituelle avec la pensée judaïque, affinité à laquelle Kafka a dû être sensible.

Ce parallèle entre Kierkegaard et Kafka éclaire l'affinité de Sartre avec l'auteur du *Procès* : le néant existentiel en tant que condition de la liberté et du choix cons-

titue le rapport entre Sartre et Kafka, rapport qui se
base sur Kierkegaard. Mais, à part ce parallélisme,
Sartre diffère par l'absence de tout élément religieux
dans sa pensée. Il dévie donc de la conception kierkegaardienne sur l'un des points où Kafka y reste fidèle.

Reste à examiner l'attitude que prennent les personnages de Sartre et de Kafka en face de l'existence.
L'acceptent-ils tous comme le fait Antoine Roquentin,
se soumettent-ils à la connaissance de l'absurdité de leur
être-là, ou essaient-ils de fuir leur liberté en tâchant
d'éluder une responsabilité trop pesante ?

Le mécanisme de la mauvaise foi qui est l'attitude
négative dont la négation porte sur la conscience, donc
le « mensonge à soi » (58), aide l'homme à se soustraire
à sa propre vérité. L'unité de conscience exclut la dua-
lité du trompeur et du trompé. Le fait de « la double
propriété de l'être humain, d'être une *facticité* et une
transcendance » (59) permet un glissement « du présent
naturaliste à la transcendance et inversement » (60). Ce
flottement déguise ma personnalité, « par la transcendance, j'échappe à ce que je suis » (61). De même puis-je
par ma transcendance muée en facticité m'excuser de
mes faiblesses et de mes échecs. — La duplicité de la
réalité humaine implique en outre un être-pour-autrui
permettant le « jeu d'évasion perpétuelle du pour-soi au
pour-autrui et du pour-autrui au pour-soi » (62). Ainsi
le flottement de ma personnalité et son alternance entre
l'être-pour-soi et l'être-pour-autrui indiquent le but de
la mauvaise foi : « Il s'agit de constituer la réalité
humaine comme un être qui est ce qu'il n'est pas et qui
n'est pas ce qu'il est. » (63) Je suis séparé de mon être
par le rien, c'est-à-dire que le procédé de néantisation
me sépare de moi-même. Si j'étais moi-même en tant
qu'être-en-soi, la mauvaise foi serait impossible et l'idéal
de sincérité offrant la même structure que la mauvaise

---

(58) *L'Etre et le Néant*, p. 87.
(59) *Ibid.*, p. 95.
(60) *Ibid.*, p. 96.
(61) *Ibid.*
(62) *Ibid.*, p. 97.
(63) *Ibid.*

foi serait vain : étant de mauvaise foi je joue à être ce
que je ne suis pas ; étant sincère je joue à être ce que je
suis. Dans les deux cas je ne suis pas ce que je suis ; dans
les deux cas il y a « le perpétuel passage de l'être qui
est ce qu'il est à l'être qui n'est pas ce qu'il est et, inversement, de l'être qui n'est pas ce qu'il est à l'être qui est
ce qu'il est » (64). La mauvaise foi ainsi que la sincérité
correspondent à cet « incessant jeu de miroir et de
reflet » (65). La sincérité croyant atteindre à l'être, c'est
cela la mauvaise foi.

La mauvaise foi consiste donc à croire qu'on est, qu'on
est soi, qu'on a l'être. L'homme cède au besoin de combler son néant ; il trompe sa propre conscience et il croit
à son mensonge. La mauvaise foi est donc conditionnée
par la structure de l'être tendant vers son essence : l'être
aspire vers le statique, vers l'invariable ; il tâche de se
débarrasser de sa fragilité et d'être en soi. La mauvaise
foi est ainsi ontologiquement fondée.

Antoine Roquentin est devenu de tous les personnages
de Sartre, le prototype de la bonne foi. Il reste parfaitement lucide en face de sa condition d'existant : il
accepte cette oscillation de l'être entre le définitif et
l'instable, il accepte de vivre dans la Nausée. Mais cela
ne lui est possible qu'après une rupture totale avec les
conceptions traditionnelles. Ni les sciences, ni la structure sociale de la communauté des autres humains, ni la
religion ne peuvent désormais le garantir de ce glissement dans la viscosité. S'il n'en était pas ainsi, si les
connaissances scientifiques, sociales ou autres devenaient
des valeurs absolues auxquelles il conformerait son existence, c'est qu'il ne consentirait plus à son angoisse ; il
serait son angoisse « pour la fuir » (66), c'est-à-dire
qu'il serait de mauvaise foi. Les valeurs codifiées par la
tradition se plaçant entre moi et le néant, je crois, dans
ma mauvaise foi, à leur droit absolu, heureux d'échanger
ma liberté contre un devoir dont je ne serais pas
responsable.

---

(64) *L'Etre et le Néant*, p. 106.
(65) *Ibid.*
(66) *Ibid.*, p. 82.

Antoine n'use pas du tout de ce mécanisme du trompeur trompé. Il est, comme Erostrate, ou comme Pedro dans *Le Mur,* un homme lucide. — Quant à Pierre, dans *La Chambre,* il se libère du monde statique par la folie. Sa maladie lui permet d'échapper à l'être mensonger des bien-pensants. Mais comme le fait remarquer Claude-Edmonde Magny (67), nous assistons à son expérience par l'intermédiaire d'Eve, c'est-à-dire que, malgré le fait que Pierre ait choisi le courage et la folie, nous participons au doute qu'Eve ne peut s'empêcher de porter sur l'authenticité de l'expérience de son mari. Claude-Edmonde Magny parle du danger que comporte en lui cet abandon à la Nausée ou à la folie, abandon qu'elle appelle « tricherie » (68) : dès que la tricherie se croit être liberté, elle nous fait manquer la liberté ; elle nous fait croire que nous possédons l'Etre ; par trop de zèle pour acquérir l'authenticité nous sommes de mauvaise foi. La « tricherie », dit Claude-Edmonde Magny, est « une ascèse » ; « le danger qui la guette est celui qui menace tous les ascétismes : se prendre pour une fin en soi, alors qu'ils n'ont de sens qu'en vue d'autre chose » (69). Pierre, Anny, Lulu « renoncent trop tôt au plan de l'essence, parce qu'ils croient déjà être arrivés ; ils prennent un *ersatz* de salut ou de liberté pour le salut ou la liberté véritables » (70). Le reproche qu'on peut leur faire, ce n'est pas de différer des autres, de se servir d'un mythe ou d'une fantaisie pour sortir du monde clos des bien-pensants, mais bien de prendre ce moyen pour un but.

Certains personnages de Kafka sont, eux aussi, aveuglés par la fausse valeur qu'ils attribuent à leur ascétisme. Le champion du jeûne en s'enfermant dans sa cage, croit posséder l'Etre dans le monde de sa totale privation. L'abstinence est pour lui le moyen magique d'atteindre à son être-en-soi. La cage avec sa botte de paille et le minuscule verre d'eau est pour lui ce qu'est

---

(67) *Sartre ou la duplicité de l'être : ascèse et mythomanie,* dans *Les Sandales d'Empédocle,* Etre et penser, Cahiers de Philosophie, N° 11, la Baconnière, Neuchâtel 1945, p. 123.
(68) *Ibid.,* pp. 158/160.
(69) *Ibid.,* p. 159.
(70) *Ibid.,* pp. 159/160.

pour Pierre la chambre empestée d'encens. — De même
le trapéziste de *Premier Chagrin* : il s'obstine à ne plus
quitter son trapèze et à rester nuit et jour dans les hau-
teurs de la coupole du cirque. Son mode d'être devient
pour lui l'Etre absolu. Mais Kafka ne manque pas
d'éclairer ses héros au sujet de leur erreur. La relativité
de leur « tricherie » se dévoile subitement et cette connaissance les anéantit.

La mauvaise foi conditionnée par la structure de l'être
apparaît donc en tant que phénomène ontologique. Mais
elle peut aussi prendre un aspect éthique. Sartre appelle
« salauds » les hommes qui refusent d'envisager leur
condition. Le docteur Rogé dans *La Nausée*, par exemple, est un « salaud » : il s'en remet au mythe de l'Expérience, « c'est un professionnel de l'expérience » (71).
Toute chose extraordinaire est aussitôt classée comme
un cas scientifique. Le médecin en général (voir aussi le
docteur Franchot dans *La Chambre*), et surtout le psychiatre, c'est l'homme pour lequel il n'y a rien d'insolite.
Il tient la formule de l'essence de tout homme ; la variété
des individus se restreint à un certain nombre de cas.
Son « expérience » le garantit de toute surprise déplai-
sante que pourrait lui préparer la vie ; « les médecins,
les prêtres, les magistrats et les officiers connaissent
l'homme comme s'ils l'avaient fait » (72). L'expérience,
ils la font de leur passé, « Passé de poche, petit livre
doré plein de belles maximes » (73) — et les voilà en
sûreté. « Derrière leur importance, on devine une paresse
morose : ils voient défiler des apparences, ils bâillent, ils
pensent qu'il n'y a rien de nouveau sous les cieux » (74).
Leur passé, leur sagesse, leur expérience et leur préten-
due importance font le rempart qui les protège contre les
flots de l'angoisse et de la Nausée. L'expérience c'est bien
la « dernière défense » (75) des salauds, le moyen de « se
masquer l'insoutenable réalité » (76).

---

(71) *La Nausée,* p. 93.
(72) *Ibid.*
(73) *Ibid.,* p. 95.
(74) *Ibid.*
(75) *Ibid.,* p. 96.
(76) *Ibid.*

A côté du mythe de l'expérience et de la sagesse dont
les salauds font leur « petit délire de compensation » (77)
et qui leur fait croire à leur progrès, il y a un autre
moyen de se protéger contre la gratuité de l'existence :
celui qui consiste à s'arroger des mérites et des droits.
Les portraits au musée de Bouville parlent des faits et
des mérites de l'élite de la société bouvilloise. Antoine
en entrant dans la salle sent braqué sur lui le clair
regard de cent cinquante personnes, regard assuré et
satisfait de gens qui ont rempli leur devoir : le vieillard
au geste indulgent goûte la sérénité de celui qui voit sa
besogne achevée. Il lègue son nom à un fils réussi, à une
belle-fille obéissante, pleine de respect, il a joué un rôle
considérable dans la société, il a fait fortune, bref, il a
agi scrupuleusement selon le code moral ; il a pensé
conformément à la religion traditionnelle ou suivant la
vénérable doctrine d'une autorité classique. Arrivé au
but, il a le droit de se retourner et de jeter un long
regard complaisant derrière lui : il est justifié. — Il en
est de même pour les autres représentants de l'élite. Ils
ont appris, pendant leur jeunesse, à éluder toute question
touchant la validité de leur existence ; la croyance à l'in-
faillibilité du devoir accompli et à l'intégrité de la pensée
traditionnelle se substitue à toute interrogation. L'inquiétude a été lentement et systématiquement étouffée,
l'angoisse a disparu. Il ne reste plus qu'un calme, rassa-
sié et prévenu :

> En règle, ce jour-là comme les autres jours, avec Dieu
> et avec le monde, ces hommes avaient glissé doucement
> dans la mort, pour aller réclamer la part de vie éternelle
> à laquelle ils avaient droit. Car ils avaient eu droit à tout,
> à la vie, au travail, à la richesse, au commandement, au
> respect, et, pour finir, à l'immortalité. (78)

Un autre de ces personnages devient une véritable
incarnation du Droit :

> Cet homme avait la simplicité d'une idée. Il ne restait
> plus en lui que des os, des chairs mortes et le Droit Pur.

---

(77) *La Nausée*, p. 96.
(78) *Ibid.*, p. 112.

> Un vrai cas de possession, pensais-je. Quand le Droit s'est
> emparé d'un homme, il n'est pas d'exorcisme qui puisse
> le chasser ; Jean Parrottin avait consacré toute sa vie à
> penser son Droit : rien d'autre [...]. Il ne fallait point
> qu'on le fît trop penser, qu'on attirât son attention sur des
> réalités déplaisantes, sur la mort possible, sur les souf-
> frances d'autrui. (79)

Les représentants du musée de Bouville offrent l'aspect
le plus courant de personnes ou de personnages qui
croient avoir un être. Ils ont pris soin de se procurer des
garde-fous de nature à leur épargner la méditation d'Antoine dans le Jardin public. La gratuité de l'existence
est abolie ; l'existence est fondée dans l'acceptation des
valeurs dictées par des autorités reconnues.

Lucien dans *L'Enfance d'un Chef* (comme Lulu dans
Intimité) n'ose faire que les premiers pas de la recherche de soi. Le monde semble reculer devant le regard
interrogatif de l'enfant qui perd la certitude d'exister :
« Ça y est, pensa-t-il, ça y est ! J'en étais sûr : je n'existe
pas. » (80) Il a recours à la psychanalyse, mais les différentes sortes de complexes qu'il apprend à connaître en
lisant Freud menacent de s'en prendre à lui. Il se rend
compte qu'en suivant cette voie il ne sera jamais capable
de remplir sa vocation de chef. Par conséquent il dirige
toute son attention sur son devoir : un jour il sera à la
place de son père, à la tête de la fabrique, un chef. Et
Lucien s'enlise dans les attitudes de mauvaise foi : il
devient antisémite, il sent croître en lui sa propre
importance :

> c'était à ses propres yeux qu'il paraissait respectable —
> à ses yeux qui perçaient enfin son enveloppe de chair, de
> goûts et de dégoûts, d'habitudes et d'humeurs. « Là où je
> me cherchais, pensa-t-il, je ne pouvais pas me trouver. »
> Il avait fait, de bonne foi, le recensement minutieux de
> tout ce qu'il *était*. « Mais si je ne devais être que ce que
> je suis, je ne vaudrais pas plus que ce petit youtre. » En
> fouillant ainsi dans cette intimité muqueuse, que pouvait-
> on découvrir, sinon la tristesse de la chair, l'ignoble men-
> songe de l'égalité, le désordre ? « Première maxime, se dit

(79) *La Nausée,* p. 119.
(80) *Le Mur,* p. 158.

Lucien, ne pas chercher à voir en soi ; il n'y a pas d'erreur plus dangereuse. » (81)

Après cette défense d'introspection il s'en remet à l'effet qu'il sait produire sur autrui :

> Le vrai Lucien — il le savait à présent — il fallait le chercher dans les yeux des autres, [...] il se sentait presque trop grand pour lui. Tant de gens l'attendaient, au port d'armes : et lui il était, il serait toujours cette immense attente des autres. « C'est ça un chef », pensa-t-il. (82)

Et les valeurs qu'il obtient toutes faites et dont il décore sa personne, il s'en sert pour transcender son existence :

> « J'ai des droits ! » Des droits ! Quelque chose dans le genre des triangles et des cercles : c'était si parfait que ça n'existait pas, on avait beau tracer des milliers de ronds avec le compas, on n'arrivait pas à réaliser un seul cercle. Des générations d'ouvriers pourraient, de même, obéir scrupuleusement aux ordres de Lucien, ils n'épuiseraient jamais son droit de commander, les droits c'était par delà l'existence, comme les objets mathématiques et les dogmes religieux. Et voilà que Lucien, justement, c'était ça : un énorme bouquet de responsabilités et de droits. Il avait longtemps cru qu'il existait par hasard, à la dérive : mais c'était faute d'avoir assez réfléchi. Bien avant sa naissance, sa place était marquée au soleil, à Térolles. Déjà — bien avant, même, le mariage de son père — on l'*attendait* ; s'il était venu au monde, c'était pour occuper cette place : « J'existe, pensa-t-il, parce que j'ai le droit d'exister. » (83)

Se croire des droits c'est bien être arrivé au fond de la mauvaise foi. Lucien se trouve aux antipodes d'Antoine Roquentin qui, lui, reconnaît son être-de-trop-pour-l'éternité :

> Mais quel pauvre mensonge, personne n'a de droits, ils sont entièrement gratuits, comme les autres hommes. (84)

---

(81) *Le Mur,* pp. 219/220.
(82) *Ibid.,* p. 220.
(83) *Ibid.,* pp. 220/221.
(84) *La Nausée,* p. 167.

Ils ont « l'esprit de sérieux qui saisit les valeurs à partir du monde et qui réside dans la substantification rassurante et chosiste des valeurs » (85). Le sens qu'ils attribuent et au monde et à eux-mêmes leur vient du monde ; « dans le sérieux je me définis à partir de l'objet » (86), je fais disparaître le Moi inquiétant dans la collectivité rassurante du *On*.

C'est précisément ce que font Josef K. dans *Le Procès* et K. dans *Le Château*, Gregor dans *La Métamorphose* et Blumfeld, le malheureux célibataire.

La mauvaise foi, chez Kafka, est plus difficile à établir. Kafka vit en disharmonie avec l'ordre établi : d'une part il s'en distance consciemment, souffrant du joug de la vie familiale et craignant toute sa vie les liens du mariage. Il évite également toute activité au sein de la synagogue et résiste aux tentatives de son ami Max Brod pour le faire adhérer au sionisme. Son être à part va de pair avec sa recherche subjective de la vérité. — Mais d'autre part Kafka fait partie intégrante de la société du fait de son appartenance à la Loi. Prétendre à Dieu c'est se soumettre à sa Loi, par conséquent c'est vivre au sein de la communauté que Dieu a instituée. Adhérer à la communauté qui, pour Kafka, est la communauté juive, et à sa pensée traditionnelle, c'est bien un commandement de la Loi. Aussi Kafka s'est-il senti coupable de son inaptitude à vivre avec les autres et de son célibat.

Kafka, semble-t-il, n'a jamais aspiré à être indépendant de la tradition à laquelle il appartenait. Ce qu'il accuse en créant ses personnages si appliqués à se conformer aux convenances de la société, c'est plutôt l'appartenance à la Loi n'existant que sur le plan purement conventionnel et extérieur. L'ordre traditionnel, s'il n'est que lieu de sûreté et refuge contre l'interrogation fondamentale et contre l'angoisse, est faussé. Son adhésion doit être authentique, c'est-à-dire qu'elle doit s'effectuer sur le plan existentiel ; sinon elle est condamnable, relève de la mauvaise foi.

Les héros de Kafka adhèrent à la mauvaise foi, mais

---

(85) *L'Etre et le Néant*, p. 77.
(86) *Ibid.*

non au même titre que Lucien ou que les représentants
du musée de Bouville. Ce ne sont pas des « salauds » à
l'exception d'un seul peut-être, de l'oncle de Josef K.
Le désir de se décorer de dignités, de faire jouer leur
expérience, de montrer leur « caractère », n'entre jamais
en jeu pour eux. Leur mauvaise foi se rattache à leur
angoisse — comme celle des salauds — mais elle ne sert
jamais la mise en scène morale. Elle n'est qu'un faible
effort pour échapper à la détresse. Le héros kafkaïen
cherche sa faute, c'est-à-dire son méfait concret afin de
se voiler à lui-même sa condition d'être coupable qui lui
est propre sans qu'il ait commis une mauvaise action.
Car la possibilité de revendiquer une faute ou de prouver
son innocence déterminerait son existence et lui permettrait de se justifier ; elle lui constituerait un être.

Ainsi Josef K., lorsqu'il est arrêté, ne veut pas songer
à la possibilité de son être-coupable, c'est-à-dire qu'il
refuse de se penser en tant qu'être libre. Il se dissimule
son être-soi-même et il s'accroche à ses droits : il est
fonctionnaire dans une banque, il a une situation importante ; au reste il n'a « rien fait de mal » comme le souligne déjà la première phrase du roman — personne n'a
le droit de l'arrêter. Et pourtant il n'est pas dans son
pouvoir de chasser les deux intrus de chez lui. Il essaie
de bagatelliser la situation afin de se soustraire à la puissance de l'Absurde :

> andererseits aber kann die Sache auch nicht viel Wichtig-
> keit haben. Ich folgere das daraus, dass ich angeklagt bin,
> aber nicht die geringste Schuld auffinden kann, wegen
> deren man mich anklagen könnte. Aber auch das ist ne-
> bensächlich, die Hauptsache ist, von wem bin ich ange-
> klagt ? Welche Behörde führt das Verfahren ? Sind Sie
> Beamte ? Keiner hat eine Uniform. (87)

---

(87) *Der Prozess, Ges. Schriften* III, p. 21.
     mais, d'autre part, l'affaire ne saurait avoir non plus beaucoup
     d'importance. Je le déduis du fait que je suis accusé sans
     pouvoir arriver à trouver la moindre faute qu'on puisse me
     reprocher. Mais, ce n'est encore que secondaire. La question
     essentielle est de savoir par qui je suis accusé ? Quelle est
     l'autorité qui dirige le procès ? Etes-vous fonctionnaires ?
     Nul de vous ne porte d'uniforme.
     Trad. A. Vialatte, pp. 21/22.

Il s'empresse de mettre le problème central à l'arrière-plan en s'efforçant de trouver le tort de celui qui ose l'arrêter sans ordre légitime. Il se dispense ainsi de diriger son regard sur sa culpabilité. — Les deux gardiens lui font remarquer la vanité de ses arguments :

> Sie führen sich ärger auf als ein Kind. Was wollen Sie denn ? Wollen Sie Ihren grossen, verfluchten Prozess dadurch zu einem raschen Ende bringen, dass Sie mit uns, den Wächtern, über Legitimation und Verhaftbefehl diskutieren ? (88)

Que signifient des papiers personnels, que signifient la bonne réputation et la position sociale d'un homme en présence de sa fragilité au péché ? Le tribunal ne cherche point à dévoiler tel ou tel délit commis, « sondern wird, wie es im Gesetz heisst, von der Schuld angezogen » (89). Josef K. fuit sa condition fondamentale existentielle en se saisissant « à partir de l'objet », en essayant de faire valoir « ses droits ». Par conséquent il reste sourd à l'exhortation de l'inspecteur :

> Und machen Sie keinen solchen Lärm mit dem Gefühl Ihrer Unschuld, es stört den nicht gerade schlechten Eindruck, den Sie im übrigen machen. (90)

Josef K. a bien des retours sur lui-même ; il a des moments où il est parfaitement conscient de son être-

---

(88) *Der Prozess*, p. 16.
    Vous vous conduisez pis qu'un enfant. Que voulez-vous donc ? Vous figurez-vous que vous amènerez plus vite la fin de ce sacré procès en discutant avec nous, les gardiens, sur votre mandat d'arrestation et sur vos papiers d'identité ?
    Ibid., p. 15.

(89) *Ibid.*
    mais de celles (des autorités) qui, comme la loi le dit, sont « attirées », sont mises en jeu par le délit *.
    Ibid.

(90) *Ibid.*, p. 22.
    Et puis, ne faites pas tant d'histoires avec votre innocence, cela gâche l'impression plutôt bonne que vous produisez par ailleurs.
    Ibid., p. 22.

    * *Schuld* plutôt au sens général de culpa qu'au sens de délit, méfait concret.

l'angoisse-pour-la-fuir. C'est ainsi qu'après son entretien avec sa logeuse, Madame Grubach, devenue méfiante
à la suite de la scène d'arrestation dans la chambre de
K., il ne peut s'empêcher de crier par la porte entr'ou-
verte :

> Die Reinheit ! [...] wenn Sie die Pension rein erhalten
> wollen, müssen Sie zuerst mir kündigen. (91)

Et peu après il adresse à Mademoiselle Bürstner la
question pressante : « Glauben Sie denn, dass ich schuld-
los bin ? » (92).

Tout le développement du roman vise à amener Josef
K. à la vérité de son être. Non que la tâche lui soit
facilitée par des signes qui lui ouvriraient les yeux. Au
contraire : les situations dans lesquelles il se voit engagé
sont si compliquées et le procédé auquel il doit se soumettre est si répugnant que le but de l'être-soi reste presque hors d'atteinte. Ainsi les droits et les mérites deviennent des ancres de salut. Lorsqu'il se présente pour la
première fois au tribunal, le juge d'instruction lui
demande : « Sie sind Zimmermaler ? » et Josef K. s'empresse de rectifier : « Nein [...] sondern erster Prokurist
einer grossen Bank. » (93) La mise en évidence de son
rang et de son importance soulève un immense éclat de
rire dans l'assemblée. Josef K. pourrait se douter que
ses droits ne comptent plus devant le tribunal extraordinaire du grenier. Mais il s'acharne à se défendre ; il
accuse le procédé d'illégalité tout en faisant valoir son
droit à être jugé correctement par un tribunal légitime.

Et pourtant il est attiré par ce tribunal comme si finalement il savait que la vérité ne peut résider qu'à l'en-

---

(91) *Der Prozess*, p. 32.
  Propre ! [...] si vous voulez tenir la pension propre, il vous
  faut conmmencer par me donner congé.
      Ibid., p. 34.
(92) *Ibid.*, p. 35.
  vous me croyez donc innocent ?
      Ibid., p. 38.
(93) *Ibid.* p. 49.
  vous êtes peintre en bâtiment ? Non, [...] je suis le fondé de
  pouvoir d'une grande banque.
      Ibid., p. 55.

droit même où ses « droits » ne comptent plus. Le
dimanche qui suit sa première convocation, il se rend
spontanément au tribunal. Il a déjà perdu son attitude
de défense active. En pénétrant dans les réduits étouf-
fants du grenier il se sent mal : « Fast jeder bekommt
einen solchen Anfall, wenn er zum erstenmal kommt »
(94) lui dit-on. Son comportement devient celui d'un
coupable. Il se sent angoissé et ne respire qu'à la propo-
sition qu'on lui fait de l'emmener hors des bureaux de la
chancellerie. Une lassitude s'est emparée de toute sa
personne ; il ne peut plus s'en débarrasser : il est marqué
par la mystérieuse accusation.

Son oncle, lors de sa visite à la banque, s'en aperçoit
tout de suite :

> Deine Haltung, er sah K. mit schief geneigtem Kopfe
> an, gefällt mir nicht, so verhält sich kein unschuldig An-
> geklagter, der noch bei Kräften ist. (95)

La culpabilité de K. se fait jour malgré lui et entre
en lutte avec son désir de justification ; elle semble pré-
dire que toute tentative de justification ne peut aboutir
qu'à une condamnation.

L'oncle de Josef K. est un prototype de la mauvaise
foi, digne de la galerie de Bouville. Il implore son neveu
de songer à son nom, à son honneur, à la dignité de la
famille et il lui offre le secours de son influent cercle de
connaissances. Le problème de la faute ne se pose même
pas pour lui, par conséquent il est rebuté par cette marque de culpabilité que porte la personne de son neveu.
Il s'irrite de la lassitude de Josef :

> du bist verwandelt, du hattest doch immer ein so richtiges

---

(94) *Der Prozess, Ges. Schriften* III, p. 77.
      on éprouve presque toujours une crise de ce genre quand on
      met les pieds ici pour la première fois.
          Trad. A. Vialatte, p. 87.
(95) *Ibid.,* p. 104.
      Ton attitude — il considérait K. en inclinant la tête de côté —
      ton attitude ne me plaît pas ; ce n'est pas ainsi que se
      conduit un condamné innocent quand il est encore en pleine
      force.
          Ibid., p. 118.

Auffassungsvermögen, und gerade jetzt verlässt es dich ?
Willst du denn den Prozess verlieren ? Weisst du, was
das bedeutet ? (96)

Et il évoque les valeurs à partir desquelles l'être peut
être justifié: la considération d'autrui, l'honneur, la
réputation:

Das bedeutet, dass du einfach gestrichen wirst. Und
dass die ganze Verwandtschaft mitgerissen oder wenig-
stens bis auf den Boden gedemütigt wird. Josef, nimm
dich doch zusammen. Deine Gleichgültigkeit bringt mich
um den Verstand. Wenn man dich ansieht, möchte man
fast dem Sprichwort glauben : (97)

— Et sans s'en rendre compte il exprime ce qui, au
fond, est l'essence de la situation de K. et la seule solution possible de son engagement existentiel:

Einen solchen Prozess haben, heisst ihn schon verloren
haben. (97)

Car, se voyant placé devant l'alternative: être coupa-
ble-ne l'être pas, il sait qu'il doit opter pour la première
possibilité comme pour la seule authentique. Sa résistance ne provient que de sa crainte de l'engagement
existentiel et de son désir de fuir l'angoisse. Il se sent
déjà sur la pente de l'être-soi, mais il essaie encore de
se raccrocher à la croyance de sa mauvaise foi, encouragé
par les gens de son entourage qui ont tous l'esprit de
sérieux.

Leni est une exception. Elle est singulièrement rensei-
gnée au sujet du tribunal. Aussi ne doute-t-elle pas un

---

(96) *Der Prozess, Ges. Schriften* III, pp. 106/107.
        on t'a changé, je t'avais toujours connu un jugement sûr et
        voilà que la tête t'abandonne ; veux-tu donc perdre ton
        procès ? Sais-tu ce que cela signifierait ?
        Trad. A. Vialatte, p. 121.
(97) *Ibid.*, p. 107.
        Cela voudrait dire tout simplement que tu serais rayé de la
        société, et toute ta parenté avec; en tout cas, ce serait la
        pire humiliation. Joseph, ressaisis-toi, je t'en prie, ton indif-
        férence me rend fou. A te voir, on croirait presque le pro-
        verbe : « Avoir un pareil procès, c'est déjà l'avoir perdu ».
        Ibid.

instant du cas de Josef K. Sans lui poser aucune question, elle lui donne le seul conseil valable :

> Seien Sie nicht mehr so unnachgiebig, gegen dieses Gericht kann man sich ja nicht wehren, man muss das Geständnis machen. Machen Sie doch bei nächster Gelegenheit das Geständnis. (98)

Pourquoi vouloir échapper à sa condition qui est celle de l'être coupable ? Pourquoi ne pas se saisir en tant qu'être-soi ?

Josef K. est obsédé par son procès. L'avocat qu'il a consulté suivant le conseil de son oncle, ne lui inspire aucune confiance. Il semble faire partie, lui aussi, du tribunal du grenier. Il éclaire K. au sujet de différents détails que celui-ci ignorait :

> Die Verteindigung ist nämlich durch das Gesetz nicht eigentlich gestattet, sondern nur geduldet, und selbst darüber, ob aus der betreffenden Gesetzesstelle wenigstens Duldung herausgelesen werden soll, besteht Streit. Es gibt daher stenggenommen gar keine vom Gericht anerkannten Advokaten, alle, die vor diesem Gericht als Advokaten, auftreten, sind im Grund Winkeladvokaten. (99)

Puisque l'être-coupable est essentiellement l'être de l'homme, tout plaidoyer contre la culpabilité n'est-il pas superflu ? L'accusé ne peut faire dépendre son sort que de lui-même. A lui de choisir s'il veut persister dans sa fausse croyance afin d'échapper au choix de lui-même ou s'il veut prendre sur lui le risque du choix. Personne ne peut décider à sa place, personne ne peut l'aider :

---

(98) *Ges. Schriften* III, pp. 118/119.
       ne soyez pas si entêté; on n'a pas d'arme contre cette justice, on est obligé d'avouer. Avouez donc à la première occasion.
       Trad. A. Vialatte, p. 135.

(99) *Ibid.*, p. 125.
       La défense n'est pas, en effet, expressément permise par la loi; la loi la souffre seulement, et on se demande même si le paragraphe du Code qui semble la tolérer la tolère réellement. Aussi n'y a-t-il pas, à proprement parler, d'avocat reconnu par le tribunal en cause, tous ceux qui se présentent devant lui comme défenseurs ne sont en réalité que des avocats marrons.
       Trad. A. Vialatte, pp. 142/143.

Man will die Verteidigung möglichst ausschalten, alles
soll auf den Angeklagten selbst gestellt sein. (100)

Kafka évoque ici un tribunal supérieur où il y va de
beaucoup plus que d'un méfait, où il y va de la condition
fondamentale de l'existence. Le tribunal est symbolique,
finalement il ne peut résider que dans la conscience de
l'accusé : c'est lui seul qui peut juger de sa condition
existentielle, lui, ou l'être conçu comme l'objet de la perfection, c'est-à-dire Dieu.

La figuration poétique de ce dernier tribunal se meut
dans un cadre tout à fait banal, vulgaire même. C'est à
un tribunal illégal que Josef K. a affaire. L'absurdité du
procédé provoque un effet révoltant qui donne raison
à toutes les réactions de K. ainsi qu'à son désir de justification. Il n'a rien fait, il faut donc qu'il soit justifié ;
Kafka, par le fait de réaliser l'idée existentielle de
l'absurde, dans une situation humoristique et grotesque,
— il s'agit d'humour noir bien entendu — caricature
cette idée même, car l'admettre équivaudrait à se faire
une mentalité d'animal. L'auteur met au pilori le secret
de sa conviction existentielle et semble se rire du lecteur
qui penche à la prendre au sérieux. Cet élément équivoque produit l'effet déroutant que dégagent les récits de
Kafka. C'est peut-être dans cette ironie que réside la
profondeur de l'auteur ; son tragique se confirme dans le
comique comme c'est d'ailleurs le cas pour plusieurs des
plus grands auteurs tragiques.

Josef K. est un être mi-tragique, mi-comique. Sa
recherche de soi est en même temps une fuite de soi : il
est attiré par le tribunal et il s'en défend en se remettant
à sa mauvaise foi. Sa condition d'être coupable fait le
tragique de son existence et simultanément un être-là
dérisoire, méprisable même.

Cette mise en question de sa propre conception ajoute
à la polyvalence de l'interprétation de l'œuvre kafkaïen-

---

(100) *Ges. Schriften* III, p. 126.
    Elle [la justice] cherchait à éliminer le plus possible la
    défense ; elle voulait que l'accusé répondît lui-même de
    tout.
        Ibid., p. 143.

ne. L'élément équivoque est voulu; il empêche l'imitation
et fait de la lecture une espèce d'engagement existentiel.

De là peut-être aussi le refus violent que l'œuvre de
Kafka a suscité à plusieurs reprises: le bon sens du
lecteur suit la mauvaise foi du héros, il rejette l'idée de
la faute:

> Vor allem war es [...] notwendig, jeden Gedanken an
> eine mögliche Schuld von vorneherein abzulehnen. Es gab
> keine Schuld. (101)

Tel est l'argument de Josef K. — C'est bien là le point
de départ de l'être qui est ce qu'il n'est pas — et c'est
aussi le point de départ de tout raisonnement logique
concernant le cas de Josef K. Le dénouement du roman
est une offense à la raison.

Le concours de l'avocat se révélant inefficace,
K. décide de se charger lui-même de sa défense:

> das Gericht sollte einmal auf einen Angeklagten stossen,
> der sein Recht zu wahren verstand. (102)

Mais la valeur de la notion de « droit » baisse toujours
plus. Au cours de sa longue conversation avec le peintre,
K. apprend que le tribunal ne connaît pas d'absolution.
Celui qui paraît devant lui n'est jamais innocent. L'espoir de K. d'être justifié diminue. Le commerçant Block
prétend lire sa condamnation prochaine sur ses lèvres.
Et enfin, à la cathédrale, K. confesse:

> Früher dachte ich, es müsse gut enden, [...] jetzt zweifle
> ich daran manchmal selbst. (103)

---

(101) *Der Prozess, Ges. Schriften* III, p. 136.
      il était surtout nécessaire, [...] d'éliminer à priori toute idée
      de culpabilité. Il n'y avait pas de délit.
            Trad. A. Vialatte, p. 154.
(102) *Ibid.*, p. 137.
      il faudrait que la justice se heurtât une bonne fois à un
      accusé qui sût se défendre.
            Trad. A. Vialatte, p. 155.
(103) *Ibid.*, p. 222.
      Autrefois, je pensais [...] que mon procès finirait bien, mais
      maintenant j'en doute parfois.
            Ibid., p. 253.

Le prêtre essaie de lui donner la clé du mystère du
tribunal. Il tâche, par la parabole du gardien, de le
mettre en contact avec la transcendance de la Loi qui
exclut toute compréhension humaine ainsi que toute justification. K. accuse le gardien d'avoir trompé l'homme
qui lui demandait la permission de franchir le seuil de
la Loi. Mais le prêtre lui fait entendre :

> Wie er uns auch erscheinen mag, so ist er doch ein
> Diener des Gesetzes, also zum Gesetz gehörig, also dem
> menschlichen Urteil entrückt. [...] Er ist vom Gesetz zum
> Dienst bestellt, an seiner Würdigkeit zu zweifeln, hiesse
> am Gesetz zweifeln. (104)

Et il condamne toute intelligibilité concernant le
domaine de la Loi :

> man muss nicht alles für wahr halten,
> man muss es für notwendig halten. (105)

Josef K. en arrive à renoncer à toute résistance ; il a
reconnu le caractère inévitable ainsi que l'impénétrabi-
lité de la Loi.

Ce qui suit n'est plus qu'une immense défaite en face
de ces lumières. Au lieu de revendiquer son être-coupable
en tant qu'être-soi-même, au lieu de risquer le saut kierkegaardien, Kafka se laisse écraser par la connaissance
de soi. —

La mauvaise foi est présente également dans *Le
Château*. K. est persuadé d'avoir le droit de pénétrer au
Château. Ainsi lorsque l'aubergiste lui déconseille vive-
ment de persévérer dans sa résolution de parler à Klamm
en lui rappelant son ignorance qui seule lui inspire
l'audace de vouloir aborder un personnage du Château,

---

(104) *Der Prozess, Ges. Schriften* III, p. 232.
   Quel qu'il nous apparaisse, il n'en reste pas moins un servi-
   teur de la Loi ; il appartient donc à la Loi ; il échappe donc
   au jugement humain. [...] C'est la Loi qui l'emploie ; douter
   de la dignité du gardien, ce serait douter de la Loi.
   Ibid., p. 264.
(105) *Ibid.,* p. 232.
   on n'est pas obligé de croire vrai tout qu'il dit, il suffit qu'on
   le tienne pour nécessaire.
   Trad. A. Vialatte, p. 265.

K. ne se laisse nullement détourner de son dessein ; au
contraire, il pousse l'effronterie jusqu'à demander à
l'aubergiste si c'est au sujet de Klamm qu'elle s'inquiète.

Lors de sa visite au maire du village, K. est renseigné
au sujet du mécanisme obscur de l'administration seigneuriale. Le maire étale devant lui une mer de dossiers
pour lui prouver à vue d'œil qu'il est impossible d'y
retrouver son cas. L'existence de tous les habitants du
village se trouve être classée dans ces papiers, enfouie
pour ainsi dire dans le gouffre de l'absurde. K. se doute
bien de la vanité de son entreprise ; mais il se refuse à
envisager sa situation, il joue à ne pas croire les démons-
trations du maire. Il affirme se divertir en écoutant ses
propos :

> Es unterhält mich [...] dadurch, [...] dass ich einen
> Einblick in das lächerliche Gewirre bekomme, welches
> unter Umständen über die Existenz eines Menschen
> entscheidet. (106)

K., en effet, a été appelé au Château à titre d'arpenteur. Mais ici personne n'a besoin d'arpenteur. Sa nomi-
nation a bien été annulée, mais, à la suite d'une erreur,
cette annulation n'a jamais atteint son destinataire.
Malgré ce lapsus, l'administration qui travaille d'après
le principe d'exlure a priori toute possibilité d'erreur, se
trouve être non-coupable — elle est essentillement non-
coupable — « und selbst wenn einmal ein Fehler vor-
kommt, wie in Ihrem Fall, wer darf denn endgültig
sagen, dass es ein Fehler ist » (107).

K. essaie de détourner la conversation de ce sujet en
avançant sa propre personne dont le destin est assurément à considérer malgré l'appareil administratif. Mais
le maire juge qu'il n'est pas temps encore de parler de

---

(106) *Das Schloss, Ges. Schriften* IV, p. 80.
   Elle ne m'amuse qu'en ceci, [...] qu'elle me donne un aperçu
   de la ridicule confusion qui peut, en certaines circonstances,
   décider de l'existence d'un homme.
      Trad. A. Vialatte, p. 68.
(107) *Ibid.*, p. 82.
   et, même s'il en survient une, [une erreur] comme dans votre
   cas, qui a le droit de dire une fois pour toutes que c'en soit
   une ?
      Ibid., p. 69.

la personne de K. L'administration est l'unique sujet de
son long discours. K. en s'opposant à lui, ne fait que se
voiler l'évidence que son existence ne correspond qu'à
une misérable fiche perdue dans un dossier.

Le maire fait également remarquer à K. que la fameuse
lettre de Klamm n'ayant aucun caractère officiel, ne
peut rien apporter de décisif quant à la situation de K.
au village. En outre, il s'étonne que K. ait eu l'audace
d'entrer en communication téléphonique avec le Château.
Même les fiançailles de K. avec une jeune fille du village
ne semblent aucunement le convaincre de la nécessité de
la présence de K.

Mais tout ce long entretien avec le maire ne peut éloigner K. de sa décision de conquérir une situation légitime au village. Et il a recours à l'argument du héros
du *Procès,* il invoque son droit :

> ich will keine Gnadengeschenke vom Schloss, sondern
> mein Recht. (108)

Il poursuit sa tentative en essayant de voir Klamm.
Il l'attend, installé dans les fourrures de son traîneau.
Il tient à lui parler personnellement et refuse de se prêter à l'interrogation de son secrétaire Momus, personnalité très influente dont dépend la grâce de Klamm.

K., s'en remettant toujours à son droit, viole tous les
usages du Château. Il se révolte contre l'absurdité et la
bassesse du monde seigneurial, il se révolte comme Amalia — et, malgré les efforts de Frieda, de l'aubergiste et
d'Olga pour lui ouvrir les yeux afin de le persuader de
l'inutilité de sa lutte, K. ne cesse de croire à la validité
de son droit qui ne peut succomber à l'arbitraire de la
volonté seigneuriale. Il y croit même encore quand Frieda
l'a quitté. Et à la fin du roman, se trouvant dans les
couloirs de l'Hôtel des Messieurs, lors du coup de sonnette de l'un des habitants de l'Hôtel, K. ne s'éloigne
pas ; il se colle au mur pour assister à la scène qui va

---

(108) *Das Schloss, Ges. Schriften* IV, p. 92.
        je ne veux pas de cadeaux du Château,
      je ne demande que mon droit.
          Trad. A. Vialatte, p. 78.

suivre et surtout « weil ihm viel daran lag, seine Schuld
genau zu verstehen » (109). Son désir de justification
l'amène à assister à la distribution des dossiers, opération dont nul n'a le droit d'être témoin.

Le héros, comme dans *Le Procès,* se trouve dans une
situation sans issue. Il est dans son droit : puisqu'il a été
appelé comme arpenteur au village, il se voit obligé de
lutter pour sa situation. Mais les personnages décisifs
qu'il rencontre, les femmes surtout, cherchent à l'éclairer : le Château demande une entière soumission à tous
ses décrets si absurdes et incompréhensibles qu'ils puis-
sent être. Le malheur d'Amalia en est la preuve. Tout
droit individuel s'anéantit devant la puissance du Château. La seule possibilité d'existence c'est de s'adonner
à elle sans raisonner, d'accepter l'absurde même au
risque d'en être supprimé.

K. se distingue de tous les habitants du village par son
attitude révoltée. Il aimerait devenir un des leurs, mais
il les choque sans cesse par sa prétention de pénétrer au
Château. Il place son droit au-dessus de toute autre
préoccupation ; son être-là se fonde sur ses droits : il est
de mauvaise foi.

Le roman du *Château* est resté inachevé. On ne saurait
dire si K. en arrive à la même résignation que Josef K.
dans *Le Procès.* Mais des indices semblent nous montrer
que la conclusion du *Château* pourrait être très semblable à celle du *Procès.* K., à la fin du roman, est
accablé par une fatigue qui le rend passif ; il semble
avoir renoncé à lutter davantage. Aucune allusion touchant un rapprochement du monde seigneurial. Au
contraire, la bizarrerie de la scène dans les couloirs de
l'Hôtel des Messieurs vise plutôt le fait que tout effort
pour comprendre le Château et pour s'y incorporer de
plein droit, c'est-à-dire en tant qu'être qui veut se
voiler sa gratuité, est vain.

Max Brod, dans son postscriptum à la première
édition du roman, soutient l'opinion que K., à force de

---

(109) *Das Schloss, Ges. Schriften* IV, p. 323.
   parce que cela lui importait beaucoup de bien comprendre son
   délit.

zèle et de persévérance, serait certainement arrivé jusqu'au Château. Il se réfère à un témoignage que Kafka lui a fait de vive voix : l'arpenteur, à force de lutter, en vient à mourir d'épuisement. Tous les habitants du village se réunissent autour de son lit de mort. Au même moment lui parvient le message seigneurial lui accordant exceptionnellement et sans qu'il y ait droit, la permission de rester au village. Brod veut voir ici l'attitude du « Wer immer strebend sich bemüht » de Goethe et sa récompense. Or le fait que le message du Château arrive trop tard — il n'atteint qu'un mourant — est significatif de tout le roman : tout effort est vanité. Il n'y a d'existence qu'en fonction de l'absurdum. K., sur son lit de mort, est comme l'homme devant la porte de la Loi : l'entrée lui est accordée trop tard, la lutte reste sans récompense. —

La conduite de mauvaise foi est aussi celle de Gregor Samsa, le héros de *La Métamorphose*. Il cherche à échapper à sa nouvelle condition en tâchant d'effacer la vérité de son état présent par les mérites de son passé. Il s'excuse auprès du fondé de pouvoir :

> Man kann im Augenblick unfähig sein zu arbeiten, aber dann ist gerade der richtige Zeitpunkt, sich an die früheren Leistungen zu erinnern und zu bedenken, dass man später, nach Beseitigung des Hindernisses, gewiss desto fleissiger und gesammelter arbeiten wird. (110)

Il s'efforce de concevoir le dévoilement de son être comme un simple obstacle qu'il s'agit de surmonter a force de mérites; il le considère comme un malheur injustifiable qui, légitimement, ne peut à jamais marquer son existence. Gregor va jusqu'à oublier son être métamorphosé et à se précipiter sur les pas du fondé de pouvoir afin de se justifier auprès de lui. Peu à peu seulement il s'habitue aux nouvelles circonstances ; il

_____

(110) *Ges. Schriften* I, p. 84.
  On peut se trouver un instant dans l'incapacité d'accomplir sa besogne, mais c'est alors le bon moment pour se rappeler ses anciens travaux et se mettre en tête que, l'obstacle franchi, on apportera deux fois plus de cœur à l'ouvrage.
    La Métamorphose, traduit par A. Vialatte, Gallimard 1946, pp. 30/31.

devient la victime de sa condition comme les autres
héros kafkaïens.

Blumfeld, le malheureux célibataire, ne se trouve pas
surpris par un changement abrupt comme c'est le cas de
Josef K. ou de Gregor Samsa. La régularité monotone
de sa vie n'est interrompue que par le jeu taquin de deux
balles en celluloïd qui ne cessent de danser derrière lui.
Mais ce détail suffit pour lui enlever sa tranquillité. Il
ne se sent plus en sûreté. Ce dérangement met en question toute sa vie antérieure. Blumfeld, pour s'en
défendre, se sert du moyen propre aussi à Josef K. et à
Gregor : il veut détourner les yeux de l'événement :

> Bisher hat Blumfeld immer in allen Ausnahmefällen,
> wo seine Kraft nicht hinreichte, um die Lage zu beherr-
> schen, das Aushilfsmittel gewählt, so zu tun, als bemerkte
> er nichts. Es hat oft geholfen und meistens die Lage we-
> nigstens verbessert. Er verhält sich auch jetzt so. (111)

Mais les deux balles ne le lâchent plus, « und ausser-
dem bedeutet schon ihr ganzes Dasein eine gewisse
Macht » (112). La lutte contre les jouets absurdes le
fatigue, leur perpétuelle présence l'obsède. Blumfeld,
afin de sauver sa dignité à ses propres yeux, a recours à
son passé qu'il juge très honorable. Il songe à son travail
à la fabrique, à ses mérites, il pense aussi au fait que
personne n'estime ses efforts, au manque de respect de
son supérieur ; il se sent méconnu, victime de son zèle,
mais au fond profondément satisfait de lui-même :

> jedenfalls ist er im Recht, und Recht muss sich schliess-
> lich, wenn es auch manchmal lange dauert, Anerkennung
> verschaffen. (113)

---

(111) *Ges. Schriften* V, p. 147.
>   Jusqu'à présent Blumfeld, dans tous les cas exceptionnels où
>   il était impuissant à dominer la situation, a toujours pris le
>   parti de faire semblant de ne s'apercevoir de rien. Souvent
>   cette conduite a porté ses fruits; du moins a-t-elle la plu-
>   part du temps amélioré la situation. Aujourd'hui encore il
>   se comporte de la sorte.
(112) *Ibid.*, p. 149.
>   et à part cela toute leur existence exprime déjà un certain
>   pouvoir.
(113) *Ibid.*, p. 163.
>   en tout cas il est dans son droit, et le droit doit finalement,
>   et ne serait-ce qu'au bout d'une longue durée, être reconnu.

Cet effort pour se dissimuler la vérité, ce recours aux
mérites, à la position sociale, à la « considération », enfin
l'invocation du droit, ce sont bien là les moyens de tous
les héros kafkaïens pour éhapper à leur être-soi. —

Les personnages de Kafka se ressemblent : hommes
moyens et petit-bourgeois jouissant de conditions finan-
cières et sociales plus ou moins favorables, d'esprit
minutieux et pédant, soucieux de remplir scrupuleusement leur devoir professionnel et de plaire à leurs supérieurs. A part cela, nulle particularité ne saurait les
caractériser. Le héros kafkaïen c'est l'homme exempt
aussi bien de qualités que de défauts marquants. Il est
vide de passion, exclu de tout grand mouvement de joie
ou de douleur : il est neutre. Sa vie est terne et banale ;
elle manque d'élan, de sève, c'est en quelque sorte la vie
d'un demi-vivant.

Cette absence de personnalité est le propre du héros
kafkaïen. K. vit sans cesse dans la nostalgie d'être
comme les autres ; et c'est précisément ce désir de nivel-
lement qui ne peut être satisfait. Car K. est incapable de
mener une vie normale ; il se voit expulsé de la communauté des hommes, un proscrit ; il est celui qui se
distingue de tous les autres, l'étranger, l'homme sans
droits.

D'une part, le fait d'être différent des autres est une
raison de son être-coupable : il se montre incapable de
vivre, c'est-à-dire de prendre place dans la communauté
des hommes. D'autre part, tout motif qui le pousse à se
réintégrer dans cette communauté naît de sa mauvaise
foi, car il ne cesse de se référer à ses droits et mérites,
ne se servant comme échelle que de l'ordre accrédité par
la société : sa réintégration à la communauté ne serait
que formelle ; elle serait inauthentique. K. n'est pas
lui-même, il n'est personne. La fadeur de son existence
l'accuse et prédétermine l'échec de son être-là ; il est
encore coupable sans vouloir le reconnaître. Sa situation
est véritablement sans issue. Le désir exclusif de vivre
en règle est comme le présage d'un échec de cette aspiration. Il faut l'intervention de puissances extérieures

pour lui dessiller les yeux au sujet de la vanité des
valeurs sur lesquelles il veut fonder son existence.

Le héros de Sartre qui nous paraît ressembler le plus
à celui de Kafka, c'est Antoine Roquentin. Même
existence en marge de la société, même recul devant la
vie, même apparence incolore. Le toucher de l'absurde
l'a également jeté dans une sorte de stupeur qui le prive
du sentiment de vivre. Mais il se distingue du héros
kafkaïen par le fait qu'il ne cherche point à se réincor-
porer dans la communauté des hommes. Son être-à-part
ne constitue pas un problème pour lui et encore moins
est-il une source de culpabilité. Il est plutôt la preuve
de sa lucidité ainsi que de la conscience de sa bonne foi.
Il a osé ce qui a fait reculer K., il a revendiqué son être
absurde et déchiré tous les voiles de la mauvaise
foi. — Cette saisie de soi qui équivaut à une libération
absolue de son être, le préserve de la mesquinerie propre
au héros kafkaïen. La trivialité n'a pas d'empire sur lui
puisqu'il ne connaît pas le souci de se ranger dans l'ordre
commun. Il est exempt de toute aspiration à tenir un
certain rang dans la société, à plaire à des supérieurs, à
remplir des devoirs quotidiens ; son existence ne se réfère
qu'à lui-même. —

La mauvaise foi, chez Sartre et chez Kafka, est un
moyen de défense contre la gratuité de l'existence. Elle
peut prendre chez Sartre une tournure morale si bien
soutenue par les valeurs officielles qu'elle réussit, chez
les « salauds », à étouffer l'angoisse. Les héros de Kafka
par contre ne connaissent pas ce repos complaisant des
« salauds ». Ils essaient de pratiquer le stratagème de la
mauvaise foi, mais sans y parvenir, tant ils sont
anxieux.

La trivialité de la vie de tous les jours, *die Alltäglichkeit* comme dit Heidegger, l'ordre de la vie tel que
l'homme le trouve établi et achevé dès sa naissance,
fournit les éléments de la mauvaise foi. Sartre le
démontre ; les héros de Kafka en témoignent. Le postulat du choix personnel et de la pensée subjective tel qu'on
le trouve chez Sartre et chez Kafka, se fonde sur la
conception kierkegaardienne. Kierkegaard accuse la

fuite de l'individu dans l'ordre rassurant établi par la
collectivité et la suppression du *Il* par le *On* qu'il appelle
« les autres ». Le quotidien détruit le rapport entre
l'homme et Dieu, rapport qui constitue l'être authentique. La connaissance de l'être-coupable met l'homme
en rapport avec Dieu ; et c'est ce rapport qui fait que
l'homme est essentiellement lui-même ; et c'est précisément ce rapport que l'homme fuit pour se débarrasser de
la responsabilité de l'acte authentique. Il est de mauvaise foi

> parce qu'il s'en tire avec une analogie qui confond spécu-
> lativement l'éthique avec l'historico-mondial, c'est-à-dire
> avec les us et coutumes de sa ville, (114)

dit Kierkegaard dans le Postscriptum aux *Miettes philosophiques*. Et un peu plus bas, parlant de l'homme
inauthentique :

> Il ne ferait jamais quelque chose le premier et n'aurait
> jamais une opinion avant de savoir si d'autres l'ont ; car
> ce « les autres » est justement pour lui l'essentiel. [...]
> Un tel homme sait peut-être beaucoup de choses, il sait
> peut-être le système par cœur, il vit peut-être dans un
> pays chrétien, sait s'incliner aussi souvent que le nom de
> Dieu est prononcé, il voit peut-être aussi Dieu dans la
> nature, quand il est en compagnie d'autres bonshommes
> qui l'y voient, bref il est un agréable compagnon et pour-
> tant, dans son rapport direct avec la vérité, avec l'éthique,
> avec Dieu, il se trompe. (115)

Kierkegaard critique la psychologie de l'homme de
mauvaise foi : il en dérive le type « petit-bourgeois »
marionnette de la loi morale dictée par le *On*. A ses yeux
l'essentiel disparaît pour laisser place à l'insignifiant qui
occupera le premier rang. Tout homme peut être petit
bourgeois, qu'il soit épicier, artiste, intellectuel. Le
point saillant consiste dans le fait que le petit bourgeois
est de mauvaise foi, qu'il n'est pas ce qu'il est — Kier-

---

(114) *Post-Scriptum aux Miettes Philosophiques,* traduit du danois
    par Paul Petit, Gallimard 1941, p. 161.
(115) *Ibid.*

kegaard l'exprime pertinemment dans sa définition de l'être du petit bourgeois :

> Etre petit-bourgeois consiste toujours, dans ses rapports avec l'essentiel, à faire usage du relatif comme étant l'absolu. (116)

Kierkegaard illustre volontiers le type petit-bourgeois par la figure du professeur de théologie qui trouve dans son érudition l'équivalent du rapport avec Dieu. La croyance en son savoir lui épargne la connaissance de son être-coupable ainsi que celle de l'absurde résidant dans le rapport entre l'homme et Dieu : elle lui permet d'éviter ce rapport ainsi que toutes les souffrances provenant de l'imitation de Dieu lesquelles, selon Kierkegaard, ne sont que les conséquences du rapport constitué entre le fini et l'infini. Nulle religion traditionnelle ne peut suppléer à la recherche de soi, recherche qui, chez Kierkegaard et chez Kafka, est inséparable de la recherche de Dieu. Kierkegaard s'en prend à l'institution ecclésiastique dans la mesure où elle empêche par son organisation et par sa doctrine traditionnelle, dictée d'autorité aux fidèles, un rapport subjectif avec la transcendance. Les serviteurs de l'église, personnages haut-placés, bien payés et jouissant de l'estime générale d'autrui, affichent la prétention d'être des imitateurs de Jésus-Christ, titre qui ne peut revenir qu'à celui qui a pris sur lui la solitude, l'être-à-part et le mépris d'autrui. L'église, en tant qu'institution sociale, ne pouvant se passer d'un caractère doctrinaire et économique à la fois, se fait nécessairement le soutien de la mauvaise foi. Kafka adresse le même reproche à la religion officielle quand il dit qu'il y a trop de serviteurs du Temple, des gens qui vivent dans la religion de la religion, mais sans la comprendre, sans la servir, dans le sacrifice et la douleur.

Gide dans *Paludes*, Gabriel Marcel et Heidegger ont instruit la critique de l'homme collectif, de l'individu ne

---

(116) *Post-Scriptum*, p. 369.

vivant que sous le couvert du *On* impersonnel. Ainsi Heidegger :

> Das Selbst der Alltäglichkeit aber ist das Man, das sich in der öffentlichen Ausgelegtheit konstituiert. (117)

Le *On* remplace le *Moi* ; il me dispense d'être moi-même, il me voile l'être-soi, l'être authentique qui est pour Heidegger le *Sein zum Tode* :

> Der Tod begegnet als bekanntes innerweltliches Ereignis. Als solches bleibt er in der für das alltäglich Begegnende charakteristischen Unauffälligkeit. (118)

Le *On* conçoit la mort comme un événement concernant autrui, un accident qui frappe précisément le *On* mais non le Moi :

> Das Sterben wird auf ein Vorkommnis nivelliert, das zwar das Dasein trifft, aber niemandem eigens zugehört. [...] Das Sterben, das wesenhaft unvertretbar das meine ist, wird in ein öffentlich vorkommendes Ereignis verkehrt, das dem Man begegnet. (119)

La fuite de la connaissance de l'être-soi de Lucien Fleurier équivaut à la fuite de la connaissance de l'être-coupable de Josef K. et à la fuite de la connaissance de

---

(117) *Sein und Zeit*, p. 252.
> Mais le Soi de la banalité quotidienne, c'est le « On » se constituant dans et par les interprétations qui ont cours publiquement.
> Trad. Henry Corbin dans Martin Heidegger : *Qu'est-ce que la Métaphysique ? suivi d'extraits sur l'être et le temps et d'une conférence sur Hölderlin*, p. 143.

(118) *Ibid.*, p. 253.
> La mort se présente comme un événement bien connu qui se passe à l'intérieur du monde. Comme telle, la mort ne rompt pas cette absence d'imprévu qui caractérise l'ordre banal des événements quotidiens.
> *Ibid.*, p. 144.

(119) *Ibid.*
> Le fait de mourir est ainsi ramené au niveau d'un événement qui concerne bien la réalité-humaine, mais ne touche personne en propre. [...] Cette mort qui, sans suppléance possible, est essentiellement la mienne, la voici convertie en un événement qui relève du domaine public; c'est à « On » qu'elle arrive.
> *Ibid.*, p. 145.

l'être-pour-la-mort de Heidegger. L'être est toujours
inquiet de se trouver à découvert. Il est perpétuellement
en quête d'un masque afin de se réfugier dans un être-là
équivoque « étant ce qu'il n'est pas et n'étant pas ce
qu'il est » :

> Mit solcher Zweideutigkeit setzt sich das Dasein in den
> Stand, sich hinsichtlich eines ausgezeichneten, dem ei-
> gensten Selbst zugehörigen Sein-könnens im Man zu ver-
> lieren. (120)

La notion du droit que s'attribue l'homme de mauvaise
foi reparaît ainsi que l'effort pour se voiler l'être-soi ;
l'*Alltäglichkeit*, le *On*, comme le divertissement pascalien, me détournent de mon *Sein zum Tode*, c'est-à-dire
de mon être authentique :

> Das Man gibt Recht und steigert die Versuchung, das
> eigenste Sein zum Tode sich zu verdecken. (121)

La *Alltäglichkeit* inspire la tranquillité ; elle nous
rassure au sujet de la mort en nous enveloppant d'indifférence :

> Die Ausbildung einer solchen « überlegenen » Gleich-
> gültigkeit entfremdet das Dasein seinem eigensten, unbe-
> züglichen Seinkönnen. (122)

En m'adonnant à la *Alltäglichkeit* je fuis l'angoisse et

---

(120) *Sein und Zeit*, p. 253.
  Par une telle ambiguïté, la réalité - humaine, en égard au
  pouvoir-être spécifique qui appartient au Soi absolument
  propre, se met en état de se perdre dans le « On ».
  Trad. Henry Corbin dans *Qu'est-ce que la Métaphysique ?*
  p. 145.
(121) *Ibid.*, p. 253.
  Le « On » justifie et aggrave la tentation de se dissimuler à
  soi-même l'être pour la mort, cet être possédé absolument
  propre.
  Ibid., p. 145.
(122) *Ibid.*, p. 254.
  La culture d'une indifférence aussi « supérieure » rend la
  réalité humaine étrangère à son pouvoir-être propre et
  inconditionnel.
  Ibid., p. 146.

méconnais le rapport de l'être avec le nihil ; je me
réfugie à la surface du Dasein. —

L'homme qui n'ose être lui-même renonce à ce qui est
spécifiquement *sa* vérité, apparaît chez Kierkegaard et
chez Kafka. Et chez les deux auteurs la vérité subjective
est inséparable de Dieu. Heidegger et Sartre reprennent
le problème kierkegaardien de l'être inauthentique,
mais sans le mettre en rapport avec la transcendance
divine.

L'accusation de l'être inauthentique chez Sartre et
chez Kafka est souvent si mordante qu'elle aboutit à une
caricature générale du genre humain. La galerie de ta-
bleaux du musée de Bouville fixe la ridicule pantomime
du mensonge qu'est la vie de l'homme gonflé de sérieux.
Kierkegaard dit de l'homme qui a l'esprit de sérieux :

> Si l'on voulait expérimentalement présenter un tel
> homme, ce serait une satire de l'humanité. (123)

Kafka se charge de pousser cette expérience jusqu'au
bout : l'homme ayant pris sur lui de jouer la comédie
humaine tout en étant parfaitement conscient de ce qu'il
y a de faux dans sa situation est, en vérité, un singe qui,
se voyant contraint par les circonstances, s'abaisse de la
condition d'animal libre à celle de l'homme. Il a été fait
prisonnier à la Côte d'Or, enfermé dans une cage et expé-
dié sur un navire. La cage est trop petite pour lui, il ne
peut même pas s'y tenir debout. Pour la première fois de
sa vie il se trouve dans une situation sans issue. Alors
lui vient l'idée d'observer son entourage, de noter les
gestes, les faits, la manière de vivre des hommes afin de
tenter de s'y adapter, de faire comme eux. Car le seul
moyen de supporter la vie parmi les hommes, c'est
d'essayer de devenir un des leurs, de savoir jouer à être
un homme. Le singe comprend que la manière d'être des
hommes est une chose qui s'apprend ; en dirigeant alter-
nativement son attention de l'un à l'autre, on réussit à
découvrir leur secret d'être : c'est qu'ils n'ont pas de
secret ; l'un est pareil à l'autre ; ils se meuvent, ils pen-

_____

(123) *Post-Scriptum*, p. 161.

sent, ils respirent selon un code général. Pour devenir comme eux, il suffit de se quitter soi-même :

> Gerade Verzicht auf jeden Eigensinn war das oberste Gebot, das ich mir auferlegt hatte ; ich, freier Affe, fügte mich diesem Joch. (124)

Les hommes ne sont pas eux-mêmes, ils ne sont que la réalisation de la loi du *On,* ils sont tous pareils. Etre un homme équivaut à un abandon de la liberté.

L'ancien singe connaissait la liberté. Mais une fois introduit dans la sphère humaine, il prend connaissance du fait qu'il y a des êtres qui manifestent une perpétuelle nostalgie de la liberté tout en s'empressant de se soustraire à toute possibilité d'être libre. Cette nostalgie ne naît, semble-t-il, qu'après qu'on s'est débarrassé du fardeau de la liberté ; elle est nostalgie et non désir, c'est-à-dire qu'elle aspire à une valeur qu'elle a eu bien soin de placer hors d'atteinte.

Etant singe, le héros du récit a été libre, c'est-à-dire qu'il a été lui-même. Mais il est conscient que depuis qu'il est entré sur le théâtre des hommes, il a perdu définitivement sa liberté. Ce n'est pas cela qu'il cherche, ce n'est qu'une issue ; car on ne peut vivre en étranger parmi les hommes, en tant qu'Autre. Il faut être leur semblable, sinon les barreaux de la cage trop étroite vous serrent et il n'y a plus d'issue. Kafka s'exprime ainsi :

> Ich meine nicht dieses grosse Gefühl der Freiheit nach allen Seiten. Als Affe kannte ich es vielleicht und ich habe Menschen kennengelernt, die sich danach sehnen. Was mich aber anbelangt, verlangte ich Freiheit weder damals noch heute. Nebenbei : mit Freiheit betrügt man sich unter Menschen allzuoft. Und so wie die Freiheit zu den erhabensten Gefühlen zählt, so auch die entsprechende Täuschung zu den erhabensten. (125)

---

(124) *Ein Bericht für eine Akademie, Ges. Schriften* I, p. 167.
 Le premier des commandements que je m'étais dictés était justement de renoncer à toute espèce d'entêtement; moi, singe libre, je m'imposais un joug.
 Trad. A. Vialatte dans *La Métamorphose,* pp. 201/202.
(125) *Ges. Schriften* I, pp. 170/171.
 Ce n'est pas ce grand sentiment de la liberté dans tous les sens auquel je songe. Comme singe je le connaissais peut-

L'auteur évoque ici le semblant de liberté, le faux mirage que peut se créer l'homme afin de pallier l'absence de la liberté authentique qu'il craint et qu'il fuit.

> Oft habe ich in den Variétés vor meinem Auftreten irgendein Künstlerpaar an der Decke an Trapezen hantieren sehen. Sie schwangen sich, sie schaukelten, sie sprangen, sie schwebten einander in die Arme, einer trug den anderen an den Haaren mit dem Gebiss. « Auch das ist Menschenfreiheit », dachte ich, « selbstherrliche Bewegung ». Du Verspottung der heiligen Natur ! Kein Bau würde standhalten vor dem Gelächter des Affentums bei diesem Anblick. (126)

Le singe est supérieur à l'homme par le fait qu'il est singe, c'est-à-dire qu'il est lui-même ; et il se rit de l'homme qui se fuit lui-même, il se rit de la singerie humaine.

Ce n'est donc nullement la liberté qu'il espère trouver auprès du genre humain, « Nein, Freiheit wollte ich nicht. Nur einen Ausweg » (127) ; et il s'applique à devenir un homme :

> Ich sah diese Menschen auf und ab gehen, immer die

être, et j'ai vu des hommes qui en éprouvent le désir. Mais, en ce qui me concerne, je n'ai jamais réclamé ni ne réclame la liberté. Avec la liberté, je le dis en passant, on se trompe souvent entre hommes. Comme la liberté compte au nombre des plus sublimes sentiments, la duperie qui y correspond passe pour sublime elle aussi.

Trad. A. Vialatte, pp. 207/208.

(126) *Ges. Schriften* I, p. 171.

J'ai souvent vu, dans des music-halls, avant mon propre numéro, des artistes travailler à des trapèzes volants. Ils s'élançaient, se balançaient, sautaient, volaient dans les bras l'un de l'autre, et l'un des deux portait son compagnon par les cheveux avec les dents. « Cela aussi, c'est la liberté humaine », pensais-je, « c'est le mouvement souverain ». O dérision de la sainte nature ! Nul bâtiment ne pourrait tenir sous le rire de la gent simienne en présence de ce tableau.

Trad. A. Vialatte, p. 208.

(127) *Ibid*

Non, ce n'était pas la liberté que je voulais. Une simple issue.

Ibid.

gleichen Gesichter, die gleichen Bewegungen, oft schien
es mir, als wäre es nur einer. (128)

C'est la figuration de l'homme dépersonnalisé, la figuration du *On* assujetti au code général :

> Nun war an diesen Menschen an sich nichts, was mich
> sehr verlockte. Wäre ich ein Anhänger jener Freiheit, ich
> hätte gewiss das Weltmeer dem Ausweg vorgezogen, der
> sich mir im trüben Blick dieser Menschen zeigte. (129)

L'être de l'homme, par conséquent, équivaut à l'être
d'un esclave. L'homme est tellement éloigné de lui-
même, il s'est nourri de tant de mensonges qu'il ne sait
plus ce que c'est que la liberté.

Kafka poursuit la satire de l'espèce humaine :
l'homme se colle contre la cage du singe ; il observe la
créature qu'il juge inférieure à lui-même, il ne peut
comprendre cette existence simple et directe :

> Er begriff mich nicht, er wollte das Rätsel meines Seins
> lösen. (130)

Il se demande comment il est possible qu'un être qui
vit dans la société des hommes et qui semble aspirer au
but de devenir lui-même un homme, puisse avoir une
apparence divergente de celle du genre humain, d'autres
goûts que l'homme, qu'il puisse répugner au breuvage
qui unit l'humanité entière dans le même délice. Et
lorsque le singe parvient enfin à imiter son modèle, à
boire comme lui de l'eau-de-vie, à prononcer des sons
humains, à accepter l'être humain, les hommes n'hési-

---

(128) *Ges. Schriften* I, pp. 172/173.
   Je voyais ces hommes aller et venir avec toujours le même
   visage, avec toujours les mêmes mouvements, il me semblait souvent qu'il n'y en avait qu'un.
      Ibid., p. 211.
(129) *Ibid.,* p. 173.
   Ces gens n'avaient rien en eux-mêmes qui me séduisît vive-
   ment. Si j'avais été partisan de la fameuse liberté dont
   nous parlions, j'aurais certainement préféré l'océan à l'issue
   qui se faisait voir dans le **trouble regard de ces hommes.**
      Trad. A. Vialatte, pp. 211/212.
(130) *Ibid.,* p. 173.
   Il ne me comprenait pas, il voulait résoudre l'énigme de mon
   être.
      Ibid., p. 213.

tent plus à le reconnaître comme un des leurs : il a
adopté leur tournure, il se conduit comme eux, il semble
penser comme eux — c'est tout ce qu'il faut pour être un
homme. Le fait que dans son essence il reste singe ne le
met pas au ban de la société.

La dérision de l'être inauthentique ne saurait être
poussée plus loin. Son apparence correcte et réglée,
après un examen attentif, découvre un noyau simiesque.
L'être-là de l'homme n'est plus qu'une immense singerie. —

Le souci de l'être véridique constitue le problème
essentiel de la pensée existentielle ; il est fondamentalement le problème de l'existence. Le néant, en tant
qu'expérience vécue, ne surgit pas seulement dans le
monde qui entoure l'homme, mais il se glisse dans l'intimité de son existence qu'il met en question : en fuyant
le néant je me sépare de moi-même, je m'engage dans la
fausse croyance jusqu'à ne plus me rendre compte de la
perte du Moi.

Chez Kierkegaard et chez Kafka, chez Heidegger et
chez Sartre nous trouvons l'évocation de la comédie dérisoire de l'homme collectif renonçant à sa liberté existentielle : c'est la pantomime du parfait moraliste, les
cabrioles de l'homme de bien, la scène du bourgeois aisé
et d'impeccable réputation, la danse du pharisien, les
grimaces de l'homme correct et soucieux de ses devoirs.
Ils accusent tous l'homme qui est comme les autres,
c'est-à-dire celui qui adopte une ligne de conduite forgée
par la généralité et qui s'en sert comme d'une sauve-
garde contre lui-même. Celui qui ose être à son existence
est nécessairement un être à part car il est marqué par
la connaissance de l'absurde.

La pensée du néant telle qu'elle est analysée dans la
philosophie existentielle, pénètre donc en tant qu'attitude significative de la conscience moderne l'œuvre de
Franz Kafka pour y figurer comme expérience fondamentale.

Elle y reste expérience pure et ne prend aucun contour
philosophique. Et cependant Sartre, en lisant les textes
de Kafka, n'a pu manquer de s'en laisser impressionner.

II. — LA LIBERTÉ

Og saaledes maa Evigheden
gjøre, fordi det at have
et Selv, at vaere et Selv,
er den største, den unendelige
Indrømmelse, der er gjort
Mennesket, men tillige
Evighedens Fordring paa ham.

KIERKEGAARD :
Sygdommen til Døden.

Il s'agirait maintenant pour Sartre et pour Kafka de pouvoir vivre par rapport au néant. Comment Sartre envisage-t-il une vie authentique en face du néant ? Comment Kafka peut-il vivre tout en ayant fait l'expérience de l'être-coupable ? L'être s'étant révélé pour ainsi dire comme une impossibilité, il suscite l'interrogation : que faire pour rendre possible d'être ? La formule kantienne *Was sollen wir tun* ? s'impose. Le faire se superpose à l'être en se glissant au premier plan du problème de l'existence. Aussi Sartre, à cette occasion, renvoie-t-il à la morale de Kant qu'il qualifie de « premier grand système éthique qui substitue le faire à l'être comme valeur suprême de l'action » (1).

Tout acte est provoqué par une « négatité » (2), c'est-à-dire par la reconnaissance d'un manque. Il doit nécessairement être intentionnel puisqu'il n'est déclenché qu'après la connaissance d'un néant à combler. « Car un acte est une projection du pour-soi vers ce qui n'est pas » (3). C'est donc la puissance néantisante du pour

(1) *L'Etre et le Néant*, p. 507.
(2) *Ibid.*, p. 508.
(3) *Ibid.*, p. 511.

soi qui est l'auteur de l'acte. La conscience est capable de s'arracher à elle-même et au monde, elle peut rompre avec son propre passé « pour pouvoir le considérer à la lumière d'un non-être et pour pouvoir lui conférer la signification qu'*il a* à partir du projet d'un sens qu'*il n'a pas* » (4). Or ce pouvoir de néantisation que possède le pour-soi et dont il se sert pour se fixer une fin, donc pour agir, c'est la liberté. Sartre conclut :

> la condition indispensable et fondamentale de toute action, c'est la liberté de l'être agissant. (5)

Par la suite il démontre le continuum que constituent le motif de l'acte, l'acte lui-même et sa fin, la structure de l'acte étant intentionnelle, puisque la conscience doit lui conférer sa valeur de motif. Cet ensemble de motif, d'acte et de fin que j'engendre, que je pourvois de valeur et que je projette hors de moi en tant que détermination de moi-même, c'est-à-dire en tant qu'idéal de mon Moi, cet ensemble me fixe en tant qu'être libre ; il est mon être et il est « moi-même comme transcendance » (6). Il en résulte que l'acte est l'expression de la liberté :

> La liberté se fait acte et nous l'atteignons ordinairement à travers l'acte qu'elle organise avec les motifs, les mobiles et les fins qu'elle implique. (7)

La liberté ne se laisse emprisonner dans aucune définition puisqu'elle est transcendance de tout être du Moi, puisque c'est par le dépassement du Moi actuel qu'elle est possibilité d'un Moi futur. La liberté « est fondement de toutes les essences, puisque c'est en dépassant le monde vers ses possibilités propres que l'homme dévoile les essences intramondaines » (8).

Le néant que l'homme surplombe — son être présente l'aspect du reflet reflétant de la néantisation — est l'origine de la liberté :

---

(4) *L'Etre et le Néant*, p. 511.
(5) *Ibid.*
(6) *Ibid.*, p. 513.
(7) *Ibid.*
(8) *Ibid.*, p. 514.

> C'est parce que la réalité-humaine *n'est pas assez* qu'elle
> est libre, c'est parce qu'elle est perpétuellement arrachée
> à elle-même et que ce qu'elle a été est séparé par un néant
> de ce qu'elle est et de ce qu'elle sera. (9)

L'homme aspire à être soi ; c'est là la limite de sa
liberté. Mais il ne peut être soi, car s'il atteignait ce but,
le processus de néantisation s'arrêterait, la conscience
se figerait dans son en-soi, la liberté, par conséquent,
serait suspendue.

> L'homme est libre parce qu'il n'est pas soi mais pré-
> sence à soi. L'être qui est ce qu'il est ne saurait être libre.
> (10)

Ma liberté me contraint donc à décider de mon être et
ma décision n'est pas indépendante de mes actes. C'est
ce que Sartre exprime par la formule : « Etre c'est se
choisir » (11).

La conception de la liberté de Kafka ne trouvant pas
un développement systématique comme celui de Sartre et
ne se laissant déduire que de ses récits et de ses aphorismes, est plus difficile à fixer. On se demande même en
pensant aux êtres traqués que sont Josef K. et le K. du
Château ou à Gregor emprisonné dans sa carcasse de
cloporte, où, dans un tel univers, la liberté pourrait
trouver place ? Et pourtant tous ces personnages, à
considérer leur angoisse, sont libres. Ils sont à la
recherche de soi, nous l'avons vu, et être soi c'est se
choisir coupable. C'est donc bien le choix qui les préoccupe et dont ils ne peuvent s'acquitter, le choix qui seul
constituera leur liberté. Kafka écrit dans son troisième
carnet :

> Erkenne dich selbst bedeutet nicht : Beobachte dich.
> Beobachte dich ist das Wort der Schlange. Es bedeutet :
> Mache dich zum Herrn deiner Handlungen. (12)

---

(9) *L'Etre et le Néant,* p. 516.
(10) *Ibid.,* p. 513.
(11) *Ibid.,* p. 516
(12) *Hochzeitsvorbereitungen auf dem Lande und andere Prosa aus
    dem Nachlass,* S. Fischer Verlag, Frankfurt a. M. 1953, p. 80.
    Connais-toi toi même ne signifie pas : Observe-toi.
    Observe-toi c'est la parole du serpent. Cela signifie :
    Erige-toi en maître de tes actions.

Kafka est ici très près de Sartre. La condamnation de l'introspection passive et sans conséquences pour la vie de celui qui l'exerce, rappelle l'attitude de Lucien. Elle ne peut aboutir qu'à la mauvaise foi. L'action par contre est invoquée comme constituant l'être-soi ; le *Mache dich zum Herrn deiner Handlungen* est bien l'expression de la liberté. Kafka, en stipulant l'acte comme l'expression de la liberté : je suis ce que je me fais, rejoint la pensée de Sartre.

Kafka dit en parlant du libre arbitre :

> Ein Mensch hat freien Willen, und zwar dreierlei : Erstens war er frei, als er dieses Leben wollte ; jetzt kann er es allerdings nicht mehr rückgängig machen, denn er ist nicht mehr jener, der es damals wollte, es wäre denn insoweit, als er seinen damaligen Willen ausführt, indem er lebt. (13)

L'homme est né libre ; il ne peut pas ne pas avoir été libre. Le choix de la vie est irrévocable.

> Zweitens ist er frei, indem er die Gangart und den Weg dieses Lebens wählen kann. (14)

Toutes les possibilités sont à ma disposition : je me fais ce que je suis. Le fondement des essences par ma liberté agissante, tel qu'il se trouve chez Sartre, est esquissé dans ces paroles de Kafka. —

Sartre précise que le choix de moi-même est toujours « le choix de moi-même dans le monde » (15) c'est-à-dire que le pour-soi en se choisissant assume sa facticité. Il ne peut se choisir qu'à travers sa facticité, par « le donné » que la liberté « a à être » (16). Sartre ne manque

---

(13) *Hochzeitsvorbereitungen auf dem Lande*, p. 118.
   L'homme a un libre arbitre à savoir de trois manières : Premièrement il était libre lorsqu'il voulait cette vie; maintenant, assurément, il ne peut plus la faire rétrograder car il n'est plus celui qui jadis la voulait, il ne pourrait le faire qu'en exécutant sa volonté d'alors, c'est-à-dire en vivant.
(14) *Ibid.*, p. 118.
   Deuxièmement il est libre pour autant qu'il peut choisir la marche et la voie de cette vie.
(15) *L'Etre et le Néant*, p. 539.
(16) *Ibid.*, p. 570.

pas d'examiner la liberté dans la situation afin de prévenir l'argument de notre impuissance. « Le coefficient
d'adversité des choses » (17) ne surgit que par nous-
mêmes ; en lui-même il est neutre ; il ne peut se manifester comme adversaire que par notre fin. C'est donc notre
liberté qui établit elle-même ses fins et ses limites. Et
elle dépend de ces limites car ce n'est que grâce à l'adversaire que la liberté peut surgir comme liberté. Pour
qu'il y ait réalisation de mon projet, c'est-à-dire de ma
liberté, « il convient que la simple projection d'une fin
possible se distingue a priori de la réalisation de cette
fin » (18). Sans fin, c'est-à-dire sans objet n'existant pas
encore, il n'y a pas de liberté. Etre libre ne signifie donc
nullement : obtenir ce qu'on a voulu, mais « se déterminer
à vouloir (au sens large de choisir) par soi-même ». (19).
Il ne peut donc y avoir de pour-soi libre que dans un
monde résistant. C'est la liberté du choix qui importe et
non la liberté d'obtenir.

> Ainsi la liberté est manque d'être par rapport à un
> être donné et non pas surgissement d'un être plein. Et si
> elle est ce trou d'être, ce néant d'être que nous venons de
> dire, elle suppose *tout l'être* pour surgir au cœur de l'être
> comme un trou. (20)

Le monde est donc motif et moyen pour le pour-soi,
motivation de sa fin projetée. Or motivation et situation
ne font qu'un. Le pour-soi se voyant engagé dans l'être
ne peut saisir le monde qui l'entoure que « comme motif
pour une réaction de défense ou d'attaque » (21) car il
est libre et par conséquent il pose sa fin par rapport à
laquelle le monde sera ou menaçant ou favorable. Ainsi
la situation est un « produit commun de la contingence
de l'en-soi et de la liberté » (22). La part de la liberté et
celle de l'existant brut ne se laisse pas discerner :

---

(17) *L'Etre et le Néant,* p. 562.
(18) *Ibid.*
(19) *Ibid.,* p. 563.
(20) *Ibid.,* p. 566.
(21) *Ibid.,* p. 568.
(22) *Ibid.*

il n'y a de liberté qu'en situation et il n'y a de situation
qu'en liberté. (23)

Ma liberté reste donc limitée par la contingence de
mon existence.

La liberté de Kafka est très lourdement contrainte par
la contingence. Ses personnages luttent pour assumer
leur facticité : la situation de l'accusé innocent, de
l'arpenteur nommé mais non appelé, du commis-
voyageur transformé en cloporte présente un aspect de
scandale dont l'acceptation est au fond impossible — et
pourtant les héros ont choisi leur vie. Kafka le dit pertinemment dans la fin de l'aphorisme cité plus haut :

> Drittens ist er frei, indem er als derjenige, der einmal
> wieder sein wird, den Willen hat, sich unter jeder Beding-
> ung durch das Leben gehen und auf jede Weise zu sich
> kommen zu lassen, und zwar auf einem wählbaren, aber
> jedenfalls derartig labyrinthischen Weg, dass er kein
> Fleckchen dieses Lebens unberührt lässt. (24)

L'auteur ici semble faire allusion à l'angoisse de la
liberté qui nous place devant le labyrinthe de la vie sans
nous donner de signe indicateur. Kafka s'exprime encore
plus clairement :

> Dein Wille ist frei, heisst : er war frei, als er die Wüste
> wollte, und ist frei, da er den Weg zu ihrer Durchquerung
> wählen kann, er ist frei, da er die Gangart wählen kann,
> er ist aber auch unfrei, da du durch die Wüste gehen
> musst, unfrei, da jeder Weg labyrinthisch jedes Fussbreit
> Wüste berührt. (25)

---

(23) *L'Etre et le Néant*, p. 569.
(24) *Hochzeitsvorbereitungen auf dem Lande*, p. 118, cf. ci-dessus
  p. 202 note 13 et p. 202 note 14.
  Troisièmement il est libre pour autant que, étant celui qui un
  jour sera de nouveau, il a la volonté de s'abandonner à tout
  prix à la vie et de se laisser venir à soi-même et cela sur
  une route choisie, mais de toute manière si « labyrin-
  thique » qu'elle ne laisse intacte aucune fraction de cette
  vie.
(25) *Ibid.*, pp. 117/118.
  Ta volonté est libre signifie : elle était libre lorsqu'elle optait
  pour le désert, elle est libre parce qu'elle peut choisir la
  voie pour le parcourir, elle est libre parce qu'elle peut choisir
  sa démarche ; mais elle est aussi esclave parce que tu es
  obligé de parcourir le désert, esclave parce que chaque voie,
  comme un labyrinthe, touche chaque pouce de désert.

C'est bien le choix existentiel : choix de la vie, fondement des essences, nécessité d'agir d'une manière autonome et limitation de la liberté par la contingence ; c'est la liberté de Sartre qui ne peut être qu'en situation. Le désert est le symbole de la vie et de ses souffrances : se choisir c'est s'engager dans l'incertitude.

La situation comme condition de la liberté, pour chaque individu, est unique : « chaque personne ne réalise qu'une situation : la *sienne* » (26). C'est de moi seul que ma situation reçoit sa signification, et en même temps elle est « concrète », c'est-à-dire qu'elle me révèle un monde qui est mon monde à moi et dans lequel je puis seul me réaliser moi-même. Sartre trouve chez Kafka cette singularité et cette unicité de la situation de l'homme libre :

> La situation, étant éclairée par des fins qui ne sont elles-mêmes pro-jetées qu'à partir de l'*être-là* qu'elles éclairent, se présente comme éminemment *concrète*. Certes, elle contient et soutient des structures abstraites et universelles, mais elle doit se comprendre comme le *visage singulier* que le monde tourne vers nous, comme notre chance unique et personnelle. On se souvient de cet apologue de Kafka : un marchand vient plaider son procès au château; un terrible garde lui barre l'entrée. Il n'ose passer outre, attend et meurt en attente. A l'heure de mourir, il demande au gardien : « D'où vient que j'étais seul à attendre ? » Et le gardien lui répond : « Cette porte n'était faite que pour toi. » Tel est bien le cas du pour-soi, si l'on veut bien ajouter qu'en outre, *chacun se fait sa propre porte.* (27)

Le tragique du héros kafkaïen consiste dans son impuissance à accomplir le choix absolu, à réaliser sa situation et à assumer *son* monde à lui. Ou peut-être est-ce précisément sa situation que d'attendre, que d'entrevoir la Loi ou le Juge, mais de ne pas y parvenir. — Sartre souligne en outre la fragilité de mon choix, vu la liberté que celui-ci présume : le pour-soi, grâce à sa liberté, ne se laissera guère figer dans son être-en-soi :

---

(26) *L'Etre et le Néant*, p. 635.
(27) *Ibid.*

Du seul fait que notre choix est absolu, il est *fragile*,
c'est-à-dire qu'en posant par lui notre liberté, nous posons
du même coup sa possibilité perpétuelle de devenir un
en-deçà passéifié pour un au-delà que je serai. (28)

Le passé du pour-soi est en sursis, son présent est une
attente et son futur un libre projet parce que l'être-pour-
soi est cet être qui « n'est pas ce qu'il est et qui est ce
qu'il n'est pas ». Le caractère sursitaire du passé
exprime « l'aspect pro-jectif et « en attente » qu'*avait* la
réalité humaine avant de tourner au passé » (29). La
liberté ne peut être que dans l'attente et dans le sursis.
Le sens du passé, du présent et du futur dépend « d'un
néant absolu, c'est-à-dire d'un libre projet qui n'est pas
encore » (30). Ma vie est ainsi une perpétuelle attente,
ma liberté est toujours en état de devenir, le choix doit
toujours être renouvelé. Sartre, en lisant Kafka, sent
cette perpétuelle attente dans l'attitude des héros,
attente soit devant le tribunal, soit devant les portes du
Château ou devant celles de la Loi :

C'est certainement une des significations que « le procès » de Kafka tente de mettre au jour, ce caractère perpétuellement *processif* de la réalité humaine. Etre libre,
c'est être perpétuellement *en instance de liberté*. (31)

Je ne suis jamais arrivé, je suis toujours en état processif. La liberté de Sartre, comme celle de Kafka, porte
ce caractère d'attente et de sursis. —
Mais il y a pourtant un point essentiel où la liberté de
Kafka diffère de celle de Sartre. Etre soi, c'est se choisir
coupable, disions-nous au sujet de Kafka. Or la notion
de culpabilité renvoie à une autorité de laquelle dépend
le jugement du bien et du mal, à une Loi. Le choix de
moi-même ne pourra donc s'effectuer indépendamment
de la Loi : dès que je pose mon essence, je me place en
rapport avec cette dernière instance dont la validité
absolue existe en-dehors de moi. L'être-soi se fonde sur

---

(28) *L'Etre et le Néant*, p. 543.
(29) *Ibid.*, p. 583.
(30) *Ibid.*
(31) *Ibid.*

ce rapport. C'est ainsi que Kafka, après avoir posé
l'action comme déterminative de la liberté, continue :

> Nun bist du es aber schon, bist Herr deiner Handlun-
> gen. Das Wort bedeutet also : Verkenne dich ! Zerstöre
> dich ! also etwas Böses — und nur wenn man sich sehr
> tief hinabbeugt, hört man auch sein Gutes, welches lautet :
> « Um dich zu dem zu machen, der du bist ». (32)

Le faire implique donc un renoncement au mal ainsi
qu'une destruction de mon Moi coupable qui me mènera
à Dieu et qui créera le rapport conditionnant l'être-soi.
Il dépend de ma volonté que ma vie soit placée sous le
commandement du Bien ou du Mal. Mon choix seul
m'indiquera mon chemin et mettra, si je le veux, mon
existence en rapport avec la Loi transcendante.

Le choix de l'homme de Sartre est parfaitement original, ou du moins arbitraire, tandis que le choix de Kafka
doit nécessairement être en rapport avec la Loi. Le
nietzschéisme de Sartre dans *Les Mouches* et l'idéalisme
de la valeur que suppose la liberté dans *L'Etre et le
Néant* sont étrangers à la pensée de Kafka. En revanche
la stipulation d'une liberté que l'homme est condamné à
exercer ainsi que l'angoisse de l'homme libre qui fait
qu'il sait qu'il a à exercer sa liberté, forment un lien spirituel entre Sartre et Kafka. Mais la conception de
Kafka pour qui se choisir comme libre c'est librement
choisir le Bien qui est la conception du réalisme théolo-
gique de la valeur, n'existe pas chez Sartre. Elle se rapproche plutôt de celle du choix de l'homme éthique de
Kierkegaard.

Le choix kafkaïen du Bien vise le rapport entre la
liberté et la transcendance divine, rapport qui conditionne le choix existentiel. Kafka ne nous donne que peu
de lumières à ce sujet. Seuls des aphorismes répartis çà
et là dans ses carnets, le recueil de réflexions intitulé

---

(32) *Hochzeitsvorbereitungen auf dem Lande*, p. 80.
  Mais voilà que tu l'es déjà, tu es maître de tes actions. La
  parole signifie donc : Méconnais-toi ! Détruis-toi ! donc quelque chose de mal — et seulement si l'on se penche très bas
  on entendra aussi le bien qu'elle implique : « Pour te faire
  celui que tu es ».

Méditations et des passages de son *Journal* y font allusion. — Kafka dit dans un de ses aphorismes :

> Der Mensch kann nicht leben ohne ein dauerndes Vertrauen zu etwas Unzerstörbarem in sich, wobei sowohl das Unzerstörbare als auch das Vertrauen ihm dauernd verborgen bleiben können. Eine der Ausdrucksmöglichkeiten dieses Verborgenbleibens ist der Glaube an einen persönlichen Gott. (33)

L'indestructible ou le principe du Bien qu'est Dieu porte l'existence de l'homme. Il n'y a d'existence qu'en tant qu'elle est un être en Dieu. — Et un autre aphorisme :

> Das Wort « sein » bedeutet im Deutschen beides : Dasein und Ihmgehören. (34)

Exister s'égale donc à *Ihmgehören,* à être en Dieu. Kafka atteint ici une intériorité qu'il ne confesse que très rarement et dont on ne trouve la trace que dans ses écrits intimes. Le problème essentiel pour lui consiste apparemment dans la possibilité de ce rapport personnel avec Dieu. Comment faire pour venir à Dieu ?

Il semble que la foi soit la seule voie d'accès pour atteindre ce but. Croire en Dieu, c'est être en Dieu, c'est donc exister. Kafka s'exprime ainsi :

> Glauben heisst : das Unzerstörbare in sich befreien, oder richtiger : sich befreien, oder richtiger : unzerstörbar sein, oder richtiger : sein. (35)

Croire équivaut à la libération de l'élément indestruc-

---

(33) *Hochzeitsvorbereitungen auf dem Lande,* p. 44.
  L'homme ne peut pas vivre sans la confiance durable en quelque chose d'indestructible qu'il porte en lui tout en n'ayant jamais eu la révélation ni de cet indestructible ni de la confiance. Une possibilité d'expression de cette non-révélation c'est la foi en un Dieu personnel.

(34) *Ibid.*
  Le mot « être », en allemand, signifie à la fois : être-là et être à lui.

(35) *Ibid.,* p. 89.
  Croire signifie : libérer l'indestructible qu'on porte en soi, ou mieux : se libérer, ou mieux : être indestructible, ou mieux : être.

tible qui est inhérent à l'homme, libération que Kafka appelle *dich zu dem machen, der du bist*. Croire signifie *sein* au sens de *selbst sein;* l'être authentique est fondé sur la foi ou sur l'appartenance à plus que lui.

Nous en arrivons ainsi à l'équation : être, c'est être coupable ; être c'est être en procès, c'est se détruire afin d'arriver à l'indestructible ; être c'est être en Dieu, finalement être c'est être en état de foi.

Ce mouvement de pensée, Kafka ne fait que l'esquisser. Le rapport avec la transcendance est toujours au centre de ses recherches ; il est le but de tous ses efforts. Il en parle tantôt comme de quelque chose de sacré dont dépend le bonheur de sa vie, quand il dit par exemple :

> Glück aber nur, falls ich die Welt ins Reine, Wahre, Unveränderliche heben kann. (36)

Et tantôt, dans ses récits surtout, il nous montre ce même rapport dans un éclairage bizarre en insistant sur son côté absurde. —

Pour éclairer mieux encore le lien de pensée qui sur la liberté unit Sartre à Kafka, il convient de nouveau de l'examiner par rapport à Kierkegaard. Sartre et Kafka, sur certains points essentiels, se fondent sur la pensée de Kierkegaard.

Kierkegaard déjà rattachait la liberté à la notion de choix et faisait dépendre du choix la personnalité de l'homme, comme le feront après lui Kafka et Sartre. Le choix fonde l'être-soi ; nul homme ne peut se soustraire au choix existentiel. Le choix est absolu comme il le sera plus tard pour Kafka et pour Sartre, et l'absolu c'est moi-même. Le choix absolu ne peut dont être que le choix de moi-même. Le moi-même que Kierkegaard appelle *le soi-même* c'est « ce qui est à la fois le plus abstrait et le plus concret — c'est la liberté » (37).

Kierkegaard implique la contingence dans le choix ;

---

(36) Max BROD : *Franz Kafka*, p. 7.
    le bonheur uniquement si je peux porter
    le monde au pur, au vrai, à l'immuable.
(37) *Ou bien... Ou bien...* traduit du danois par F. et O. Prior et
    M. H. Guignot, Gallimard, 1943, p. 506.

c'est, comme le voudront également Kafka et Sartre, à travers sa facticité déjà que selon lui l'homme se choisit :

> Ce qu'il y a d'enviable dans la vie d'un homme, c'est qu'on peut venir en aide à la Divinité, qu'on peut la comprendre, c'est qu'en liberté on assimile tout ce qui vous échoit, les choses heureuses aussi bien que les choses tristes. (38)

Le choix kierkegaardien est donc concret, la liberté ne pouvant se réaliser qu'en situation.

Kierkegaard, par son choix, place la subjectivité au centre de sa méditation. C'est le *Je* choisissant, non l'objet qu'on choisit qui fait la vérité. Kierkegaard conclut :

> que la vérité est la transformation du sujet en lui-même, (39)

ou en d'autres termes :

> La subjectivité est la vérité ; la subjectivité est la réalité. (40)

Il est évident que l'être subjectif et le choix personnel jouent un rôle aussi primordial chez Kafka que chez Sartre : les deux auteurs ici se basent sur Kierkegaard.

La subjectivité ainsi fondée sur le choix personnel est parfaitement seule. Le chemin qu'elle a à suivre ne peut être parcouru que par elle, il ne peut être que sien :

> Le développement de la subjectivité religieuse a, en effet, la propriété remarquable que le chemin s'ouvre devant l'individu particulier et se referme derrière lui. (41)

Kierkegaard affirme la solitude absolue de l'être existant, solitude dont témoignent les héros de Kafka et ceux de Sartre.

Ainsi pour Kierkegaard, et après lui pour Kafka et

---

(38) *Ou bien... Ou bien...*, p. 532.
(39) *Post-Scriptum*, p. 24.
(40) *Ibid.* p. 230.
(41) *Post-Scriptum*, p. 44.

pour Sartre, mon choix c'est mon chemin. La liberté
consiste dans le fait de trouver la vérité dans la décision
existentielle. La vérité c'est ce que je suis comme ayant à
l'être,

> parce que la décision portant sur la vérité réside dans la
> subjectivité. (42)

dit Kierkegaard ; et Kafka :

> Nicht jeder kann die Wahrneit sehen, aber sein. (43)

Kierkegaard accuse sévèrement l'homme qui cherche à
se soustraire à l'angoisse de la liberté et au choix. Kafka
et Sartre feront de même. Les tièdes de l'Apocalypse
(44), ceux qui n'osent être ni chauds ni froids, Kierkegaard les appelle des « individualités qui ratent » (45),
Kafka en prenant ses personnages parmi des êtres
n'ayant pas forgé leurs valeurs et reculant devant la
décision du choix évoque et blâme implicitement ce que
Sartre appellera « l'esprit de sérieux ».

La « vérité » de Kierkegaard, c'est la vérité existentielle comme elle trouve sa figuration poétique dans
l'œuvre de Kafka et comme elle reparaît chez Sartre :

> ce n'est pas la vérité qui est la vérité, mais c'est la voie
> qui est la vérité, c'est-à-dire que la vérité n'est que dans
> le devenir, dans le processus de l'appropriation, et
> qu'ainsi il n'y a pas de résultat. (46)

Kierkegaard exprime ici ce que sera « le procès » de
Kafka et ce que Sartre entendra en parlant du
« caractère perpétuellement processif de la réalité
humaine » (47).

---

(42) *Post-Scriptum*, p. 144.
(43) *Hochzeitsvorbereitungen auf dem Lande*, p. 94.
    Si chacun ne peut voir la vérité, chacun peut être la vérité.
(44) *Ap. III*, 15/16 :
    Je connais tes œuvres; tu n'es ni froid ni bouillant.
    Plût à Dieu que tu fusses froid ou bouillant !
    Ainsi, parce que tu es tiède, et que tu n'es ni froid
    ni bouillant, je te vomirai de ma bouche.
(45) *Post-Scriptum*, p. 152.
(46) *Ibid.*, p. 51.
(47) *L'Etre et le Néant*, p. 583.

Kafka et Sartre, pour plusieurs points capitaux de
leur pensée concernant la liberté et le choix, s'inspirent
donc de Kierkegaard. —

Mais même là-dessus — nous l'avons déjà signalé —
la pensée de l'auteur tchèque ne manque pas de montrer
des divergences avec l'existentialisme français : le choix
de Kafka conçu comme le choix du Bien et le rapport
personnel avec Dieu constituant le choix absolu.

Cette conception spécifiquement religieuse inhérente à
la pensée de Kafka renvoie encore à Kierkegaard.
Enten/Eller pose la notion du choix éthique qui se distingue du choix ontologique de *L'Etre et le Néant*,
l'éthique sartrienne de la liberté — éthique où Sartre
semble appelé à montrer que la liberté trouve sa fin et
son moyen dans la libération d'autrui — n'étant pas
encore écrite. Choisir, pour Kierkegaard, c'est choisir
entre le Bien et le Mal :

> Le seul « ou bien-ou bien » absolu qui existe est le
> choix entre le bien et le mal, mais ce choix aussi est
> absolument éthique. (48)

Le choix kierkegaardien n'est pas en premier lieu un
choix du Bien, mais tout d'abord la connaissance de
l'opposition du Bien et du Mal et la soumission à
celle-ci. Toute médiation des contraires signifierait une
abolition du choix. Kierkegaard oppose ici la pensée
philosophique à la liberté, la pensée étant la sphère de
la médiation spéculative de tous les contraires tandis
que la liberté ne peut se réaliser sans les contraires : il
lui faut exclure et accepter, elle doit pouvoir choisir
afin d'être libre. Le choix ne transforme pas l'homme,
la personnalité « ne devient pas autre que ce qu'elle
était déjà, mais elle devient elle-même » (49).

Outre l'alternative éthique du Bien et du Mal appa-
rentant Kafka à Kierkegaard et l'éloignant de Sartre,
la notion de culpabilité qui détermine le choix kafkaïen
se fonde également sur Kierkegaard. Kierkegaard se
choisit dans le repentir, c'est-à-dire qu'il se choisit cou-

----

(48) *Ou bien... Ou bien...*, p. 472.
(49) *Ibid.*, p. 479.

pable : « car ce n'est qu'ainsi qu'il peut se choisir lui-
même au sens absolu » (50). Il se choisit dans le repentir
par rapport à Dieu ; par conséquent son choix ne peut
être absolu qu'en tant qu'il est choix de son être
coupable : dans la contrition il se choisit en Dieu.

Kierkegaard fait la réflexion que le Juif n'a jamais su
effectuer le choix absolu parce qu'il ne peut se choisir
dans le repentir. Au lieu d'assumer sa culpabilité et de
se choisir coupable en revendiquant aussi la faute de ses
ancêtres, il succombe à la connaissance de sa culpabilité.
Cette réflexion pourrait très bien éclairer l'échec des
héros de Kafka qui, tous, se dérobent à eux-mêmes.

Le choix de l'être-coupable renvoie au problème du
rapport de l'homme avec la transcendance, problème
capital de la pensée de Kafka. L'importance que Kafka
attribue à la foi comme étant la seule voie de communication entre l'homme et Dieu rappelle non le Kierkegaard du stade éthique, mais bien celui qui proclame le
règne de l'abolition du temps, celui de l'adhésion au
Paradoxe. Kierkegaard, au cours de sa grande méditation sur le chapitre vingt-deux de la Genèse, faisant le
portrait du chevalier de la foi, décrit le mouvement de
la foi :

> Il s'est infiniment résigné à tout pour tout ressaisir en
> vertu de l'absurde. Il fait constamment le mouvement de
> l'infini, mais avec une telle précision et sûreté qu'il en
> obtient sans cesse le fini sans qu'on soupçonne une se-
> conde autre chose. (51)

Le choix est donc fini par le fait que je me choisis moi-
même dans ma situation, et il est infini par le fait que,
par ma foi, je me mets en rapport avec Dieu. Croire
c'est croire « en vertu de l'absurde » (52).

L'Absurde pousse à penser que l'on aspire à quelque
chose d'irréalisable dont la réalisation se projette sur
l'infini. Je ne peux donc croire qu'en me résignant.

---

(50) *Ou bien... Ou bien...*, p. 507.
(51) *Crainte et Tremblement*, traduit du danois par P.-H. Tisseau,
      Aubier, Editions Montaigne, Paris, 1946, p. 57.
(52) *Ibid.*

L'Absurde ne peut être saisi que dans la foi. Croire c'est
croire à la possibilité de l'impossible en vertu de
l'Absurde. La foi est ainsi le paradoxe de l'être-là ; elle
commence où la pensée finit. Kierkegaard quitte ici le
palier éthique qui est celui du général pour diriger son
attention sur la notion de « l'Individu » :

> La foi est justement ce paradoxe suivant lequel l'Indi-
> vidu est comme tel au-dessus du général, est en règle
> vis-à-vis de celui-ci, non comme subordonné, mais comme
> supérieur, toutefois, qu'on le remarque, de telle manière
> que c'est l'Individu qui, après avoir été comme tel subor-
> donné au général, devient alors par le général l'Individu
> comme tel supérieur à celui-ci; de sorte que l'Individu
> comme tel est dans un rapport absolu avec l'absolu. (53)

La foi est placée au-dessus de la morale: le cas d'Abraham fournit la preuve de la suspension téléologique de
toute valeur éthique dans l'acte de foi. Abraham agit en
vertu de l'Absurde. Du point de vue éthique il est à
condamner, car son acte est en dehors de l'ordre éthique.
Il n'agit pas selon une idée morale générale, il n'agit
pas afin de sauver l'honneur de tout un peuple par
exemple, comme le fit Agamemnon en sacrifiant Iphigé-
nie ; il agit pour l'amour de Dieu qui équivaut à l'amour
de soi. Son acte n'est qu'une preuve de sa foi. Le rapport
avec Dieu offre un aspect tout à fait personnel, privé
pour ainsi dire et ne pourra guère s'accorder avec la
morale. L'acte de foi est injustifiable et celui qui
l'accomplit ne peut pas l'expliquer puisque l'Absurde est
inexplicable ; il ne lui reste qu'à agir et qu'à se taire.

Kafka, on le sait, a été profondément frappé par cette
méditation de Kierkegaard sur le cas d'Abraham. L'épisode d'Amalia et de Sortini dans *Le Château* en est la
reprise. Sartre lui-même me confiait qu'on ne saurait
interpréter ce passage de Kafka que dans un sens kierkegaardien. Aussi la parenté d'esprit et la figuration dramatique de l'expérience de l'Absurde chez les deux
auteurs nous poussent-elles à faire le rapprochement.
Abraham a accompli ce que n'a osé Amalia. Kierkegaard

---

(53) *Crainte et Tremblement*, pp. 85/86.

est le prophète de l'Absurde transcendant ; Kafka est
l'auteur qui a su donner l'expression poétique à la lutte
entre l'homme et ce même Absurde.

Kafka est ici en communion directe avec Kierkegaard :
même conscience, chez les deux auteurs, de leur pecca-
bilitas, même mystère de la foi, même condamnation
radicale de toute approche rationaliste de Dieu. La
parole de Kafka :

> Früher begriff ich nicht, warum ich auf meine Frage
> keine Antwort bekam, heute begreife ich nicht, wie ich
> glauben konnte, fragen zu können. Aber ich glaubte ja gar
> nicht, ich fragte nur, (54)

ne saurait être plus kierkegaardienne. Et dans l'aphorisme :

> Wer sucht, findet nicht, aber wer nicht sucht, wird ge-
> funden, (55)

Kafka se place sur le point extrême d'un au-delà de
toute conception morale et de tout effort de la raison où
les peines et les mérites ne comptent plus. C'est l'état
d'abandon absolu à Dieu propre à certains personnages
de Dostoïevski qui, malgré eux, et se trouveraient-ils
dans la perdition la plus sombre, *sont trouvés*. « Vous
me chercherez, et vous ne me trouverez point » (56), dit
Jésus-Christ, ou encore : « Qui veut gagner sa vie la
perdra » (57).

Kafka, ici, est aussi près de Kierkegaard qu'il est loin
de Sartre. La mystique de la communion directe avec
Dieu par la foi, propre à la religion subjective de Kierke-

---

(54) *Hochzeitsvorbereitungen auf dem Lande,* p. 87.
  Autrefois je ne comprenais pas que mes questions n'obtinssent
  pas de réponse. Aujourd'hui je ne comprends pas que j'aie
  pu croire possible de poser des questions. Or, je ne croyais
  rien, je ne faisais que questionner.
     Trad. P. Klossowski dans Franz Kafka : *Journal intime,*
     Grasset, 1945, p. 256.
(55) *Hochzeitsvorbereitungen auf dem Lande,* p. 94.
  Qui cherche ne trouve pas, mais qui ne cherche est trouvé.
     Trad. P. Klossowski, p. 300.
(56) *Saint-Jean,* VII, 34.
(57) *Saint-Jean,* XII, 25.

gaard et de Kafka, n'a que faire dans l'univers athée de
Sartre.

Remarquons néanmoins que Kafka, si passionnée que
fût sa tentative d'imiter cette approche individuelle de
la créature vers son Dieu, n'a pas manqué, dans certaines occasions, de s'en méfier, de la craindre, comme
le font les personnages de ses récits. — Kierkegaard,
outre les souffrances causées par l'Absurde, témoigne
d'une sorte d'exaltation qui lui vient du risque de quitter
le rivage sûr de la pensée pour s'engager dans le domaine
de la passion. Car la foi est une passion. Le paradoxe
qui porte le caractère de l'Absurde est comme un sommet où l'esprit perd le sol. Kierkegaard dit dans ses
Miettes philosophiques :

> ... le paradoxe est la passion de la pensée et le penseur
> sans paradoxe est comme l'amant sans passion : un type
> médiocre. La puissance la plus élevée de toute passion
> c'est bien la volonté de sa propre perte; et ainsi la su-
> prême passion de la raison c'est de vouloir le scandale
> bien que le scandale, d'une manière ou d'une autre, soit
> nécessairement sa perte. C'est donc là le suprême para-
> doxe de la pensée de découvrir quelque chose qu'elle ne
> peut pas penser elle-même.

Kafka ne connaît pas cette passion de la foi. Et il se
méfie de l'exaltation de la subjectivité chez Kierkegaard.
Il dit au sujet de Kierkegaard :

> Es ist so, wie wenn das Hin und Her zwischen Allge-
> meinem und Einzelnem auf der wirklichen Bühne stattfän-
> de, dagegen das Leben im Allegemeinen nur eingezeichnet
> würde auf der Hintergrundskulisse. (58)

Kierkegaard, dit Kafka, écarte avec « le général » (qui
est la sphère éthique) la réalité de la vie. Le monde ne
suffit plus à Abraham, il fuit dans l'éternité sans plus

---

(58) *Hochzeitsvorbereitungen auf dem Lande*, p. 124.
   Tout se passe comme si le va et vient entre le général et le
   particulier avait lieu sur la scène réelle, cependant que la
   vie dans le général ne serait inscrite que sur la toile de
   fond.
         Trad. P. Klossowski dans Franz Kafka : *Journal intime*,
      p. 313.

se soucier du fait qu'il est un être qui a pris racine dans
la réalité générale de la vie. Kafka, malgré sa conception
existentielle de la singularité de l'individu, n'ose suivre
jusqu'au bout l'idée audacieuse de la subjectivité kierkegaardienne qui, à elle seule, fait contrepoids au monde
entier et à ses valeurs. — Comment Abraham peut-il
prétendre qu'il est appelé par Dieu pour commettre un
acte que Dieu lui-même a proscrit ? Comment peut-il
avoir la certitude que c'est précisément *lui* qui est
appelé, comment ose-t-il admettre un rapport aussi particulier et aussi étrange entre Dieu et lui ? Kafka écrit à
son ami Robert Klopstock :

> Aber ein anderer Abraham. Einer, der durchaus richtig
> opfern will und überhaupt die richtige Witterung für die
> ganze Sache hat, aber nicht glauben kann, dass er gemeint
> ist, er, der wirklich alte Mann, und sein Kind, der
> schmutzige Junge. Ihm fehlt nicht der wahre Glaube,
> diesen Glauben hat er, er würde in der richtigen Verfas-
> sung opfern, wenn er nur glauben könnte, dass er gemeint
> ist. Er fürchtet, er werde zwar als Abraham mit dem
> Sohne ausreiten, aber auf dem Weg sich zu Don Quichotte
> verwandeln. [...] Ein Abraham, der ungerufen kommt !
> Es ist so, wie wenn der beste Schüler feierlich am Schluss
> des Jahres eine Prämie bekommen soll und in der
> erwartungsvollen Stille der schlechteste Schüler infolge
> eines Hörfehlers aus seiner schmutzigen letzten Bank
> hervorkommt und die ganze Klasse losplatzt. Und es ist
> vielleicht gar kein Hörfehler, sein Name wurde wirklich
> genannt, die Belohnung des Besten soll nach der Absicht
> des Lehrers gleichzeitig eine Bestrafung des Schlechtesten
> sein. Schreckliche Dinge — genug. (59)

(59) *Tagebücher und Briefe,* Verlag Mercy, Prag, 1937, pp. 315/316.
  Mais un autre Abraham. Un autre Abraham qui voudrait son
  sacrifice conforme aux règles et qui aurait le sens de toute
  cette affaire, mais qui ne parviendrait pas à croire qu'il a
  été choisi lui, ce vieil homme avec son enfant, ce gamin
  crasseux. La foi véritable ne lui fait pas défaut; cette foi,
  il l'a, il sacrifierait dans la meilleure disposition si seulement il parvenait à croire que c'est lui qui a été choisi.
  Sans doute est-il Abraham, cet homme qui chevauche avec son
  fils en selle, mais ce qu'il craint c'est d'être métamorphosé
  tout à l'heure en Don Quichotte. Abraham s'avancerait non
  appelé ! Ainsi à la fin de l'année, lorsque le meilleur élève
  s'apprête à recevoir solennellement un prix et que, dans un

Comment l'homme ose-t-il prétendre à un rapport
privé avec Dieu, rapport qui le place en dehors du code
moral, en dehors du « général » ? Kafka est tourmenté
par le doute de la justification de ce rapport; il craint
de s'avancer sans être appelé. Et pourtant l'appel personnel de Dieu est bien l'objet de tous ses écrits. Il le
désire et le craint en même temps; tous ses héros y
aspirent et tous le fuient. Le « Josef K. » retentissant
dans la cathédrale obscure signifie l'appel personnel qui
ne peut s'adresser qu'à Moi. Il se répète dans tous les
récits de Kafka, mais le héros n'ose pas y répondre. Il
hésite à faire le saut décisif, il persiste dans son attente
angoissée jusqu'à ce que, au moment même de sa mort,
il entende les paroles significatives :

> Hier konnte niemand sonst Einlass erhalten, denn
> dieser Eingang war nur für dich bestimmt. Ich gehe jetzt
> und schliesse ihn. (60)

En lisant Kierkegaard, Kafka se sent pris par une
espèce de charme fondé moitié sur la logique kierkegaardienne moitié sur l'incantation spirituelle. Il dit de
Kierkegaard :

> Neben seiner Beweisführung geht eine Bezauberung mit.
> Einer Beweisführung kann man in die Zauberwelt aus-
> weichen, einer Bezauberung in die Logik, aber beide
> gleichzeitig erdrücken, zumal sie etwas Drittes sind, le-
> bender Zauber oder nicht zerstörende, sondern aufbauen-
> de Zerstörung der Welt. (61)

---

silence lourd d'attente, le cancre ayant mal entendu se lève
de son dernier banc crasseux, toute la classe éclate de rire.
Mais peut-être le cancre n'a-t-il pas mal entendu; peut-être
son nom a-t-il été réellement prononcé, la récompense du
premier s'identifiant dans l'esprit du professeur à la puni-
tion du dernier. Terribles choses — assez.

(60) *Ges. Schriften* I, p. 146.
Ici nul autre que toi ne pouvait pénétrer, car cette entrée
n'était faite que pour toi. Maintenant, je m'en vais et je
ferme la porte.
Trad. A. Vialatte dans Franz Kafka : *La Métamorphose*,
p. 158.

(61) *Hochzeitsvorbereitungen auf dem Lande*, p. 125.
Sa démonstration s'accompagne d'opération magique. On peut
échapper à une démonstration en fuyant dans le monde de
la magie, à une opération magique en fuyant dans la logique,

Il reproche à Kierkegaard de jouer simultanément le rôle du logicien et celui de l'enchanteur poétique — et pourtant il se sent pris :

> Er hat zuviel Geist, er färhrt mit seinem Geist wie auf einem Zauberwagen über die Erde, auch dort, wo keine Wege sind. Dadurch wird seine demütige Bitte um Nachfolge zur Tyrannei und sein ehrlicher Glaube, « auf dem Wege » zu sein, zum Hochmut. (62)

Kafka apparemment redoute une certaine présomption de Kierkegaard, présomption à l'égard de la grâce et, sur le plan psychologique, à l'égard de l'éclat de son propre esprit. —

Kafka reste donc plus attaché au général que Kierkegaard. Mais il place pourtant la notion de choix au premier plan comme l'a fait Kierkegaard et comme le fera Sartre. Or le choix de Sartre diffère de celui de Kierkegaard dans la mesure où son choix c'est le choix absolu de moi-même par moi alors que Kafka reste kierkegaardien aussi dans le fait que son choix de moi-même par moi est, comme celui de Kierkegaard, un choix de moi comme choisi par l'Absolu qui équivaut à un choix de l'Absolu par moi.

---

mais on peut réprimer à la fois l'une et l'autre, d'autant plus qu'elles sont une troisième chose, magie vivante ou destruction du monde qui ne détruit pas mais qui construit.
Trad. P. Klossowski, dans Franz Kafka : *Journal intime*, pp. 314/315.
(62) *Hochzeitsvorbereitungen auf dem Lande*, p. 126.
Il a trop d'esprit, avec son esprit comme sur un char enchanté il parcourt la terre même là où il n'y a point de chemins. C'est pourquoi son humble prière pour obtenir des disciples devient de la tyrannie et sa foi sincère d'être « sur la voie », de l'orgueil.
Ibid., p. 315.

III. — LE DÉSESPOIR

> Das Verlangen, die ganze und letzte
> Verantwortlichkeit für seine Hand-
> lungen selbst zu tragen und Gott,
> Welt, Vorfahren, Zufall, Gesell-
> schaft davon zu entlasten, ist näm-
> lich nichts Geringeres, als eben
> jene causa sui zu sein und, mit
> einer mehr als Münchhausen'schen
> Verwegenheit, sich selbst aus dem
> Sumpf des Nichts an den Haaren
> in's Dasein zu ziehn.
>
> NIETZSCHE,
> *Jenseits von Gut und Böse.*

Les personnages de Sartre et de Kafka qui tendent à
faire le choix absolu offrent un aspect psychologique
souvent très semblable. La conscience d'être le fondement
de son propre être et la charge de la totale responsabilité
qui en résulte font d'eux des êtres oppressés, des hommes
connaissant l'angoisse existentielle et, par conséquent,
ayant perdu l'oubli dans la vie.

> Dans l'angoisse nous ne saisissons pas simplement le
> fait que les possibles que nous projetons sont perpétuelle-
> ment rongés par notre liberté à venir, nous appréhendons
> en outre notre choix, c'est-à-dire nous-mêmes, comme
> *injustifiable*, c'est-à-dire que nous saisissons notre choix
> comme ne dérivant d'aucune réalité antérieure et comme
> devant servir de fondement, au contraire, à l'ensemble de
> significations qui constituent la réalité. (1)

Sartre souligne ici la crainte de moi-même et le senti-

_____

(1) *L'Etre et le Néant*, p. 542.

ment d'être injustifiable, deux attitudes fondamentales
des héros de Kafka. K. est en quelque sorte la figuration
de cette réflexion de Sartre : le doute ronge les personnages kafkaïens et fait d'eux ces hommes indécis et
avides d'entendre leur propre sentence de la bouche
d'autrui.

Cette incertitude et la perpétuelle exigence de maintenir ma liberté en me choisissant dans toutes les situations me mettent dans un état de suspens qui ne me
permet pas de quiétude. Le travail de destruction de la
néantisation qui ronge les possibilités à mesure que je
les réalise c'est ce jeu du reflet-reflétant dans lequel je
me suis engagé. Le monde est là, muet, dans toute son
absurdité — et je m'y installe comme un étranger : je
peux être ou ne pas être, peu importe. Antoine Roquentin
est de tous les héros de Sartre celui qui donne le plus
l'impression d'être un étranger sur terre. La parfaite
gratuité de son existence est mise en relief par l'absence
de toute obligation sociale ou professionnelle. Au début
du roman il croit encore voir la justification de son existence dans son travail intellectuel ; mais ce sens aussi
qu'il a cru donner à sa vie se révèle comme illusoire ; il
cesse d'écrire la vie de Monsieur de Rollebon. Ce manque
de fixation donne à son existence quelque chose de flot-
tant et en même temps quelque chose de désolé.

Même gratuité pour les héros de Kafka. Même solitude
stérile, même absence d'enracinement dans la communauté pour souligner l'être-de-trop dans le monde. Mais,
pour Kafka, cette vie en marge de la société comporte
aussi un reproche éthique, celui de l'incapacité de se
conformer à la Loi du général.

Le monde est un chaos muet et si je le dote d'une signification, ce n'est que par rapport à moi que je peux le
faire. La bonne foi exige que je n'oublie pas qu'une
signification valable (et elle ne sera valable que pour moi
seul) ne peut venir au monde que de ma part. Etre de
bonne foi c'est donc se maintenir dans une perpétuelle
lucidité, c'est-à-dire être toujours conscient de la contingence universelle de l'être et de son absurdité, surtout
ne se plier qu'à ses propres valeurs, ne pas oublier que

l'on est soi-même l'arbitre de ses valeurs. Dès que l'on
se remet à un espoir de stabilité et d'éternité, on est de
mauvaise foi.

La bonne foi requiert cette constante clairvoyance qui
ne permettra jamais, même un instant, de fermer les
yeux sur le néant qui est le fond de l'être. Le néant se
glisse entre moi et la valeur, me défendant ainsi d'en
faire un absolu, m'empêchant d'éterniser l'instant. Je
serai donc toujours sur mes gardes, je vivrai pour ainsi
dire à distance de la vie afin de ne pas en être dupe. Rien
n'est absolu de ce qui concerne la vie, que ce soit sur le
plan physique ou sur le plan spirituel, rien n'est absolu
que la contingence.

Le monde de l'homme de bonne volonté, celui
d'Antoine par exemple ou celui de Matthieu dans *Les
Chemins de la Liberté* est un monde sans illusions. La
connaissance de la gratuité de l'existence y est devenue
expérience vécue. Antoine, surtout, est, à la fin du
roman, un homme qui sait. Il a connu l'Absurde. Où
qu'il aille, il emporte le fardeau de cette connaissance
qui fait de lui un être parfaitement résigné et en même
temps supérieur aux autres. Muré dans sa solitude et
voyant les choses de plus haut il se divertit à observer
ceux qui n'ont pas acquis la liberté, ceux qui se plaisent
à être leurs propres dupes.

Le héros de Kafka est également lucide, mais sans
atteindre à la supériorité d'Antoine. Le sentiment d'être
injustifiable va jusqu'au complexe d'infériorité qui
l'empêche de dominer les autres par sa clairvoyance.
Mais sa lucidité n'en existe pas moins : elle le tient toujours en éveil, elle fait de lui un homme qui vit l'Absurde,
un être anxieux et toujours à la recherche de lui-même.
K. lutte pour se maintenir dans cette lucidité. Souvent
la fatigue le menace : sur le chemin qui conduit au Château il est tenté de se laisser aller et de s'endormir dans
la neige. Et dans le dix-huitième chapitre du *Château*
(chapitre qui manquait dans la première édition de
Brod) K. devient la proie de cette lassitude : il s'endort
et n'entend pas les paroles décisives que lui adresse Bür-
gel. — Le K. du *Procès* est sans cesse en lutte contre sa

fatigue. Ces êtres exsangues que sont les personnages de
Kafka dépensent toute leur force vitale pour ce souci de
garder leur lucidité. Ils sont absolument incapables de
détente :

> Unsere Kunst ist ein von der Wahrheit Geblendet-Sein :
> Das Licht auf dem zurückweichenden Fratzengesicht ist
> wahr, sonst nichts. (2)

Le souci spirituel corrompt la vie. Le visage humain, à
force de regarder la clarté, devient un masque
douloureux.

L'attitude primaire que les héros authentiques de
Sartre adoptent en face de la vie ressemble donc en certains points à celle des héros kafkaïens : l'approche de
la vie ne s'effectue qu'à travers l'expérience fondamentale de l'Absurde. La conscience de leur liberté, de leur
être-en-procès, le poids de la responsabilité qu'ils portent
en tant qu'êtres libres, l'obsession de leur gratuité les
privent de toute spontanéité. Antoine et K. n'ont pas
d'illusions, ils savent. Leur clairvoyance leur défend le
sentiment naïf ; ils ont le cœur sec et le regard averti. Ils
sont seuls, expulsés de l'ordre social, entièrement
renvoyés à eux-mêmes ; au fond ils sont foncièrement
malheureux (3).

Le désespoir de Sartre ne cause pas, apparemment, les
mêmes ravages. L'Absurde, pour Sartre, devient un élé-

---

(2) *Hochzeitsvorbereitungen auf dem Lande*, p. 46.
   Notre art, c'est d'être aveuglé par la vérité : la lumière sur le
   visage grimaçant qui recule, cela seul est vrai, et rien d'autre.
          Trad. P. Klossowski, dans Franz Kafka : *Journal intime*,
                  p. 264.

(3)
   L'ironie est le moyen, pour eux, de ne pas sombrer dans le
   désespoir. L'auteur en tant qu'artiste domine son œuvre au
   point d'y voiler l'expérience personnelle. Il arrive à l'objectiver, à se placer au-dessus d'elle en l'ironisant et en l'enveloppant de son humour noir — c'est d'ailleurs par là qu'il la
   rend accessible et valable pour tout le monde. Or l'ironie ne
   saurait voiler la profonde détresse qui émane de l'univers de
   Kafka. Cette détresse est telle que tout mouvement vital en est
   asphyxié. Les héros se laissent couler dans le désespoir. L'ironie ne leur est pas donnée comme une arme contre eux-
   mêmes comme c'est le cas pour les héros de Sartre. Elle
   fonce plutôt sur eux, venant du dehors, et ils en sont la
   proie.

ment de l'existence, élément assimilable en tant que
constitutif. L'expérience de l'Absurde reste malgré tout
vivable. Tandis que pour Kafka où l'Absurde prend un
aspect métaphysique — il est le point de rencontre de la
transcendance divine avec le fini de l'existence humaine
— il devient la cause d'un conflit insoluble. L'Absurde
prend des dimensions tellement monstrueuses que l'être
humain n'est plus capable de le vivre. Ainsi la métamorphose de Gregor Samsa, la machine infernale de *La
Colonie pénitentiaire*, la condamnation non justifiée de
Josef K., l'accueil rebutant de K. au village, etc...,
l'Absurde est poussé à son extrême limite : la vie est
un scandale.

Sartre admet qu'il y a des temps neutres et des êtres
de bonne volonté. Matthieu, Boris, les femmes des
Chemins de la Liberté sont de bonne foi ou s'efforcent
sincèrement de l'être. Les femmes surtout y réussissent,
souvent malgré elles, sans réflexion ; elles sont libres
parce que la liberté leur est donnée, par nature pour-
rait-on dire. Certaines femmes de Kafka, nous l'avons
vu, sont dans une situation analogue, situation ressem-
blant à un état de grâce. Mais elles restent inacces-
sibles !

Le monde de Sartre, malgré son désespoir, est ainsi
beaucoup plus ouvert que celui de Kafka. La détresse
ne submerge pas l'existence. L'univers de Kafka par
contre a quelque chose d'étouffé. La vie n'y est pas sup-
portable, elle n'est qu'une immense souffrance.

Cette disposition à souffrir tendant vers une espèce de
mystique de la douleur particulière à Kafka, c'était celle
que l'on avait déjà pu trouver chez Kierkegaard. Même
peur de la détente chez Kierkegaard : la contemplation
de l'œuvre d'art ou de la nature par exemple invite à
cette détente ; Kierkegaard la fuit craignant de se laisser
aller. Toute sa vie a été en tension surhumaine. De son
horreur pour tout abandon, pour le rêve, le *Verweilen* —
horreur qui rentre dans sa lutte contre tout ce qui est
« romantique » (4) — résulte également son refus de la

_____

(4) Cf. Walter REHM : *Kierkegaard und der Verführer*, München 1949,
    pp. 135 sqq.

spéculation philosophique, de la musique et de la
poésie.

Cette attitude de négation totale pour tout ce qui
concerne la vie va jusqu'à l'ascétisme. L'abdication de
la vie pendant la vie même devient une nécessité. La
marque distinctive de l'être authentique (qui est l'être
religieux pour Kierkegaard et pour Kafka) c'est la
souffrance. Elle est l'essence de l'intériorité :

> l'intériorité de l'action est la souffrance, car se transfor-
> mer lui-même l'individu ne le peut, ce ne sont jamais que
> des simagrées et c'est pourquoi la souffrance est l'action
> intérieure la plus haute. (5)

Il n'est guère possible d'orienter sa vie d'après l'infini
sans renoncer au fini. La souffrance est constitutive du
rapport avec l'infini.

La souffrance ne dépend nullement du bonheur ou du
malheur venant de la part d'un destin qui marque la
vie. Ce n'est pas le malheur qui est l'origine de la souffrance ; celle-ci est précausale, elle fait partie de l'existence. Exister c'est souffrir. La « souffrance religieuse »
comme l'appelle Kierkegaard dans son *Post-scriptum
aux Miettes philosophique* n'est pas une souffrance
extérieure, mais une lente désagrégation de mon être
vivant, la mort de mon être immédiat : « La souffrance
de mourir à l'immédiat » (6). L'être de chair et de sang,
l'être immédiat et spontané qu'est l'homme est destiné
à vivre en mourant :

> c'est ici que réside la souffrance : que l'on doive mourir
> à soi-même. (7)

Kierkegaard, avant Kafka, souffrait de l'impossibilité
de s'abandonner à la fatigue .

> Le religieux a perdu la relativité de l'immédiat, sa
> dissipation, sa façon de passer le temps — précisément sa
> façon de passer le temps; la représentation absolue de

---

(5) *Post-Scriptum*, p. 292.
(6) *Ibid.*, p. 313.
(7) *Ibid.*, p. 319.

Dieu le consume comme l'embrasement du soleil d'été
quand il ne veut pas se coucher, comme l'embrasement du
soleil d'été quand il ne veut pas lâcher prise. Mais alors
il est malade; un sommeil réparateur le réconforterait, et
dormir est une façon innocente de passer le temps. (8)

Le renoncement total au divertissement, la proscrip-
tion de celui-ci, apparentent Kierkegaard et Kafka aux
Pères de l'Eglise et à Pascal et les situent dans la
tradition religieuse. Ce renoncement est un ascétisme qui
s'égale à une véritable interdiction de vivre. Kierkegaard lui-même qualifie l'état de l'être religieux de
maladif, car il empêche l'accord de l'idée de Dieu avec
la vie terrestre :

car l'absolu n'est pas directement l'élément d'un être
fini. (9)

La maladie provient du fait que l'homme est partagé
entre sa vocation existentielle et sa donnée d'être
naturel. Kafka dit dans un fragment de son troisième
carnet :

Er ist ein freier und gesicherter Bürger der Erde, denn
er ist an eine Kette gelegt, die lang genug ist, um ihm alle
irdischen Räume frei zu geben, und doch nur so lang,
dass nichts ihn über die Grenzen der Erde reissen kann.
Gleichzeitig ist er aber auch ein freier und gesicherter
Bürger des Himmels, denn er ist auch an eine ähnlich
berechnete Himmelskette gelegt. Will er nun auf die Erde,
drosselt ihn das Halsband des Himmels, will er in den Himmel, jenes der Erde. Und trotzdem hat er alle Möglichkei-
ten und fühlt es; ja, er weigert sich sogar, das Ganze auf
einen Fehler bei der ersten Fesselung zurückzuführen. (10)

---

(8) *Post-Scriptum*, pp. 327/328.
(9) *Ibid.*, p. 327.
(10) *Hochzeitsvorbereitungen auf dem Lande*, pp. 94/95.
   Il est un citoyen de la terre, libre et assuré, car il est rivé à
   une chaîne assez longue pour lui permettre d'explorer librement tous les espaces terrestres, mais point si longue qu'il
   puisse être attiré au delà des frontières de la terre. Dans le
   même temps il est un citoyen du ciel, libre et assuré, car
   il est aussi rivé à une chaîne céleste conçue de façon simi-
   laire. Veut-il dès lors atteindre la terre, c'est le collier du
   ciel qui le retient. Veut-il atteindre le ciel, c'est celui de la

C'est bien là l'expression figurée de l'idée du paradoxe déterminant la vie de l'être existant. Le paradoxe fait de l'homme un être déchiré entre le fini et l'infini, dualisme caractéristique de la tradition judéo-chrétienne.

Kafka, en parlant de la souffrance, s'exprime souvent en termes qu'on ne saurait mieux qualifier que de kierkegaardiens :

> Das Leiden ist das positive Element dieser Welt, ja es ist die einzige Verbindung zwischen der Welt und dem Positiven, (11)

ou encore :

> Du kannst dich zurückhalten von den Leiden der Welt, das ist dir freigestellt und entspricht deiner Natur, aber vielleicht ist gerade dieses Zurückhalten das einzige Leid, das du vermeiden könntest. (12)

Ainsi la souffrance est-elle conçue comme la seule possibilité pour l'homme de vivre en Dieu. Car Dieu, pour Kierkegaard comme pour Kafka, hante l'homme dans la souffrance.

La souffrance des deux auteurs est vécue dans le désespoir total qui résulte de la certitude de rester à jamais injustifiable devant Dieu. Elle détruit la vie ; chez Kafka elle détruit même le désir de vivre. De là la pâleur et la lassitude de ses héros. Kierkegaard connaît le supplice du renoncement : « Pourtant j'aimais le monde en dépit de ma mélancolie ; mais à présent je suis

---

terre. Et néanmoins il dispose de toutes les possibilités et il le sait ; oui, il refuse même de ramener tout cela à une faute commise lors du premier enchaînement.
Trad. P. Klossowski, dans Franz Kafka : *Journal intime*, pp. 265/266.

(11) *Ibid.*, p. 108.
La souffrance est l'élément positif de ce monde, oui, elle est le seul lien de communication entre le monde et le positif.
(12) *Ibid.*, p. 117.
Libre à toi de t'écarter des souffrances de ce monde, cela répond à ta nature ; mais peut-être le fait de t'écarter est-il la seule souffrance que tu puisses éviter.
Trad. P. Klossowski, dans Franz Kafka : *Journal intime*, p. 279.

sevré » (13). Il a dû passer par le stade esthétique, il
porte en lui-même l'esthète qu'il a condamné. Kafka,
par contre est en quelque sorte né sans chair. Il est
profondément anémié, son absence de désir laisserait
croire à quelque carence d'ordre physiologique.

Kierkegaard et Kafka pratiquent un culte de la souffrance. La souffrance, à travers la destruction, attribue
à l'homme une espèce de glorification et elle constitue le
climat moyennant lequel ils soutiennent la vie.

Il faut cependant ne pas oublier que le désespoir des
deux auteurs se rapporte à Dieu et qu'il fonde la vie en
tant que vie éternelle. La certitude de vivre en Dieu est
plus sensible chez Kierkgaard — chez Kafka la conquête
de cette certitude n'est au fond jamais achevée. Kierkegaard lutte pour soutenir l'épreuve de la vie en Dieu,
Kafka est toujours à la recherche de la justification qui
ne peut être trouvée que dans cette vie en Dieu. Mais
pour les deux auteurs Dieu est le dernier point de
rapport et ainsi le fondement de leur existence.

Tandis que chez Sartre où la souffrance ne ravage pas
autant la vie immédiate, où il n'y a pas trace d'ascétisme
religieux ni de mystique de la douleur, le désespoir est
pourtant plus absolu que chez Kafka. Car Dieu et la
souffrance attestent le sens de la vie et justifient la subjectivité. Or le désespoir est plus grand chez celui qui
ne peut trouver de caution absolue et doit lui-même
convenir des valeurs comme c'est le cas de Sartre.

Le désespoir de Kafka est d'ordre religieux comme
celui de Kierkegaard. Il est orienté vers la transcendance divine à laquelle il se réunit par l'espoir. — Le
désespoir de Sartre par contre est définitif ; il est sans
issue. —

Ce que Kierkegaard appelle « mourir à l'immédiat »
cadre assez bien avec l'attitude qu'adoptent les personnages de Sartre et de Kafka en face de la vie. Ils vivent
en fixant leur regard sur la mort. Leur vie est réglée
sur l'Absurde : ce qui étouffe leur spontanéité. Kierke-

---

(13) Cf. *Buch des Richters*, Tagebücher 1833,-1855, im Auszug hg. von
Gottsched, Jena 1905, p. 56.

gaard écrit dans son *Journal* — et le passage est valable
aussi pour Sartre et pour Kafka :

> Mourir au monde signifie : tout contempler comme au
> moment de la mort, c'est-à-dire avoir la mort aussi près
> que possible. Les plaisirs les plus éblouissants et les plus
> enchanteurs — ne sera-t-il pas indifférent à l'heure de la
> mort, que tu les aies goûtés ou non ? (14)

La mort, pour les trois auteurs, c'est l'achèvement de
l'Absurde. Pour Kierkegaard elle est le seuil de l'au-delà
et par conséquent la solution du paradoxe et la fin de la
souffrance.

Kafka s'exprime moins clairement à ce sujet. Quelques
fragments de son quatrième carnet parlent de la mort
en exprimant le regret que celle-ci ne soit pas une fin
définitive, mais plutôt une continuation :

> Das Grausame des Todes liegt darin, dass er den wirkli-
> chen Schmerz des Endes bringt, aber nicht das Ende. (15)

En nous occupant de Maurice Blanchot nous avons
plus longuement examiné cette mort sans mort de
Kafka (16). — Les récits de Kafka présentent plus nettement la mort comme le summum de l'Absurde, comme
sa dernière et plus effrayante grimace. L'Absurde, avec
la mort, achève de dégrader l'homme : celui-ci est balayé
comme une ordure dans *La Métamorphose* ; la mort survient dans la vie de Josef K. comme la dernière scène
grotesque de l'absurde comédie humaine. La lutte avec
l'Absurde est terminée ici-bas ; tout essai de modification
de l'être de Josef K. est désormais impossible. La qualification de « chien » restera irrémédiablement attachée à
sa personne ; la mort le prive de toutes les possibilités.

Cette idée d'une mort qui est la confirmation de la
gratuité de notre existence, se rapproche de la conception de la mort de Sartre. L'être-pour-soi n'a d'être qu'à

---

(14) Cf. *Buch des Richters*, p. 108.
(15) *Hochzeitsvorbereitungen auf dem Lande*, p. 122.
      La mort est cruelle en ce qu'elle apporte la véritable douleur
      de la fin, mais non la fin.
(16) Cf. ci-dessus, chap. III.

venir et, par conséquent, il n'a que faire d'une fin définitive. Mais cette fin se produit pourtant et attribue ainsi
à la vie le sceau du non-sens fondamental :

> Ainsi la mort n'est jamais ce qui donne son sens à la
> vie : c'est au contraire ce qui lui ôte par principe toute
> signification. Si nous devons mourir, notre vie n'a pas de
> sens parce que ses problèmes ne reçoivent aucune solu-
> tion et parce que la signification même des problèmes
> demeure indéterminée. (17)

Le désespoir de la vie des deux auteurs se manifeste
également dans leurs relations avec autrùi. La conception de l'être-pour-autrui telle que Sartre la développe
sur le plan ontologique doit nécessairement aboutir à un
éloignement fondamental du prochain, au conflit même
avec autrui. Quand je suis seul je suis parfaitement libre,
je transcende le monde, il est mon monde à moi. Mais
dès qu'autrui apparaît le monde « se déplie à partir de
l'homme que je vois » (18), autrui intervient comme celui
« qui m'a volé le monde » (19). Il est « une décentration
du monde qui mine par en dessous la centralisation que
j'opère dans le même temps » (20).

Le lien entre Moi et autrui, chez Sartre, s'effectue, si
même c'est la voie inauthentique, en général par le
regard :

> si autrui-objet se définit en liaison avec le monde comme
> objet qui *voit* ce que je vois, ma liaison fondamentale
> avec autrui-objet doit pouvoir se ramener à ma possibilité
> permanente d'*être vu* par autrui. C'est dans et par la
> révélation de mon être-objet pour autrui que je dois pou-
> voir saisir la présence de son être-sujet. (21)

Je ne puis être objet que pour un sujet, le regard de
l'autre ne peut être pour moi que la manifestation d'un
être subjectif. Mon objectivation que je tâche toujours
d'atteindre et qui m'échappe sans cesse, s'effectue par

---

(17) *L'Etre et le Néant,* p. 624.
(18) *Ibid.,* p. 312.
(19) *Ibid.,* p. 313.
(20) *Ibid.*
(21) *Ibid.,* p. 314.

autrui-sujet. Or saisir le regard d'autrui « c'est prendre
conscience *d'être regardé* » (22). Le regard « est pur
renvoi à moi-même » (23). Par le fait d'être vu je suis
vulnérable, je suis sans défense et je ne peux m'enfuir
d'où je suis. Dans le regard d'autrui je suis ce que je
suis et je suis dans le monde qu'autrui m'a aliéné.

Le regard de l'autre peut donc, si je me laisse regarder,
me figer dans mon être-en-soi :

> Il suffit qu'autrui me regarde pour que je sois ce que je
> suis. (24)

Pour l'autre, j'ai dépouillé ma transcendance :

> l'autre, comme regard, n'est que cela : ma transcendance
> transcendée. (25)

Une des conséquences de cette aliénation de toutes mes
possibilités par le regard de l'autre c'est que je ne contrôle plus ma situation. Je vis dans un monde qui n'est
plus le mien. Ma situation, du fait de la présence de
l'autre, a pris une dimension qui m'échappe : elle
contracte un aspect que je n'ai pas voulu et dont je ne
suis pas le maître, un aspect qui est celui de moi *pour
l'autre*. Or quoiqu'il me soit foncièrement étranger il
reste pourtant le mien. C'est, comme dit Gide, « la part
du diable » de ma situation, « l'*envers* imprévisible et
pourtant réel » (26) que je suis obligé de vivre, à l'aveuglette pour ainsi dire, puisque j'en ignore le thème.
Sartre ici renvoie à Kafka chez lequel il retrouve cette
part du diable, cette imprévisibilité causée par l'apparition de l'autre :

> C'est dans cette imprévisibilité que l'art d'un Kafka
> s'attachera à décrire, dans *Le Procès* et *Le Château* : en
> un sens, tout ce que font K. et l'arpenteur leur appartient
> en propre et, en tant qu'ils agissent sur le monde, les
> résultats sont rigoureusement conformes à leurs prévi-

---

(22) *L'Etre et le Néant*, p. 316.
(23) *Ibid*.
(24) *Ibid*.
(25) *Ibid.*, p. 321.
(26) *Ibid.*, p. 324.

sions : ce sont des actes réussis. Mais, en même temps, la
vérité de ces actes leur échappe constamment; ils ont par
principe un sens qui est leur *vrai sens* et que ni K. ni
l'arpenteur ne connaîtront jamais. Et, sans doute, Kafka
veut atteindre ici la transcendance du divin; c'est pour
le divin que l'acte humain se constitue en vérité. Mais
Dieu n'est ici que le concept d'autrui poussé à la limite.
(27)

L'aliénation que respire le monde de Kafka provient
de cet Autre que je ne connais pas et qui m'impose sa
présence en me faisant vivre une dimension du monde
dont j'ignore le mot-clé. L'Autre de Kafka est l'Autre
absolu, c'est-à-dire Dieu; Sartre, athée, n'y voit que le
symbole de la puissance d'autrui dont les héros de Kafka
seraient les victimes. Les autres seraient la cause des
souffrances de K., les autres lui prépareraient ce monde
opaque où il ne peut jamais savoir où il va :

> Cette atmosphère douloureuse et fuyante du *Procès*,
> cette ignorance qui, pourtant, se vit comme ignorance,
> cette opacité totale qui ne peut que se pressentir à travers
> une totale translucidité, ce n'est rien autre que la descrip-
> tion de notre être-au-milieu-du-monde-pour-autrui. (28)

Tant que je reste dans l'inauthentique, c'est-à-dire tant
que je ne suis pas sur le plan éthique où ma liberté
dépend de mon acceptation de la liberté de l'autre, le
regard de l'autre me transforme moi-même et transforme
le monde. Je suis pour moi-même un être à venir, par
conséquent un être transparent. Mais dès que je me
trouve être en proie au regard de l'autre, les voiles tom-
bent : autrui me révèle à moi-même; je suis figé dans
mon être-en-soi.

L'autre, toujours sur le plan ontologique, est ainsi la
puissance qui peut me juger. Mes rapports avec autrui
sont fondamentalement hostiles. Je suis sujet au verdict
d'autrui et je ne peux m'en libérer qu'en devenant moi-
même regard-regardant et en faisant de l'autre un être-
objet. Autrui-juge me hante et me persécute. Je peux
toujours être vu. Autrui a le droit de regard sur moi,

---

(27) *L'Etre et le Néant*, p. 324.
(28) *Ibid.*

sur ce Moi qui est l'objet de mon éternelle recherche ; il
le tient, il le juge, il le transcende et me prive de toutes
les possibilités de le modifier. Certains personnages de
Sartre, masochistes, tel le Daniel des *Chemins de la
Liberté*, sont, comme le K. de Kafka, obsédés par le
regard de l'autre.

Autrui fait naître ma honte qui s'égale au sentiment
du péché originel. Sartre manifeste ici une véritable
parenté de pensée avec Kafka, parenté fondée sur les
récurrences protestantes de son éducation et, chez
Kafka, sur le sentiment de culpabilité inhérent au
judaïsme :

> La honte est sentiment de *chute originelle*, non du fait
> que j'aurais commis telle ou telle faute, mais simplement
> du fait que je suis « tombé » dans le monde, au milieu
> des choses, et que j'ai besoin de la médiation d'autrui
> pour être ce que je suis. (29)

Ma faute c'est donc d'être dans le monde et de ne pas
être ce que je suis. Je suis, mais je ne suis pas ce que je
suis : je suis donc coupable. Le regard de l'autre me
révèle ma culpabilité. Que l'être qui me transcende soit
mon prochain ou l'Etre divin, peu importe — à ses yeux
je suis coupable.

Sartre rejoint ici Kafka dans un des sentiments élé-
mentaires de l'humanité, sentiment qui a nourri les
grands mythes soit de l'antiquité, soit du monde biblique.
La culpabilité, dans sa pensée, est moins évidente et
moins dominante que dans celle de Kafka ; mais elle
constitue une force sous-jacente qui l'apparente étroitement à l'auteur du *Procès*.

Kafka, lui aussi, est pétrifié par le regard de l'autre.
Il en est suivi partout, jusque dans sa plus profonde
solitude. Le regard découvre Josef K., il le convoque
devant le tribunal, il le hante dans les bureaux de la
banque où il travaille. K. le rencontre dans les yeux du
sous-directeur, dans les yeux de Mademoiselle Bürstner,
de Leni, bref, toute personne semble l'accuser par son
regard. K. lui-même cherche sa faute dans tous les

---

(29) *L'Etre et le Néant*, p. 349.

regards qu'il croise. Il est regardé même dans la cathédrale lorsqu'il se croit seul. La voix qui l'appelle par
son nom le force à se souvenir qu'il est regardé. — L'arpenteur retrouve autrui hostile, autrui-juge dans le
regard de tous les habitants du village, de sorte qu'il ne
peut avoir aucun contact réciproque avec eux. K. se
débat vainement dans ce regard universel; les autres
l'accusent tous, le refusent.

Même puissance du regard de l'autre dans *Le Verdict*:
le héros est un garçon qui a réussi sa vie; il a fait carrière, il va épouser une jeune fille de famille et, en fils
soucieux de ses devoirs, il prend soin de son père qui
retombe en enfance. Et pourtant, dès qu'il se trouve
devant ce père déjà à moitié fou, sa culpabilité initiale
lui revient à l'esprit. Son père l'accuse d'avoir trompé
son ami et d'avoir contribué à sa perte et il le condamne
à mort. Ne serait-ce là qu'une éruption de la folie du
vieillard ? Le dénouement du récit le dément: Georg,
pris dans le rayon d'action du regard de son père, n'arrive plus à en sortir. Son père a détruit « la centralisation » du monde que Georg avait opérée; il lui a volé
son monde pour le regrouper à sa manière et il a transformé Georg en être-objet perfide et ingrat. Ce changement de rôle de l'être-pour-soi à l'être-pour-autrui
s'effectue brusquement. Georg en est frappé comme d'un
coup de foudre. Il est pénétré de l'évidence de son être-
dans-le-monde-pour-autrui. Il le revendique immédiatement en se hâtant d'exécuter la sentence de son père.
Comme chez Sartre, le héros sait qu'il est ce dont l'accuse
le regard de l'autre: il voit qu'il *est* un traître quoiqu'il
n'arrive pas à le *sentir*.

Même l'animal dans son terrier semble craindre le
regard. Il n'est heureux que dans ses couloirs souterrains où il est à l'abri d'autrui. Le regard hante tout
l'univers de Kafka, guette partout. — Les héros agissent
conformément à leurs projets; ce qu'ils font est judi-
cieux, mais le « dessous » de leurs actes leur échappe,
ils n'en connaissent pas le vrai sens, lequel, à ce qu'ils
sentent, est celui qu'y donne l'œil du Témoin
transcendant.

Dieu joue donc bien chez Kafka dans la dimension de
l'absolu le rôle du regard de l'autre, chez Sartre le rôle
du juge. Sartre, du reste, conçoit le Dieu de Kafka
comme « concept d'autrui poussé à la limite » (30). Il
est le *On* qui m'inspire la honte. Pour Sartre, le *On*
c'est mon prochain. Pour Kafka il est également mon
prochain, mais il est aussi la transcendance divine.
Sartre précise :

> C'est la honte devant Dieu, c'est-à-dire la reconnais-
> sance de mon objectité devant un sujet qui ne peut
> jamais devenir objet; du même coup je *réalise* dans l'ab-
> solu et j'hypostasie mon objectité : la position de Dieu
> s'accompagne d'un chosisme de mon objectité ; mieux, je
> pose mon être-objet-pour-Dieu comme plus réel que mon
> Pour-soi; j'existe aliéné et je me fais apprendre par mon
> dehors ce que je dois être. C'est l'origine de la crainte
> devant Dieu. (31)

C'est ainsi que Sartre explique sur le plan immanent
et psychologique ce qui, chez Kafka, est devenu expérience religieuse. Autrui est ma transcendance transcen-
dée; mais je peux, à mon tour, m'emparer d'autrui, je
peux « le récupérer *comme objet* » (32), je peux moi-
même m'assigner le rôle du regard regardant. Tandis
qu'autrui projeté sur le plan métaphysique, Autrui
absolu, c'est-à-dire Dieu, c'est la puissance transcendante
absolue que je ne saurais « récupérer ». Dieu se soustrait
à ma sphère d'être pensant, il est au-delà de mes limites,
il est l'Absurdum personnifié contre lequel je n'ai pas
d'armes, car on ne peut *regarder* Dieu. Le héros de
Kafka est persécuté par les hommes et par Dieu. L'abîme
qui le sépare de son prochain se répète entre lui et Dieu.
Sa solitude est totale.

Sartre arrive à insérer le tourment du Pour-Autrui, si
puissamment exprimé dans *Huis-Clos*, dans son système
de la liberté : autrui est la limite imposée à ma liberté
et cette limite me vient de la liberté de l'autre. Je recon-

---

(30) *L'Etre et le Néant,* p. 324.
(31) *Ibid.,* p. 350.
(32) *Ibid.,* p. 351.

nais la liberté d'autrui et ainsi j'assume mon être-pour-
autrui et « le libre projet de *reconnaissance* d'autrui ne
se distingue pas de ma libre assomption de mon être-pour-
autrui. Voici donc que ma liberté, en quelque sorte,
récupère ses propres limites car je ne puis me saisir
comme limite par autrui qu'en tant qu'autrui existe pour
moi et je ne puis faire qu'autrui existe pour moi comme
subjectivité reconnue qu'en assumant mon être-pour-
autrui » (33).

Kafka est anéanti par ce tourment du Pour-Autrui.
Il le subit comme une puissance irrationnelle en souffrant tous les maux que le sentiment d'infériorité, de
dégradation même peut infliger à l'homme. La disposition
à la culpabilité lui est si essentielle qu'il ne songe même
pas à la récupérer par la réflexion : elle reste là, un fait
absurde et monstrueux.

Sartre voit en Kafka l'être regardé, l'être tourmenté
et persécuté par autrui. Il retrouve, dans ses récits,
l'homme solitaire et l'homme privé de la douceur de
l'attachement spontané à autrui. —

Cette aliénation fondamentale de l'homme et cet éloignement d'autrui se retrouvent encore chez les deux
auteurs dans leur conception de l'amour. On serait presque tenté d'exclure dès l'abord ce problème car n'est-ce
pas un monde sans amour que celui de Sartre ? Et de
même celui de Kafka ?

Nous avons déjà parlé de l'absence d'amour dans
l'univers de Kafka. — Quant à Sartre, ses pièces de
théâtre et ses récits nous présentent des couples amoureux ; mais ils ont tous l'aspect désespéré caractéristique
de ses personnages. Matthieu aime Ivich, mais il est
séparé d'elle par cet abîme de néant qui l'éloigne du
monde en général. Sa réflexion tue tout mouvement spontané ; l'amour, par l'analyse néantisante de son esprit,
se flétrit.

D'autre part, l'amour peut offrir une échappatoire au
regard de l'autre. Il offre l'oubli et satisfait momentanément le besoin de se tromper soi-même. Lola, dans

---

(33) *L'Etre et le Néant,* p. 609.

Les Chemins de la Liberté, se fuit ainsi et essaie d'oublier le temps dans les bras de son jeune amant. L'amour est alors une attitude de la mauvaise foi et payée de désespoir.

L'amour devrait être la rencontre de deux libertés. Sartre souligne que l'amant ne désire pas posséder un être-objet comme on possède une chose. « Il veut posséder une liberté comme liberté. » (34) Mais en même temps, sur le plan sado-masochiste, le rapport alternant maître-esclave entre en jeu : l'amant réclame « que cette liberté comme liberté ne soit plus libre » (35), c'est-à-dire qu'il veut être l'objet dans lequel l'aimé, par sa propre volonté, accepte de se perdre.

L'amour ne peut donc être que le choc de deux subjectivités : chacune désire être délivrée de sa contingence **par** l'autre. Mais en s'engageant dans le jeu d'amour chacune se voit renvoyée à elle-même,

> les amants demeurent chacun pour soi dans une subjectivité totale. (36)

L'amour est un échec, il renvoie « à mon injustifiable subjectivité » (37). Je suis condamné à être seul.

La réflexion motive ainsi le désespoir qui se trouve dans l'aventure amoureuse des héros de Sartre.

Pour Kafka on ne saurait appliquer de système spéculatif pour éclairer son attitude. Les couples amoureux sont rares dans ses récits. Quand ils y figurent c'est plutôt l'absence d'amour qu'ils semblent exprimer. L'amour intéressé de K. pour Frieda est une entreprise qui peut lui servir, mais qui, en elle-même, reste sans bonheur. Il en est de même pour Josef K. dans *Le Procès:* il s'accroche à Leni parce qu'il espère qu'elle pourra lui être utile et il va trouver Mademoiselle Bürstner la nuit, dans sa chambre, parce qu'il ne peut rester seul ; il voudrait entendre de sa bouche ce qu'elle pense de son arrestation. Toutes ces tentatives aboutissent à un échec. La

---

(34) *L'Etre et le Néant,* p. 434.
(35) *Ibid.*
(36) *Ibid.,* p. 443.
(37) *Ibid.,* p. 445.

femme ne saurait fonder l'être « comme objet privilégié »
en restant elle-même pure subjectivité. Si elle fonde
l'être c'est en tant que regard regardant qu'elle le fait
— et alors il n'y a plus d'amour; il n'y a plus qu'un
être condamné par autrui.

L'absence d'amour chez Sartre et chez Kafka se trouvait en quelque sorte déjà anticipé chez Kierkegaard.
L'histoire des fiançailles de Kafka comme celle de Kierkegaard n'est que l'expérience vécue de cet amour voué
à l'échec. Et chez Kafka et chez Kierkegaard, une des
causes de cette absence d'amour est de nouveau d'ordre
religieux, ce qui n'est pas le cas chez Sartre. Kafka et
Kierkegaard reconnaissent que l'amour ne peut que les
éloigner de leur mission spirituelle (38). L'échec de
l'amour, chez les deux auteurs, relève, indépendamment
d'autres causes psychologiques et physiques dont nous
n'avons pas à discuter ici, d'une abstinence voulue par
la foi.

Sartre, par son développement spéculatif, démontre
l'impossibilité ontologique de l'amour; au cours de cette
opération l'amour se dissout, il n'en reste plus qu'un
fantôme apte à duper l'homme. — Kafka, sur le plan de
la création poétique et, comme Kierkegaard, sur le plan
de la vie même et sur le plan religieux, pratique une
opération analogue: pour lui aussi l'amour est incompa-
tible avec l'existence. —

La parenté essentielle entre Sartre et Kafka consiste
dans le fait de leur éloignement de la vie, éloignement
qui offre son aspect le plus désespérant dans le rapport
avec autrui. Kierkegaard écrit dans son *Journal*:

> Mort et Damnation ! je peux faire abstraction de tout
> *sauf de moi-même*; je ne parviens pas à m'oublier fût-ce
> en dormant, (39)

et cette parole est parfaitement valable aussi pour

---

(38) Cf. KAFKA : *Tagebücher und Briefe*, Prag 1937, pp. 99-100.
    Cf. KIERKEGAARD : *Buch des Richters*, pp. 18-32.
(39) Cf. *Buch des Richters*, p. 76.

Sartre et pour Kafka. Le souci de « l'être-soi-même »
comme dit Kierkegaard, les prive du rapport spontané
avec autrui et il les prive de l'amour. Et, en outre, il
leur interdit le délassement, l'oubli passager de soi. La
présence-à-soi les tient et ne leur accorde aucune
relâche.

Leur solitude témoigne d'une fidélité envers soi-même
poussée à son extrême limite. Mais en même temps cette
solitude a quelque chose d'effrayant: placée sur le plan
de la vie concrète qui est finalement le plan de l'être
humain, elle est stérile: elle asphyxie la joie de vivre.
Le héros de Sartre et le héros de Kafka ne connaissent
pas le bonheur de l'abandon à la douceur d'un moment
parfait. On dirait qu'ils n'ont jamais cueilli une fleur,
qu'ils n'ont jamais contemplé un paysage, jamais entendu un chant d'oiseau. Ils ne connaissent pas le repos
spirituel, ils sont incapables d'aborder le monde d'une
manière naïve et spontanée et ils ne connaissent pas
cette joie qui consiste à faire don de soi-même à l'autre.

Kafka dit de lui-même:

Was ich berühre, zerfällt. (40)

Cette formule est valable aussi pour Sartre. Le désen-
chantement matériel dont témoigne l'œuvre des deux
auteurs, est si radical qu'il ne subsiste de ce monde
qu'un désert. — Leur univers (comme celui de Kierkegaard) est vicié par un manque: il est marqué par l'an-
tagonisme : vivre et vivre dans la conscience d'exister. —

L'affinité de Sartre avec Kafka se fonde donc essentiellement sur leur cousinage par rapport à Kierkegaard.
La pensée du néant, de la liberté de l'être authentique et
du désespoir existentiel telle qu'elle a été fixée par Kierkegaard, pénètre en tant qu'attitude fondamentale
l'œuvre de Kafka et elle trouve, dans ses éléments capitaux, sa reprise dans la philosophie de Sartre. Mais
tandis que Kafka reste kierkegaardien aussi dans ce

---

(40) *Hochzeitsvorbereitungen auf dem Lande,* p. 134.
    ce que je touche se décompose.

sens que sa pensée est essentiellement religieuse, Sartre,
du fait de son athéisme, s'en éloigne d'une manière
décisive.

Ainsi la parenté de Sartre et de Kafka n'est entière
que pour les parties de la pensée du second qui, concernant le statut existentiel de l'être humain, se prêteraient,
laïcisées, à entrer dans un système excluant l'idée de la
transcendance divine.

CHAPITRE VII

BREF HISTORIQUE DE LA DIVULGATION
DE
L'ŒUVRE DE KAFKA EN FRANCE

C'est à ses traducteurs que Kafka doit d'avoir en France l'importance qu'il a conquise depuis le début de la seconde guerre mondiale. Chaque étude importante concernant l'auteur tchèque a été précédée de la traduction de l'une de ses œuvres; le texte allemand n'a jamais fait l'objet de commentaires directs. Les meilleurs traducteurs sont en même temps ceux qui ont fourni les commentaires les plus précieux à l'intelligence de la pensée de Kafka : Jean Carrive, Pierre Klossowski et Jean Starobinski. — Le plus grand travail, en fait de traduction — il s'étend à toute l'œuvre narrative de Kafka — a été fait par Alexandre Vialatte qui, de ce fait, a été le principal médiateur entre Kafka et le public français. — Marthe Robert qui s'était attachée aux œuvres mineures, notamment aux petits poèmes en prose, a donné une nouvelle impulsion à l'étude de Kafka en France par la publication du *Journal* intégral.

On peut distinguer trois périodes dans la divulgation en France de l'œuvre de Kafka :

I

Le premier texte de Kafka paraît en France en janvier 1928 dans *La Nouvelle Revue Française*. Il s'agit de

La Métamorphose traduite par Alexandre Vialatte et
publiée successivement dans les trois numéros du début
de l'année. Quoiqu'il s'agisse d'un des textes les plus sur-
prenants de l'auteur, la publication en resta sans écho.

En 1929, c'est encore la N.R.F. qui donne quelques
petits récits de Kafka dans la traduction de F. Bertaux,
K.-W. Körner et Jules Supervielle. — Les surréalistes,
en 1930, semblent déjà s'intéresser à Kafka : Pierre
Klossowski et Pierre Leyris traduisent *Le Verdict* pour
la revue *Bifur*. Puis, pendant quatre ans, la France ne
semble plus s'occuper de Kafka.

C'est en 1933 que paraît la première étude le concernant, si l'on peut désigner ainsi des considérations qui
sont en même temps évocation poétique de ce monde où
« les montres ne marchent plus », du philosophe Bernard
Groethuysen. Sa méditation sur Kafka touche les problèmes essentiels de l'œuvre : l'oubli du Moi, la logique
de l'absurde, la culpabilité, l'angoisse. C'est encore la
N.R.F. qui la publie ; de même le récit *Le Terrier*. —
1933 est également l'année de la première publication
d'un roman de Kafka : *Le Procès,* qui paraît aux éditions
de la N.R.F. dans la traduction d'Alexandre Vialatte
avec la méditation de Groethuysen en guise de préface.
Denis de Rougemont consacre à ce livre un petit article
dans la N.R.F. de mai 1934 ; Denis Saurat, dans
Modernes (1), parle de Kafka en compagnie de grands
modernes comme Gide, Proust ou Valéry.

Wladimir Weidlé, dans ses *Abeilles d'Aristée* (2),
relève en 1936 chez Kafka les forces destructrices de la
« mécanisation de l'inconscient ». Le lecteur de Kafka
doit se soumettre à une expectative douloureuse et vaine :
il attend toujours que le sens des allégories que sont les
récits kafkaïens, se dévoile. Kafka s'enfonce dans l'inconscient « jusqu'aux limites de la démence » (3).
W. Weidlé caractérise l'atmosphère d'étouffement de
l'univers kafkaïen : il parle de la sensation « d'un vivant

---

(1) Denoel et Steele, Paris, 1935.
(2) Les Iles, Desclée de Brouwer, Paris, 1936.
(3) *Ibid.*, p. 263.

enseveli qui s'éveille dans un cercueil » (4) que donnent
« ces livres si clairs, si polis, si tranquillement par-
faits » (5). Le « secret nocturne de l'existence » qu'est
la nécessité absurde de la mort fait la découverte de
Kafka. W. Weidlé retrouve en Kafka la tendance moderne à substituer à l'art la magie des forces destructrices,
magie au sens de « procédés ayant pour but d'agir sur
l'inconscient d'une façon préméditée, de changer dans
une direction voulue la vie intérieure du lecteur » (6).
W. Weidlé reconnaît chez Kafka la mécanisation de
l'âge moderne s'étendant jusque dans le domaine de la
création de l'œuvre d'art. Il insiste sur l'extraordinaire
force d'expression que peut acquérir l'inconscient dans
l'œuvre de Kafka ; mais il ne s'occupe guère des problèmes d'ordre spirituel et religieux que peut poser la
pensée de cet auteur.

C'est vers 1937 que la critique surréaliste découvre
Kafka. Breton présente Kafka dans un numéro du
Minotaure et dans *Trajectoire du Rêve* ; la collection
GLM publie *La Tour de Babel* et d'autres textes en
1938 ; la revue *Clé* présente un article sur Kafka ; Jean
Carrive traduit et commente Kafka.

1938 est l'année de publication du *Château* (7). En
1938 également Paul L. Landsberg (8) étudie le problème
de la métamorphose chez Kafka. Il commence par souligner le caractère classique du style de Kafka, cette
sobriété exempte de tout lyrisme qu'on ne rencontre plus
chez les narrateurs allemands depuis Kleist. Ensuite, il
étudie le « réalisme » de Kafka, réalisme qui s'accompagne d'une modification de notre sens du réel. Kafka,
dans un univers qui possède son caractère à lui et sa
causalité propre, pratique ce réalisme logique dont nous
ne pouvons douter. Ainsi, dans *La Métamorphose,* l'événement initial choque nos habitudes d'esprit ; il est introduit brusquement, sans préliminaires, et le postulat une
fois admis, « l'histoire en découle avec une logique, avec

---

(4) *Les Abeilles d'Aristée,* p. 264.
(5) *Ibid.*
(6) *Ibid.,* p. 265.
(7) C'est aussi cette année-là que *La Métamorphose* paraît en volume.
(8) *Esprit,* Nº 72, septembre 1938.

une vraisemblance, avec une banalité dirais-je, qui est caractéristique du monde le plus quotidien ». Ainsi le lecteur est-il habilement engagé dans le conflit entre la certitude rationnelle de l'impossibilité de l'événement initial et l'évidence logique provenant des conséquences vraisemblables de cet événement même. Quel est le mystère caché dans ce récit ? Le sommeil nous aide à assurer notre cohérence et notre identité. « Mais dans la certitude habituelle de l'identité de notre moi ainsi que du monde en général, avant et après notre sommeil, il y a juste assez d'artificiel, de voulu, de fragile, pour permettre à la fiction de Kafka de toucher à une réalité angoissante qui se nourrit de sources plus profondes que la réflexion rationnelle et la connaissance scientifique. » Landsberg, sur la voie psychologique, trouve la clé du mystère de la métamorphose de Kafka : la métamorphose l'humanité » qui, dans son évasion, est allé trop loin. c'est la réalisation de l'instinct de la mort, du désir de retour à l'inorganique ; Gregor est « le déserteur de Maintenant tout retour lui est à jamais rendu impossible. La mort seule peut le délivrer de cette situation. Landsberg fait une analyse convaincante du système psychologique de Kafka et finit par le classer parmi les tempéraments que Kretschmer désigne du terme de *Schizoïdes*. Sans son art Kafka aurait certainement été amené à une schizophrénie aiguë. —

Dans la période de l'avant-guerre, de 1928 à 1939, Kafka n'est donc connu en France que dans des milieux restreints et surtout sous le jour du pittoresque et de l'exotisme. La N.R.F. s'est immédiatement intéressée à lui en publiant ses textes et les surréalistes cherchent en lui un mode de révélation de la surréalité. La critique littéraire se montre très réservée ; les articles intéressants sur Kafka pendant ces dix premières années sont peu nombreux : la méditation de Bernard Groethuysen mise à part, c'est chez Denis Saurat, Wladimir Weidlé et Paul L. Landsberg, la psychologie de Kafka qui retient surtout l'attention.

II

En 1940 Gide, dans son *Journal*, parle de la profonde impression que lui a causée la lecture du *Procès*. Malheureusement, il ne s'est jamais exprimé plus longuement au sujet de Kafka. A part deux autres remarques brèves et son adaptation du *Procès* pour le théâtre il n'a rien écrit de substantiel sur Kafka. —

Les discussions littéraires au sujet de Kafka commencent pendant la guerre :

La critique littéraire catholique examine Kafka sans toutefois apporter de lumières à l'intelligence de son œuvre ; Daniel-Rops l'aborde sous un angle partial, celui de la grâce chrétienne alors que celle-ci n'a rien à voir dans l'univers de Kafka.

En 1945, le point de vue protestant est fixé par le chapitre que Denis de Rougemont consacre à Kafka dans *Les personnages du Drame* (9) : il souligne « l'ambiance judéo-chrétienne » chez Kafka, son désir d'être juste devant Dieu avortant du fait de l'absence de la notion de grâce. Kafka parvient jusqu'au moment du saut kierkegaardien, mais il ne peut faire ce saut.

Claude-Edmonde Magny, alors plus ou moins sympathisante au mouvement *Esprit,* n'admet, par contre, aucun fond religieux ou philosophique dans la pensée de Kafka, considérant son monde comme parfaitement immanentiste et gratuit. Dans son essai de 1942 (10), elle parle de la force du « mythe poétique » que Kafka a forgé, mythe que nulle exégèse ne saurait épuiser. On ne décèlera jamais la signification de l'œuvre de Kafka, on ne peut que signaler quelques aspects parmi d'autres, car Kafka lui-même n'a pas fixé le sens de ses contes ; la gratuité de ses récits triomphe de toute explication philosophique. Le fait d'être engagé dans une situation sans le vouloir, l'idée de la responsabilité préexistante et l'impossibilité d'accepter le scandale font du monde kafkaïen cette réalité absurde et intolérable. L'absurde de Kafka, d'une part, a une valeur de cauchemar, sert

(9) La Baconnière, Neuchâtel, 1945.
(10) *Cahiers du Sud,* novembre 1942.

à « jeter bas les paravents de concepts et de philosophie
que nous interposons entre nous et la réalité » ; et d'au
tre part, il nous révèle des vérités qui dépassent notre
entendement et qui ne pourraient nous être révélées par
un autre moyen. Claude-Edmonde Magny parle de
l' « âme de vérité » tout au plus que dégagerait le récit
de Kafka. Elle n'en trouve pas moins chez lui l'un des
aspects essentiels de notre condition d'homme : « l'irréductibilité des points de vue. » Dans le monde de Kafka,
comme dans celui de Racine, la lucidité est vaine ; elle
n'est « qu'une torture de plus ». Kafka ne crée ses
mythes que pour tâcher de donner expression à cette
détresse originelle, à cette situation sans issue qui est
celle de l'homme et dont tout homme s'efforce de détourner les yeux.

En 1942 Jean Wahl étudie les rapports de Kafka avec
Kierkegaard (11). Camus, en 1943, relève ce qu'il y a
d'absurde dans l'œuvre kafkaïenne ; c'est la même année
que Sartre s'exprime au sujet de Kafka (12).

Après 1940 l'intérêt purement psychologique qu'avait
d'abord suscité Kafka le cède à la préoccupation du sens
spirituel : l'Absurde de Kafka devient pour les auteurs
et les critiques littéraires du temps de la guerre ou force
religieuse voire philosophique ou, comme chez Claude-
Edmonde Magny, force cosmique dépassant toute capacité de l'entendement humain. — La guerre semble avoir
réveillé cette sensibilité pour la détresse fondamentale
et l'absurdité que respire l'univers de Kafka. Aussi
n'est-ce pas uniquement grâce au fait que le monde de
Kafka a été soumis à l'examen des grands courants spirituels — pensée chrétienne, philosophie de l'absurde,
philosophie existentielle — que Kafka a eu tant de faveur
en France aussitôt après la guerre. C'est la guerre même
qui, en France, a réveillé l'intérêt général pour Kafka.
M. Pierre Klossowski me faisait remarquer en 1949 que
Kafka n'a trouvé de grands échos en France que pendant
et après la seconde guerre mondiale. Il avait été connu
bien plus tôt en Angleterre et aux Etats-Unis. Son

---

(11) *L'Arbalète*, N° 5, Lyon, printemps 1942.
(12) *Cahiers du Sud*, février 1943, avril 1943, mai 1943.

œuvre en France reflète avant tout les souffrances vécues pendant la guerre, souffrances que Kafka semblait avoir pressenties. C'est pourquoi David Rousset qualifie son univers concentrationnaire de « kafkéen » (13) : « univers à part, totalement clos, étrange royaume d'une fatalité singulière » (14) ; le fantôme de Kafka semble se tenir en arrière de tous les souvenirs invoqués dans son livre. On reconnaît Kafka jusque dans les événements de la guerre. C'est en ce sens que Denis de Rougemont s'occupe de lui dans *La Part du Diable* (15). Les récits des prisonniers de guerre et des détenus politiques tiennent également de l'atmosphère de Kafka. — De même l'univers de Pierre Gascar que Blanzat, en 1949, rapproche de celui de Kafka (16) quoique, dans un interview avec André Bourin (17), en 1953, Gascar ait dit ne rien avoir lu de Kafka lorsqu'il publia son premier récit dans la revue *Fontaine*, fait qui souligne à nouveau la surprenante concordance d'esprit de Kafka et d'un auteur français qui a pris conscience de lui-même pendant les années de la guerre. La vie des sinistrés telle qu'elle est décrite dans *Les Meubles* (18), du même Gascar. les décors du roman, la psychologie des personnages rappellent Kafka. Le rapprochement de Kafka et de Gascar est peut-être plus significatif encore quand paraissent *Les Bêtes* (19) : l'évocation profondément originale de ce monde clos dont les êtres se plient sans murmurer à la logique absurde et en même temps diabolique des hommes, rappelle l'univers des victimes de Kafka. *Le Temps des Morts* (19) trace les souvenirs de l'auteur du camp de concentration de Rawa Ruska ; le livre annonce les témoignages de captivité du genre de ceux de Rousset. —

La critique littéraire, surabondante en 1945, invoque Kafka en tant que prophète et représentant de l'époque de la seconde guerre mondiale. — Cette année-là parais-

---

(13) *L'Univers concentrationnaire,* Ed. du Pavois, Paris, 1946, p. 15.
(14) *Ibid.,* p. 30.
(15) Brentano's, New-York, 1944. La Baconnière, Neuchâtel, 1945.
(16) *Le Figaro Littéraire,* 31 décembre 1949.
(17) *Les Nouvelles littéraires,* 11 juin 1953.
(18) Gallimard, 1949.
(19) *Les Bêtes; Le Temps des Morts,* Gallimard, 1953.

sent les études d'Albert Béguin qui soulignent l'importance de la croyance juive dans la pensée de Kafka, de
Maurice Blanchot, d'Armand Hoog, de Pierre Klossowski et de Jean Starobinski, ces deux derniers nous
donnant un profond commentaire religieux de l'œuvre
de Kafka. — Un numéro des *Cahiers du Sud* portant le
titre significatif de *Présence de Kafka* est consacré entièrement à l'auteur du *Procès*.

La guerre nous a fait *vivre* Kafka et ce n'est que l'expérience vécue qui a conditionné l'intelligence générale
de son monde étrange.

Kafka est maintenant généralement connu. Il est dis-
cuté, admiré, attaqué, imité et expliqué. En 1946 les
communistes s'adressent au grand public en l'engageant
à répondre à leur enquête: *Faut-il brûler Kafka ?* (20)
jugeant démoralisante l'influence qu'exerce Kafka sur
la société, Kafka étant un dangereux représentant de la
littérature noire. La manière de poser le problème est
simpliste et pragmatique; mais néanmoins la préoccupation de Kafka est si générale et en même temps la
menace de l'impératif social ou politique adressé à la
littérature si prenante que Jean Paulhan, Michel Leiris,
Marcel Aymé, Francis Ponge, René Char, Maurice Merleau-Ponty, pour n'en citer que quelques-uns, croient
devoir fixer leur position touchant à l'auteur du *Procès*.

Au cours de la même année de 1946 *Le Procès* est
réédité chez Gallimard et paraît *L'Amérique*.

En 1947, même abondance des témoignages et prouvant
la persistance de l'intérêt pour Kafka.

De Benjamin Fondane *Deucalion* (21) publie un essai
sur Kafka qui sera plus tard repris dans *Baudelaire et
l'expérience du Gouffre* (22). B. Fondane rapproche
l'expérience religieuse de Kafka de celle de Baudelaire.
Les deux auteurs auraient pareillement souffert d'avoir
à renoncer à comprendre : Fondane voit en Kafka
un « blessé par le mystère et par l'absurdité ». *Le
Procès* en particulier exprimerait l'expérience hégelienne

---

(20) *Action*, Nᵒˢ 90-100, 24 mai-2 août 1946.
(21) Nᵒ 2, 1947.
(22) Seghers, Paris, 1947.

de la soumission à la généralité de la Raison et du Droit imposée à l'être subjectif. Selon Fondane la Raison — mais elle est impénétrable — aurait choisi K. comme objet de ses expériences ; sa perte ne serait que le résultat de son insubordination à la Rationalité absolue. Le héros du *Procès* oserait « objecter » à l'Histoire, à la Logique ; il oserait questionner la Raison : déraisonnable espoir. Fondane toutefois se sent tiré de cœur avec celui qui questionne, et contre Hegel : on ne peut en tant qu'être pensant se soustraire à la nécessité de questionner. Le « gouffre » est un problème et c'est celui de l'expérience religieuse.

Plusieurs monographies consacrées à Kafka jalonnent la même année : le livre intéressant de l'auteur hongrois André Nemeth (23) et celui de Robert Rochefort (24) soulèvent les problèmes non seulement psychologiques, mais spirituels que posent l'univers et l'œuvre de Kafka. Robert Rochefort montre que la névrose de la culpabilité et de l'échec joue un rôle décisif sur le plan psychologique et sur le plan spirituel, le souci religieux complètant les conflits d'ordre psychologique.

La psychologie kafkaïenne, en 1947, devient objet de curiosité médicale ; la psychanalyse ne se fait pas faute de gloser sur ce cas. Le docteur Hesnard (25) découvre en Kafka le témoin de l'angoisse humaine et de la culpabilité. D'où vient ce sentiment de culpabilité sans motivation objective ? Hesnard parle d'une « culpabilité œdipienne » que le père a fait naître. Il examine l'irrationnelle efficience de la condamnation explicite du père (« Je te déchirerai comme un poisson »), l'angoisse de castration et le comportement auto-accusateur et auto-punitif qui en résulte. Le père est la cause de la névrose de Kafka. Hesnard termine son exposé en blâmant l'éducation des enfants qui s'égale à un « dressage absurde à base de menaces » et en plaidant pour une morale sans péché qui seule peut rendre les hommes

(23) *Kafka ou le Mystère juif,* trad. du hongrois par V. Hintz, J. Vigneau, Paris, 1947.
(24) *Kafka ou l'irréductible espoir,* Julliard, Paris, 1947.
(25) *Psyché,* N° 12, octobre 1947.

libres depuis leur naissance. — L'exposé du docteur
Hesnard est suivi d'une discussion au cours de laquelle
Mlle Juliette Boutonnier observe que le château de
Kafka, comme dans les rêves des enfants, pourrait être
le symbole de la mère. — Plus tard Robert Rochefort (26) répond au docteur Hesnard en s'opposant à la
solution psychanalytique du problème Kafka. Si Kafka
s'était fait psychanalyser, aurait-il été guéri aussi de ses
conflits d'ordre spirituel ? Rochefort en doute. La cure
psychanalytique aurait été, pour Kafka, une fuite, un
refus de son destin. Le problème métaphysique ne peut
être banni par la thérapeutique freudienne. La lutte avec
Dieu doit être portée à sa limite sans escamotage sur le
plan de la science. Rochefort voit en Kafka « le messie
du néant », celui qui « attend sur la croix la certitude
absolue que le ciel est vide ».

En 1948 paraît *La Mystique du Surhomme* (27) de
Michel Carrouges. Kafka ne saurait manquer dans cet
examen de la conscience de l'homme moderne. Carrouges
voit en Kafka un esprit qui présente un double aspect :
d'une part il est l'homme de la « mort de Dieu » et
d'autre part il est pénétré par la lumière de la foi. Carrouges, de son point de vue partial, conclut : le tragique
de cette vie c'est « qu'il a manqué à Kafka d'être chrétien ». Comme Moïse et les Juifs il n'a pas pu atteindre
la Terre Promise.

Wladimir Weidlé dans *Les Cahiers de la Pléiade* (28)
revient sur Kafka comme sur le cas d'un créateur d'allégories, type de l'auteur de l'âge moderne. L'allégorie
chez Kafka est polyvalente : elle confond l'intellect et
satisfait d'autant mieux l'imagination.

1947 est l'année aussi où l'œuvre de Kafka monte sur
les planches. L'adaptation du *Procès* par André Gide
fait du héros kafkaïen une figure presque populaire. Or
le Josef K. de Marigny porte plus les traits de J.-L. Barrault que ceux de l'auteur tchèque. Ce Charlot véloce
sachant exprimer ses angoisses et ses cauchemars par le

----

(26) *Psyché,* N° 18-19, avril-mai 1948.
(27) Gallimard, 1948.
(28) Hiver 1948.

langage des muscles et par une surprenante mimique ne
semble plus guère sortir du monde silencieux et uni-
forme de Kafka. De même les sonneries, le haut-parleur,
les multiples effets d'éclairage créent un univers de
fantômes dont la variété et le mouvement n'ont plus rien
à voir avec l'atmosphère morte du Procès authentique.
Le procès du K. de Marigny n'est qu'une instance de la
Gestapo ou de la guépéou ; il fait peu de place au procès
intérieur.

La représentation du théâtre Marigny donne à Claudel
l'occasion de parler de Kafka. Dans un article du *Figaro
Littéraire* (N° 78 du 18 octobre 1947) intitulé *Le Procès
de Kafka ou le drame de la Justice* l'auteur de *L'Otage*
souligne le sentiment de culpabilité innée dont est
empreint le roman de Kafka. Ce n'est pas le péché originel uniquement qui fait du héros un condamné, mais sa
faute à lui particulière et actuelle, bien qu'il en ignore
la nature, et celle aussi de tous les criminels desquels il
se sent le complice. « Nous vivons dans le monde du
contumace, de l'alibi et du quiproquo » dit Claudel qui
voit là l'image de ce qui a ou a eu lieu sous nos yeux en
Allemagne ou en Russie, pays où des populations
entières portent ou ont pu porter le châtiment d'une
Faute inconnue. Josef K. est innocent ; mais c'est ce qui
justement le fait coupable dans un monde estimant que
l'on ne saurait rêver d'être innocent que si l'on s'est sali.
Ce n'est donc qu'auprès de Dieu que Josef K. pourra
faire appel. Mais

> Kafka qui est juif, ne recueille pour réponse que la confir-
> mation de sa culpabilité radicale à l'égard du Créateur, en-
> vers qui il est sous le coup d'une dette. Sur le seuil du chris-
> tianisme, il tombe, aveugle, sans comprendre. Il n'y a plus
> qu'à s'en débarrasser. N'importe comment. Avec un couteau
> de cuisine.

Claudel était donc trop chrétien pour que Kafka ne
lui incarnât pas le Juif se vouant au désespoir pour avoir
refusé le pardon chrétien.

Claudel pourtant semble avoir assez bien senti ce que
l'univers de Kafka a de spécifique pour regretter que, si
même il faille ainsi qu'il le fait, louer le « génie » de

Jean-Louis Barrault, l'atmosphère de Marigny n'ait pas
reflété celle que lui avait donnée le roman.

Les années de 1941 à 1949 ont été certainement les plus
fertiles en ce qui concerne la divulgation de Kafka en
France. Kafka y a été non seulement médité par les
tenants des grands mouvements philosophiques de
l'époque ou soumis à la compétence des psychanalystes,
il a touché le grand public. Comme on ignorait tout à
son sujet, la presse se chargea, dans cette période,
d'informer ses lecteurs sur la personne, la vie et l'œuvre
de l'auteur tchèque. Kafka, comme me le disait Pierre
Klossowski, va intéresser maintenant du fait de la signification autobiographique et de l'élément vécu de son
œuvre. La popularité de Kafka fut du reste largement
servie par l'adaptation du *Procès* au théâtre. — Il semblait possible que l'on ne parlât plus autant de Kafka,
désormais, du moins dans le grand public, qu'on ne
l'avait fait pendant ces années de guerre et d'après-
guerre où Kafka avait représenté en France un des
phares de la vie spirituelle et pratique. —

III

De fait en 1949 la littérature critique le concernant
devient moins abondante, mais, en revanche, elle appro-
fondit le problème intérieur que pose l'œuvre de Kafka.
Maurice Blanchot publie dans *Les Cahiers de la
Pléiade* (29) son très profond article sur *Kafka et la Littérature*. L'année précédente avait paru la monographie
de Michel Carrouges (30), travail objectif nous donnant
les éléments biographiques, esthétiques et exégétiques
indispensables à l'intelligence de l'œuvre. — La grande
presse se tait au sujet de l'auteur du *Procès* (31).

En 1950 le fragment dramatique de Kafka intitulé *Le
Gardien du Tombeau* est mis en scène à Paris au Théâtre

---

(29) Printemps 1949.
(30) *Franz Kafka,* Labergerie, 1948.
(31) Précisons aussi que la revue « *K* », dont trois numéros ont paru
    en 1948/49, ne tient pas son nom de l'auteur du *Procès*. L'édi-
    teur K, fasciné par la forme graphique et par la signification

de Poche et ensuite aux Noctambules. Il ne présente qu'un intérêt biographique et sa mise en scène ne s'adresse qu'à un public d'avant-garde.

Arthur Adamov se montre très influencé par Kafka, notamment dans *L'Aveu* où il le cite. Le thème de l'angoisse et de l'impuissance, de la solitude et de l'échec de la vie, de la culpabilité et de la dégradation parcourt ses récits et son théâtre et apparente son œuvre à celle de Kafka sans toutefois restituer la sobriété classique et le pouvoir poétique de l'auteur du *Procès*.

C'est en 1950 également que Georges Bataille prend position au sujet de Kafka (32). Il parle d'une « attitude foncièrement enfantine » de Kafka. Kafka voudrait que son père approuvât l'enfantillage de ses lectures et plus tard de sa production. Il s'est maintenu pendant toute sa vie dans une situation équivoque : il a persévéré dans la sphère sociale et paternelle en ne réalisant jamais une évasion décisive de cette sphère ; mais il y a persévéré « en exclu », c'est-à-dire en tant qu'artiste se nourrissant, comme l'âme puérile, de rêveries. Kafka veut être reconnu par son père et par la société d'hommes d'affaires dans laquelle celui-ci se meut, mais à la condition de rester l'enfant irresponsable qu'il était. Il a mené jusqu'à sa mort cette lutte insensée ne cessant jamais d'opter pour le caprice, pour le monde sans raison. Le tourment seul peut le satisfaire dans cette situation équivoque, car il compense un refus de l'action. La mort le délivrera de ce monde pratique duquel il veut être exempt alors que d'autre part il s'y rattache ; la mort seule devait sanctifier cette existence irrégulière.

Autre étude importante la même année, celle où Jean Starobinski (33) met Kafka en parallèle avec Dostoïevski. Il montre ce que l'auteur tchèque doit notamment à *Crainte et Tremblement* et à *Crime et Châtiment*. Les ressemblances et les divergences établies entre les deux

---

intérieure de la lettre K, ne s'est nullement inspiré de Kafka en choisissant son enseigne quoiqu'il ait publié un des petits poèmes en prose de Kafka dans le numéro 3 (mai 1949) de sa revue.

(32) *Critique*, N° 41, octobre 1950.
(33) *Cahiers du Sud*, N° 304, 1950.

auteurs apportent des lumières précieuses à l'intelligence de Kafka (comme du reste, de Dostoïevski).

1951 marque un nouveau jalon. C'est l'année où le *Journal* complet de Kafka paraît en Allemagne ainsi que les *Entretiens avec G. Janouch*; 1952 Willy Haas complètera l'ensemble autobiographique en publiant les *Lettres à Milena*. Dès cette année 1951 se manifeste en France une recrudescence de la critique kafkaïenne. Les études et plus encore les traductions redeviennent nombreuses. Une thèse médicale de G. F. H. Mounier (34) paraît à Bordeaux étudiant le cas psychopathologique de Kafka. — Marthe Robert introduit une version française du *Journal* intégral (35). — *Le Procès* est réédité chez Gallimard. — Maurice Blanchot écrit un nouvel article sur Kafka (36). — Max Brod, dans *Les Cahiers de la Pléiade* (37), publie et commente des fragments de lettres de Kafka. — Michel Carrouges compare la machine de *La Colonie Pénitentiaire* au verre de Marcel Duchamp (38). — Marthe Robert publie des fragments de la correspondance de Kafka (39). — Clara Malraux traduit les entretiens de Kafka avec Gustav Janouch (40).

En 1953 la critique littéraire est de nouveau moins riche; mais les traductions tirées du *Journal* intégral de Kafka sont fréquentes. — En 1954 enfin paraît la traduction complète du *Journal* de Kafka (41) tel qu'il a été publié à Francfort en 1951.

*
* *

Ainsi la courbe de la divulgation de Kafka en France n'a été de 1928 à 1940 que faiblement, lentement ascendante. Kafka ne touche en cette première période que des milieux restreints suscitant surtout des commentaires psychologiques.

---

(34) *Etude psychopathologique sur l'écrivain Franz Kafka*, Thèse, Bordeaux, 1951.
(35) *Les Temps Modernes*, N° 74, décembre 1951.
(36) *Critique*, N° 58, mars 1952.
(37) *Les Cahiers de la Pléiade*, N° 13, 1952.
(38) *Mercure de France*, N° 1066, juin 1952.
(39) *Les Temps Modernes*, N°ˢ 84-85, octobre-novembre 1952.
(40) *Kafka m'a dit*, Calmann-Lévy, 1952.
(41) Grasset, 1954.

Pendant les années de guerre, et surtout sous l'occupation, cette courbe monte brusquement, Kafka jouant
alors un rôle décisif dans la conscience française. La
rencontre proprement spirituelle avec Kafka correspond
avec les années 1941-1949. Outre l'affinité de certains
auteurs français contemporains avec l'auteur du *Procès,*
le lecteur français retrouve dans l'œuvre de Kafka un
monde où il vit ou d'où il sort.

A partir de 1949 le grand public s'occupe moins de
Kafka. La nouveauté, le dépaysement se sont usés. La
psychologie ayant situé le cas n'y revient plus guère que
sous la plume de Mounier. Ce sont de nouveau les
milieux strictement littéraires — et là encore les esprits
les plus parents, un Bataille par exemple ou Blanchot —
qui reprennent le problème kafkaïen. Ce n'est qu'en 1952,
après la publication des *Tagebücher* et des *Hochzeitsvorbereitungen auf dem Lande* en Allemagne, que Kafka
captive de nouveau l'intérêt d'un plus vaste public
français, mais sans atteindre dans ce renouveau autobiographique à la popularité des années de guerre et
d'après-guerre. Ce sont alors les traducteurs qui ont été,
comme il est naturel, d'abord les plus actifs.

Jusqu'en 1955 il n'y a plus guère d'étude capitale
concernant Kafka à l'exception des très belles pages que
lui consacre Blanchot dans *L'Espace littéraire* (42) où
Kafka figure comme un des médiateurs entre la réalité et
cette « autre nuit » qu'est l'espace de l'écrivain.
L'œuvre de l'auteur tchèque est maintenant divulguée en
France presque dans sa totalité et ne donnera plus lieu
à des découvertes concernant l'extérieur de sa personne
et de son œuvre. Le mouvement kafkaïen peut être considéré comme étant clos peu après la publication des écrits
intimes, donc en 1955. Kafka est maintenant en France
un des auteurs de langue allemande les plus généralement connus et les mieux assimilés, plus encore que
Rilke et à l'égal de Nietzsche. Il n'est plus un étranger ;
les Français le méditent comme un des leurs.

_____

(42) Gallimard, 1955.

CONCLUSION

En abordant ce travail nous avions posé le problème de
la signification qu'avait acquise l'œuvre de Franz Kafka
en France — nous pouvons maintenant répondre : il ne
s'agit pas d'un problème d'influence à proprement
parler. Les auteurs qui sont entrés dans une dépendance
directe par rapport à Kafka, ses imitateurs, ne présentent qu'un intérêt de second ordre et n'ont pas retenu
notre enquête. Nous nous sommes attachés à ceux, ori-
ginaux, qui se sont établis avec Kafka en filiation ou
dont l'affinité avec lui semblait indubitable. Mais nous
avons vu que les plus grandes similitudes tiennent chez
eux aux conditions générales de la conscience actuelle. —
Les surréalistes ont été frappés avant tout par le surna-
turalisme de Kafka. Michaux retrouve chez Kafka les
tourments qui marquaient et fêlaient sa vie. Blanchot
pousse son expérience littéraire en communauté spirituelle avec Kafka plutôt que par imitation de lui.
Bataille et Beckett s'apparentent à lui par le type de
leur relation dramatique à Dieu. Camus est sensible à la
force cosmique qu'anime l'idée de l'Absurde chez Kafka.
Sartre aperçoit en Kafka un intermédiaire entre la pensée française et la philosophie allemande issue de Kierkegaard. — C'est une situation analogue qui rapproche ces
auteurs de Kafka ; et cette analogie se révèle pour chacun
d'eux d'une manière différente. L'importance de la rencontre de Kafka pour eux est considérable, mais sans
avoir porté préjudice à leur irréductibilité.

La portée spirituelle de l'œuvre de Kafka en France
est donc décisive et d'autant plus que les interprétations
ont été moins objectives, moins cantonnées à la lettre.

Les thèmes de l'angoisse, du néant, de l'absurde et de la mort de Dieu sont ceux de toute la pensée du vingtième siècle. Kafka ne les aborde pas par la réflexion, il les évoque ; car sa pensée n'est pas rationnelle, ni systématique, mais mythique. Elle ne raisonne pas, elle décrit ; elle n'est pas spéculative, mais figurative. Les mythes qu'il a créés — comme tous mythes d'ailleurs — ne se laissent pas réduire à une seule signification. Sa vérité est subjective et la connaissance que nous pouvons en avoir ne peut être aussi que subjective.

Le mythe parle à certains hommes, et il reste fermé à d'autres. Celui délivré par Kafka est devenu actif dans l'esprit de nombreux grands auteurs français d'aujourd'hui. Ses mythes ont été pour eux des miroirs. Sartre l'a dit :

> ...ce qui nous était particulièrement sensible, c'est que, dans ce procès perpétuellement en cours, qui finit brusquement et mal, dont les juges sont inconnus et hors d'atteinte, dans les efforts vains des accusés pour connaître les chefs d'accusation, dans cette défense patiemment échafaudée qui se retourne contre le défendeur et figure parmi les pièces à charge, dans ce présent absurde que les personnages vivent avec application et dont les clés sont ailleurs, nous reconnaissons l'histoire et nous-mêmes dans l'histoire. (1)

Et Gide, après avoir lu l'histoire de Josef K. notait dans son *Journal* :

> L'angoisse que ce livre respire est par moments presque intolérable; car comment ne pas se dire : cet être traqué, c'est moi ? (2)

Le mythe ainsi est devenu « chiffre », pour employer la terminologie de Karl Jaspers; il a posé un problème non d'ordre logique, mais d'ordre existentiel. Chacun a pu y trouver un aspect de lui-même, de son destin et de sa vérité.

---

(1) *Situations,* II, p. 255.
(2) *Journal,* 28 août 1940.

BIBLIOGRAPHIE

1. — *Traductions françaises des œuvres de Kafka.*

2. — *Ouvrages et articles sur Kafka.*

3. — *Ouvrages, articles et textes mentionnant Kafka.*

1928

KAFKA (Franz). — *La Métamorphose,* traduit de l'allemand par Alexandre Vialatte, in *La Nouvelle Revue Française,* n° 172, janvier, 1928. Première partie : pp. 66-84.
Deuxième partie : n° 173, février, 1928, p. 212-231.
Troisième partie : n° 174, mars, 1958, pp. 350-371.
Avec une note de Félix Bertaux.

1929

— « *Bucéphale* », et autres récits [le recueil comprend : *Le nouvel avocat ; Devant la Loi ; Un message impérial ; Le plus proche village ; Il tue son frère*], traduit de l'allemand par Félix Bertaux, K. W. Körner et Jules Supervielle, in *La Nouvelle Revue Française,* n° 191, août 1929, pp. 205-211.

1930

— *Le Verdict,* traduit de l'allemand par Pierre Klossowski et Pierre Leyris, in *Bifur,* n° 5, 30 avril, 1930 (Editions du Carrefour, Paris), pp. 5-17.
— *Récits* [le recueil comprend : *Premier Chagrin ; Un champion du Jeûne*], traduit de l'allemand par Alexandre Vialatte, in *Commerce,* n° 26, hiver, 1930, pp. 183-211.

1932

— *Le Nouvel avocat,* in *Romanciers allemands,* traduit de l'allemand par Félix Bertaux, K. W. Körner, Jules Supervielle, Denoël et Steele, Paris, 1932, pp. 301 sqq.

1933

— *Le Terrier*, fragment, traduit de l'allemand par Alexandre
Vialatte, in *La Nouvelle Revue Française*, avril, 1933, pp.
607-615. Avec une note d'Alexandre Vialatte.
— *Le Procès*, préface de Bernard Groethuysen, traduit de
l'allemand par Alexandre Vialatte, Gallimard, 1933.

GROETHUYSEN (Bernard). — *A propos de Kafka*, in *La Nouvelle
Revue Française*, avril, 1933, pp. 588-606.

GUIGNARD (R.). — *Ecrivains allemands contemporains; Les
romans de Kafka* in *Revue des Cours et Conférences*,
1932-33, I, pp. 565 sqq.

1934

BRION (Marcel). — « *Le Procès* », *par Franz Kafka, trad. Vialatte. NRF*, in *Les Cahiers du Sud*, juin 1934, pp. 412-416.

ROUGEMONT (Denis de). — « *Le Procès* », *par Franz Kafka,
traduit par A. Vialatte, Gallimard*, in *La Nouvelle Revue
Française*, N° 248, mai 1934, pp. 868-69.

1935

ANONYME. — *Le Message de Franz Kafka*, in *Le Mois*, 1er février
1935.

SAURAT (Denis). — *Modernes*, Denoël et Steele, Paris, 1935,
Kafka pp. 230-236.

1936

WEIDLÉ (Wladimir). — *Les Abeilles d'Aristée. Essai sur le
destin actuel des lettres et des arts*, Les Iles, Desclée de
Brouwer, Paris, 1936, Kafka pp. 260-267.

1937

KAFKA (Franz). — *Odradek*, avec illustrations de Max Ernst,
in *Minotaure*, N° 10, Paris, hiver 1937, pp. 17-19.

— *La Tour de Babel, Prométhée*, traduit par Henri Parisot,
avec un dessin de Max Ernst, Editions GLM, Paris 1937
(Repères 22).
DANIEL-ROPS. — *L'univers désespéré, de Franz Kafka*, in *Les
Cahiers du Sud*, mars 1937, pp. 161-176.

Poulet (Robert). — *Un héros de la lucidité. Franz Kafka,* in *Le Jour,* 27 septembre 1937.

Breton (André). — *Têtes d'orage,* notes introduisant Lichtenberg, Grabbe, Brisset, Roussel, Kafka, Forneret, suivi de : *Odradek,* de Kafka, in *Minotaure,* N° 10, Paris, hiver 1937, p. 9 et pp. 17-19.

Cassou (Jean). — *Kleist et le somnambulisme tragique,* in *Les Cahiers du Sud,* mai-juin 1937, pp. 275-281. Kafka p. 275 et p. 289.

1938

Kafka (Franz). — *Un médecin de campagne* [le recueil comprend en outre : *Fratricide; Le coup au portail; Un message impérial; Le cavalier au seau*], traduit de l'allemand par Jean Carrive, in *Les Cahiers du Sud,* février 1938, pp. 89-101.

— *Au Bagne,* traduit de l'allemand par Jean Carrive, in *Les Cahiers du Sud,* décembre, 1938, pp. 836-863.

— *Notes et Méditations. Réflexions sur le Péché, les souffrances, l'espoir et la véritable voie,* traduit par Marcel Lecomte et Germain Landier, in *Mesures,* 15 janvier 1938, N° 1, pp. 45-53.

— *Un poème,* traduit par Marcel Lecomte, in *Mouches à Miel,* N° 2, juin 1938, p. 19.

— *Un divertissement,* traduit par Henri Parisot, avec un frontispice de Max Ernst, GLM, Paris, 1938.

— *La Métamorphose. (Die Verwandlung), Recueil de Nouvelles,* traduit de l'allemand par Alex. Vialatte, Gallimard, 1938.

— *Le Château. (Das Schloss),* traduit de l'allemand par Alex. Vialatte, suivi d'une note de Max Brod, Gallimard, 1938.

Landsberg (Paul L.). — *Kafka et la Métamorphose,* in *Esprit,* N° 72, sept., 1938, pp. 671-684.

Marion (Denis). — « *La Métamorphose* », par Franz Kafka, traduction d'A. Vialatte. (NRF), in *La Nouvelle Revue Française,* N° 297, juin 1938, pp. 1034-1037.

Saillet (Maurice). — *Franz Kafka ou la traversée de la nuit,* in *Les Cahiers du Sud,* octobre 1938, pp. 722-725.

THIÉBAUT (Marcel). — *Le tribunal et le château,* in *Le Jour,*
(L'Echo de Paris), 21 octobre 1938, p. 2.

BRETON (André). — *Trajectoire du rêve,* Documents recueillis,
GLM, Paris, 1938, pp. 61-62 : *Note sur Kafka et le rêve*
(*La Métamorphose*), par Marcel Lecomte.

1939

KAFKA (Franz). — *Au Bagne,* traduit de l'allemand par Jean
Carrive. Exemplaire séparé tiré des *Cahiers du Sud,* 1939,
livraison de décembre 1938. (Hors commerce), 39 pages.
Avec un N. B. de Jean Carrive.

— *Le Chasseur Gracchus,* traduit par Henri Parisot, GLM,
Paris, 1939. (Biens nouveaux 2).

— *La Chevauchée du seau,* traduit par Henri Parisot, GLM,
Paris, 1939.

— *L'Epée,* deux textes suivis d'un N. B. du traducteur Jean
Carrive, Impr. des 2 Artisans, Paris, 1939. (Extrait de Gi-
ration, juillet 1939. — Ex. sur japon avec corrections
mss., auquel on a joint une lettre de la secrétaire du traducteur). Cet ex. est à la B. N. à Paris.

DANIEL-ROPS. — « *Le Château* », *par Franz Kafka. Editions
de la NRF,* in *La Nouvelle Revue Française,* N° 306, 1ᵉʳ
mars 1939, pp. 526-529.

HENEIN (Georges). — *Franz Kafka :* « *Le Château* ». in *Clé,*
N° 2, février 1939, p. 8.

BACHELARD (Gaston). — *Lautréamont,* Ed. José Corti, Paris
1939, Kafka pp. 16-22. Réimp., 1956, pp. 17-21.

LANDSBERG (Paul-L.). — *Pierres Blanches,* Collection Avène-
ment N° 3. Ed. Les Nouvelles Lettres, Paris 1939, Kafka
p. 27. (Texte paru pour la première fois dans la revue
Les Nouvelles Lettres, 1ᵉʳ octobre 1938).

1940

KAFKA (Franz). — *Lettre sur l'éducation des enfants,* traduit de
l'allemand par Hélène Zylberberg, in *Mesures,* 15 avril
1940, pp. 15-21.

BRETON (André). — *Anthologie de l'humour noir,* Ed. du Sagittaire, Paris 1940, Kafka pp. 208 sqq.

CHASTEL (André). — *Trois Romans, F. Kafka : « Le Château »*, trad. Vialatte, éd. NRF, 1938 ; W. Faulkner : « Le Bruit et la Fureur », trad. M. Coindreau, id. 1938; M. Jouhandeau : « Chroniques Maritales », id. 1938. in *Les Cahiers du Sud*, mars 1940, pp. 193-198.

GIDE (André). — *Pages de Journal 1939-41*, Editions du Haut-Pays, 1945, Kafka pp. 92-93, 28 août 1940.

1942

DANIEL-ROPS. — *Où passent les anges*, Les Ecrits, Bruxelles-Paris, 1942, Essais 2.

MAGNY (Claude-Edmonde). — *Kafka ou l'écriture objective de l'absurde*, in *Les Cahiers du Sud*, novembre, 1942, pp. 12-36.

WAHL (Jean). — *Kafka et Kierkegaard. Commentaires*, in *L'Arbalète*, N° 5, Lyon, printemps 1942. (Les textes cités de Kafka et de Brod sont traduits par Hélène Zylberberg).

GIDE (André). — *Pages de Journal 1939-41*, Editions du Haut-Pays, 1945. Kafka p. 162 : 5 mai, 1942.

1943

KAFKA (Franz). — *Aphorismes. Fragments du Journal intime*, in *Les Cahiers du Sud*, décembre, 1943, pp. 936-954. (Nom du traducteur manque).

— *Recherches d'un chien*, traduit et préfacé par Jean Carrive, in *L'Arbalète*, N° 7, Lyon, été 1943.

— *Fragment* (inédit), introduction et traduction par Hélène Zylberberg, in *Confluences*, N° 27, Lyon, décembre, 1943, pp. 677-681.

CAMUS (Albert). — *L'espoir et l'absurde dans l'œuvre de Franz Kafka*, in *L'Arbalète*, N° 7, Lyon, été, 1943.

CARRIVE (Jean). — *Préface* pour : « Recherches d'un chien », de Kafka, traduit par Jean Carrive, in *L'Arbalète*, N° 7, Lyon, été, 1943.

ZYLBERBERG (Hélène). — *Introduction* pour : « Fragment » (inédit), traduit par H. Zylberberg, in *Confluences*, N° 27, Lyon, décembre, 1943, pp. 677-681.

GIDE (André). — *Journal 1942-1949*, Gallimard, 1950, Kafka :
p. 174 : 13 mai, 1943.

SARTRE (Jean-Paul). — *L'Etre et le Néant*, Bibliothèque des
Idées, Gallimard, 1943, Kafka p. 324 et p. 635.

— *Explication de « L'Etranger »*, in *Les Cahiers du Sud*,
février, 1943, pp. 189-206, Kafka pp. 199, 200.

— *Aminadab ou le Fantastique considéré comme un langage*,
in *Les Cahiers du Sud*, avril, 1943, pp. 299-305, mai, 1943,
pp. 361-371, Kafka passim.

HELL (Henri). — *Deux récits*, in *Fontaine*, N° 23, Kafka p. 354.

1944

KAFKA (Franz). — *La Muraille de Chine*, traduit et présenté
par Jean Carrive, Villeneuve-lès-Avignon, P. Seghers, 1944.

— *Le Jugement*, texte français de Pierre Meylan, illustrations
de Suzanne Aitken, Editions des Portes de France, Porren-
truy, Suisse, Copyright 1944, Collection de l'Oiselier, N° 7.

AUBERT (Claude). — *Actualité de Franz Kafka*, in *Labyrinthe*,
N° 2, 15 novembre, 1944, p. 2.

CARRIVE (Jean). — *Préface* pour : « *La Muraille de Chine* »,
de Kafka, Ed. Pierre Seghers, Imprimerie du Salut Public,
Lyon, 1944.

BATAILLE (Georges). — *Le Coupable*, Les Essais XIV. Gallimard,
1944, Kafka p. 79 et p. 80.

ROUGEMONT (Denis de). — *Les personnes du Drame*, La Baconnière, Neuchâtel, 1944, Kafka p. 17 et chap. 3.

— *La Part du Diable*, Brentano's, New-York, 1944, Kafka p.
11.

1945

KAFKA (Franz). — *Paraboles* (le recueil comprend : *Des Paraboles ; Le Vautour ; Le Retour ; De Nuit ; Le Pilote ; La
Toupie ; L'Epée ; L'Examen ; Prométhée ; Silence des
Sirènes ; Poseidon ; La vérité sur Sancho Pança ; Le
Buisson ardent ; Le renoncement ; Le Départ ; Communauté ; Petite Fable ; Le Village voisin ; Un Imbroglio
quotidien ; Le Pont ; La Proclamation ; Mon Voisin ; Les
Armes de la Ville ; Mari et Femme ; Protecteurs ; Odradek ou le tourment d'un père de famille ; Le coup au por-*

tail ; Le Chasseur Gracchus ; De nouvelles lampes ; Un croisement ; Dans notre Synagogue ; Esquisse d'une autobiographie ; La Communauté des ouvriers sans biens ; Rapport sur l'avantage de certains dispositifs de sûreté dans l'emploi des machines à menuiser le bois ; Lettre à son père).
Traduction et note par Jean Carrive, in *L'Arbalète*, Lyon 1945.

— *Paraboles* (le recueil comprend en outre : *Des Paraboles ; Le Vautour ; Le Retour ; De Nuit ; Le Pilote ; De Nouvelles Lampes ; L'Examen ; Prométhée ; Poseidon*), traduit par Jean Carrive, in *L'Arbalète*, N° 10, Lyon, printemps, 1945, pp. 159-170.

— *Le Soutier*, traduction et note par Jean Carrive, in *Les Cahiers du Sud*, mars-avril, 1945, pp. 121-146.

— *Pages du Journal intime*. Présentation et traduction par Pierre Klossowski, in *Fontaine*, N° 42, mai 1945, pp. 185-208.

— *Journal intime suivi de : Esquisse d'une autobiographie ; Considérations sur le péché ; Méditations.* Introduction et traduction par Pierre Klossowski, B. Grasset, Paris, 1945.

— *Le plus proche village.* Traduction et remarque par Marcel Lecomte, in *Les Cahiers du Sud*, mars-avril, 1945, p. 147.

— *Paraboles* (le recueil comprend : *Prométhée ; Le Buisson d'Epines ; Les Armes de la Ville ; Méditations*). Traduction précédée d'une note : *A propos de Kafka*, par Marthe Robert, in *L'Heure Nouvelle*, N° 1, 1945, pp. 21-27.

— *Le Pont. Le Retour au Foyer*, traduit par Jean Starobinski, in *Lettres*, N° 1 : L'Existentialisme, Genève, 1945.

— *La Colonie Pénitentiaire. Nouvelles suivies d'un Journal intime. (La Colonie pénitentiaire ; Le Terrier ; Construction de la muraille de Chine ; Les armes de la ville ; Le chasseur Gracchus ; Le Voisin ; A cheval sur le seau à charbon ; Le Pont ; Retour au Foyer. Journal intime 1917-1923. Lettre à Robert Klopstock. Considérations sur le péché, la douleur, l'espoir et la véritable voie).*
Traduction et préface de Jean Starobinski, Paris Egloff, Fribourg L.u.f. 1945.

— *Joséphine la cantatrice ou le peuple des souris*, traduit par Alexandre Vialatte, in *Les Quatre Vents*, N° 1, Paris, 1945, pp. 36-53.

BÉGUIN (Albert). — *Franz Kafka, Etude*, in *Terre des Hommes*, N° 1, 29 septembre, 1945.

— *Franz Kafka et la destinée d'Israel*, in *Temps présent*, 12 octobre, 1945.

BERIS (Francine). — « *Franz Kafka* » par Max Brod. Gallimard, in *Les Cahiers du Sud*, N° 274, 1945, pp. 861/62

BLANCHOT (Maurice). — *La Lecture de Kafka*, in *L'Arche*, N°11, novembre, 1945, pp. 107-116.

BROD (Max). — *Franz Kafka, souvenirs et documents, (Leurs figures. —* Appendices : *Lettres sur l'éducation des enfants*, de Kafka à sa sœur. *La Fête d'aviation à Brescia*, par Kafka) traduit de l'allemand par Hélène Zylberberg, Gallimard, 1945.

CARRIVE (Jean). — *Franz Kafka :* « *Journal intime* », trad. et préf. par Pierre Klossowski, in *Dieu vivant*, N° 4, 1945, pp. 148-49.

GUYOT (Charly). — *Sur quelques textes de Kafka*, in *Labyrinthe*, N° 6, 15 mars 1945, p. 8.

HOOG (Armand). — *Kafka et la grande peur*, in *La Nef*, N° 13, décembre 1945, pp. 107-112.

KEMP (Robert). — *Qui était Franz Kafka?* in *Les Nouvelles Littéraires*, 22 novembre, 1945.

KLOSSOWSKI (Pierre). — Présentation des *Pages du Journal intime* de Franz Kafka, in *Fontaine*, N° 42, mai 1945, pp. 185-208.

— *Introduction au* « *Journal intime* », *suivie de :* « *Esquisse d'une autobiographie* »; « *Considérations sur le péché* »; « *Méditations* », B. Grasset, Paris, 1945.

— *Franz Kafka :* « *La muraille de Chine* », *traduit et présenté par Jean Carrive*, in *Dieu vivant*, N° 2, 1945, pp. 151-153.

LE BRETON (Georges). — *Kafka :* « *La muraille de Chine* », *traduit et présenté par Jean Carrive. (Pierre Seghers)*, in *La Nef*, N° 7, juin, 1945, pp. 136-138.

NADEAU (Maurice). — *Présence de Kafka*, in *Combat*, 21 septembre, 1945.

PRÉSENCE DE KAFKA. — *Les Cahiers du Sud*, mars-avril 1945, numéro entièrement consacré à Kafka :

KAFKA (Franz). — *Le Soutier*, traduction et note par Jean Carrive, pp. 121-146.

— *Le plus proche village*, traduction et remarque par Marcel Lecomte, p. 147.

KLOSSOWSKI (Pierre). — *Introduction au « Journal intime »* de *Franz Kafka*, pp. 148-155, Notes : pp. 156-160.

LÉGER (François). — *De Job à Kafka*, pp. 161-165.

N. (P.). — *Avec le traducteur de Kafka (entretien avec P. Klossowski)*, in *Les Lettres Françaises*, 27 octobre, 1945.

ROUSSEAUX (André). — *« Franz Kafka », de Max Brod*, in *Le Figaro*, 22 septembre, 1945.

— *Vie de Kafka*, in *Le Figaro*, 22 septembre, 1945.

— *Les Livres : Franz Kafka*, in *France Illustration*, 20 octobre 1945, p. 71.

SCHERER (René). — *« La muraille de Chine », par Franz Kafka*, éd. Pierre Seghers. *Texte présenté par Jean Carrive*, in *Confluences*, N° 1, janvier-février 1945, pp. 109-110.

STAROBINSKI (Jean). — *Préface pour « La Colonie Pénitentiaire »*. *Nouvelles suivies d'un Journal intime* de Franz Kafka, Paris Egloff, Fribourg L. u. f. 1945.

ASTORG (Bertrand d'). — *Introduction au monde de la terreur*, Editions du Seuil, Paris, 1945, Kafka p. 111.

BENDA (Julien). — *La France Byzantine*, Gallimard, 1945, Kafka pp. 62, 278, 279.

FERRY (Jean). — *La société secrète*, Collection l'Age d'Or, Fontaine, Paris, 1945, *Kafka ou La Société secrète*, pp. 12-15.

MAGNY (Claude-Edmonde). — *Les Sandales d'Empédocle*, Etre et penser. Cahiers de Philosophie, N° 11, Editions de la Baconnière, Neuchâtel, août, 1945 :
— *La critique aux limites de la littérature*, Kafka pp. 26, 27, 29, 31, 34 note 1, 35, 38.

— *Charles Morgan ou la servitude du charnel,* Kafka pp. 82, 98, 99, 100, 102.
— *Sartre ou la duplicité de l'être : ascèse et mythomanie,* Kafka pp. 109, 112 note 3, 122 note 1, 130, 164.
— *Kafka ou l'écriture objective de l'absurde,* pp. 173-200.
— *Procès en canonisation,* pp. 201-266.
— *Conclusion : Limites non frontières de la littérature,* Kafka pp. 267, 268, 270, 274, 285, 286.

ROUGEMONT (Denis de). — *Les Personnes du drame* (Ramuz, Claudel, Gide, Luther, Gœthe, Kafka, Kierkegaard). La Baconnière, Neuchâtel 1945. (L'édition originale a été publiée en 1944 à New-York par Pantheon books.)
— *La Part du Diable,* La Baconnière, Neuchâtel, 1945, Kafka pp. 4, 86, 87.

1946

KAFKA (Franz). — *Description d'un combat,* Préface par Bernard Groethuysen. Lithographies originales par Atlan. Traduction de Clara Malraux et Rainer Dorland, Maeght Editeur, Paris, 1946.

— *L'Epée; Dans notre Synagogue; L'Invité des Morts; Lampes neuves,* Introduction et traduction par Marthe Robert, Collection L'Heure Nouvelle, N° 1, Editions du Sagittaire, Paris, 1946.
— *Paraboles* [le recueil comprend : *Le Voisin. Un Croisement. La Vérité sur Sancho Pança. Le Silence des Sirènes. Le Chasseur Gracchus. Des Paraboles*]. Traduction et note de Marthe Robert. *L'Arche,* N° 12, déc. 1945-janv. 1946, pp. 44-57.
— *Dans notre Synagogue,* Traduction et note de Marthe Robert *L'Heure Nouvelle,* N° 2, 1946, pp. 26-30.
— *L'Amérique,* traduit de l'allemand par Alexandre Vialatte, Couverture de Mario Prassinos, Gallimard, 1946.
— *L'Amérique,* traduit de l'allemand par Alexandre Vialatte, Notice par Max Brod, Gallimard, 1946.
— *La Métamorphose,* traduit de l'allemand par Alex. Vialatte. Couverture de Mario Prassinos, Gallimard, 1946.
— *Le Procès,* Préface de Bernard Groethuysen. Traduit de l'allemand par A. Vialatte. Couverture de Mario Prassinos, Gallimard, 1946.

ACTION : — *Faut-il brûler Kafka ?* Enquête de Pierre Fauchery, N° 90, 24 mai, 1946.
Jugements des lecteurs. Réponses de Julien Benda, Jean Paulhan, Michel Leiris, Marcel Aymé, André Rousseaux, Claude Morgan, Jacques Brenner, N° 93, 14 juin, 1946.

Réponses de Francis Ponge, Joé Bousquet, Henri Calet, Jean-Marie Dunoyer, N° 94, 21 juin, 1946.
Réponses de François Mauriac, Jean Fréville, André Lhote, N° 95, 28 juin, 1946.
Réponses de Roger Vaillard, René Char, Gaétan Picon, N° 96, 5 juillet, 1946.
Réponses de Anatole Perandi, Maurice Merleau-Ponty, Roger Caillois, Auguste Anglès, Rudolf Léonhard, n° 97, 12 juillet, 1946.
Réponses de Georges Mounin, D.-D. Monserrat, Vladimir Pogner, Gabriel Chevallier, N° 98, 19 juillet, 1946.
Réponses d'Alexandre Astruc, Dr. Lucien Bonnafe, Daniel Biégel, N° 99, 26 juillet, 1946.
Pierre Fauchery conclut : De Kafka à Spinoza, N° 100, 2 août, 1946.

BROD (Max). — *Sur Kierkegaard, Heidegger et Kafka,* traduit de l'allemand par M. Robert, in *L'Arche,* N° 21, novembre, 1946, pp. 44-54.

D. (F.). — *Paysages de Kafka,* in *Confluences,* N° 10, mars 1946, pp. 116-17.

DUMAYET (Pierre). — « *Journal intime* », *par Franz ·Kafka* (*Grasset*), in *Fontaine,* N° 50, mars 1946, pp. 519-20.

GIRARD (Alain). — *Kafka et le problème du Journal intime,* in *Critique,* N° 1, juin 1946, pp. 23-32.

GROETHUYSEN (Bernard). — *Préface* pour : « *Description d'un combat* », de Kafka, Lithographies originales par Atlan. Traduction de Clara Malraux et Rainer Dorland, Maeght Editeur, Paris, 1946.

MICHA (René). — *Le Fantastique kafkaien sur le plan de l'art,* in *L'Arche,* N° 16, juin, 1946, pp. 43-50.

ANONYME — « *Franz Kafka* », *par Max Brod* (*Gallimard*), in *La Revue Internationale,* N° 2, janvier-février 1946, p. 223.

ROBERT (Marthe). — *Introduction à la lecture de Kafka,* suivie de : *L'Epée; Dans notre Synagogue; L'Invité des Morts; Lampes Neuves,* Collection l'Heure Nouvelle, N° 1. Editions du Sagittaire, Paris, 1946.

A. (A.). — *Roman et Métaphysique,* in *Confluences,* N° 9, février 1946, pp. 1043-44, Kafka passim.

ADAMOV (Arthur). — *L'Aveu,* Editions du Sagittaire, Paris, 1946, Kafka p. 59.

BEAUVOIR (Simone de). — *Littérature et Métaphysique*, in *Les Temps Modernes*, N° 7, avril 1946, pp. 1153-63. Kafka pp. 1160, 1163.

BERTELÉ (René). — *Le drame de la culpabilité et de la liberté chez H. Michaux*, in *La Revue Internationale*, N° 9, octobre, 1946, pp. 245-248. Kafka passim.

COURNOT (Michel). — *Un faux Kafka : Rex Warner*, in *Terre des Hommes*, N° 17, 19 janvier, 1946.

GIDE (André). — *Journal 1942-1949*, Gallimard, 1950, Kafka p. 243 : 21 janvier 1946, p. 255, 22 novembre 1946.

MAQUET (Jean). — *Michaux et le Négatif*, in *Critique*, N° 2, juillet 1946, pp. 111-116, Kafka pp. 115, 116.

PAULHAN (Jean). — *Introduction* pour : « *Les infortunes de la vertu* », *de Sade*, Editions du Point du Jour, Paris, 1946, Kafka pp. 11, 32.

POUILLON (Jean). — *Temps et roman*, Gallimard, 1946, Kafka pp. 17, 18, 127, 137, 139, 271.

ROUSSET (David). — *L'Univers concentrationnaire*, Ed. du Pavois, Paris 1946, Kafka pp. 15, 63.

ROUX (Martin). — *Michaux, l'espoir*, in *La Revue Internationale*, N° 9, octobre 1946, pp. 249-252. Kafka passim.

ZYLBERBERG (Hélène). — *La fin tragique des trois sœurs de Kafka*, in *Fontaine*, N° 48-49, février 1946, pp. 373-376.

1947

KAFKA (Franz). — *Paraboles* [le recueil comprend : *Le Renseignement; L'Innocent; La Philosophie et la Toupie*], traduit par Romain Calvet, in *Les Cahiers du Sud*, N° 282, 1947, pp. 220-223.

— *Description d'un combat*, traduit par René de Solier, in *Les Cahiers de la Pléiade*, N° 2, avril 1947, pp. 33-49.

— *Le Château*, traduit de l'allemand par A. Vialatte. Publié par Max Brod. Couverture de Mario Prassinos, Gallimard, 1947.

BAUER (Roger). — *Kafka à la lumière de la religion juive*, in *Dieu vivant*, N° 9, 1947, pp. 105-120.

BODEN (Gérard). — *Aspects de l'œuvre de Franz Kafka,* in *Revue de la Méditerranée,* N° 22, novembre-décembre 1947, pp. 648-675. Suite : N° 23, janvier-février 1948, pp. 50-73.

— *Franz Kafka, aspects de son œuvre,* Chaix, Alger, Copyright 1947. (Extrait de la Revue de la Méditerranée, N°ˢ 22 et 23.

CLAUDEL (Paul). — *Le Procès de Kafka ou le drame de la Justice,* in *Le Figaro littéraire,* N° 78, 18 octobre 1947.

COURNOT (Michel). — *Avant-critique du « Procès »,* in *L'Arche,* N° 23, janvier 1947, pp. 106-117.

FONDANE (Benjamin). — *Kafka et la Rationalité absolue,* in *Deucalion,* N° 2, 1947, pp. 127-140.

GIDE (André) et BARRAULT (Jean-Louis). — *Le Procès,* pièce tirée du roman de Kafka (traduction Vialatte), Gallimard, 1947.

HESNARD (A.Dr.). — *Le message incompris de Kafka,* in *Psyché,* N° 12, octobre 1947, pp. 1161-1173.

NEMETH (André). — *Kafka ou le Mystère juif,* traduit du hongrois par Victor Hintz, J. Vigneau, Paris, 1947.

RINIERI (J.-J.). — *Kafka. « Le Procès ». Adaptation d'André Gide et Jean-Louis Barrault, d'après la traduction de Vialatte (Théâtre Marigny),* in *La Nef,* N° 36, novembre 1947, pp. 157-158.

ROBERT (Marthe). — *Amérique,* in *L'Arche,* N° 25, mars 1947, pp. 152-156.

ROCHEFORT (Robert). — *Kafka ou l'Irréductible espoir,* préface de Daniel-Rops, Julliard, Paris 1947. Les Témoins de l'Esprit.

ROY (Claude). — *Le Procès,* in *Action,* N° 162, semaine du 5 au 11 novembre 1947, p. 11.

SARRAUTE (Nathalie). — *De Dostoievski à Kafka,* in *Les Temps Modernes,* N° 25, octobre 1947, pp. 664-685.

SOLIER (René de). — *Kafka. Les voies de l'inversion,* in *Les Cahiers de la Pléiade,* N° 2, avril 1947, pp. 29-32, suivi de : *Description d'un combat,* de Kafka, pp. 33-49.

VIALATTE (Alexandre). — *L'histoire secrète du « Procès »*, in *Le Figaro Littéraire*, N° 78, 18 octobre 1947, pp. 1 et 2.

BLANCHOT (Maurice). — *Du Merveilleux*, in *L'Arche*, N° 27, mai 1947, pp. 120-133, Kafka pp. 125, 126.

CAMPBELL (Robert). — *Jean-Paul Sartre ou une Littérature philosophique*, Collection Aux Sources 2. Editions aux Trois Compagnons, Paris, 1947, Kafka pp. 183, 246.

DANIEL-ROPS. — *Où passent les Anges*, Plon, Paris, 1947 (Première Edition : Les Ecrits, Bruxelles-Paris, 1942). Kafka : chap. VI, pp. 141-174 (nouvelle version).

FONDANE (Benjamin). — *Baudelaire et l'expérience du gouffre*, Ed. Pierre Seghers, Paris 1947, Kafka pp. 277, 278, 307, 311-318, 321-324.

GROETHUYSEN (Bernard). — *Mythes et Portraits*, Les Essais XXIII. Gallimard, 1947 : *A propos de Kafka*, pp. 121-143. *Phénoménologie de Kafka*, pp. 145-159.

NADEAU (Maurice). — *Œuvres (de Sade)*, textes choisis, précédés d'un essai : *Exploration de Sade*, La jeune Parque, Paris 1947, Kafka pp. 18, 23, 24.

SARTRE (Jean-Paul). — *Qu'est-ce que la littérature ?* (V) in *Les Temps Modernes*, N° 21, juin 1947. Kafka pp. 1632-33.

— *Explications de « L'Etranger »*, in *Situations I*, Gallimard, 1947. Kafka pp. 112, 113.

— *« Aminadab » ou du Fantastique considéré comme un langage*, in *Situations I*, Gallimard 1947. Kafka passim.

WAHL (Jean). — *Petite Histoire de l'Existentialisme suivie de Kafka et Kierkegaard Commentaires*, Editions du Club Maintenant, Paris, 1947, Kafka et Kierkegaard pp. 92-131. (Les commentaires sont extraits de *l'Arbalète*, 1942. - Avec des textes de Kafka et de Brod, traduits par Hélène Zylberberg).

1948

KAFKA (Franz). — *Un petit bout de femme*, traduit de l'allemand par Jean Carrive. *Le Cheval de Troie*, N° 6, 1948, pp. 801-809.

— *L'Invité des morts. Dans notre synagogue. L'Epée. Lampes neuves, Wols. Pointe sèche.* Textes traduits par Marthe Robert, Presses du Livre français, Paris, 1948.

— *Méditation* (le recueil comprend les extraits : *Enfants sur la route ; Un escroc démasqué ; La promenade soudaine ; Le Malheur du célibataire ; Le retour chez soi ; Ceux qui passent en courant ; En guise de méditation pour Messieurs les Cavaliers ; La fenêtre sur la rue*), in *Les Temps Modernes*, N° 37, octobre, 1948, pp. 684-695.

KAFKA (Franz) et MAUER (Otto). — *Kafka, ses œuvres, illustré par Fronius ; Devant la loi, parabole de Franz Kafka.* Préface par Otto Mauer. Amandus-Edition, Wien. Nouvelles Editions de la Toison d'Or, Paris, 1948.

KAFKA (Franz). — *La Colonie pénitentiaire et autres récits* (le recueil comprend en outre : *Un champion de jeûne ; le Terrier ; la Taupe géante*), traduit de l'allemand par A. Vialatte, Gallimard, 1948.

— *La Colonie pénitentiaire et autres récits* (le recueil comprend en outre : *Premier Chagrin ; Une Petite Femme ; Un champion de jeûne ; Joséphine la cantatrice ou le Peuple des souris ; Le Terrier ; La Taupe géante*). Traduit de l'allemand par A. Vialatte. Couverture de Mario Prassinos, Gallimard, 1948.

BRUNOT (Henriette). — *Robert Rochefort : « Kafka ou l'irréductible espoir »*, in *Psyché*, N° 15, janvier 1948, pp. 108-110.

CAMUS (Albert). — *L'Espoir et l'Absurde dans l'œuvre de Franz Kafka*, in *Le Mythe de Sisyphe*, Les Essais XII, Gallimard, 1948, pp. 169-189.

CARRIVE (Jean). — *Note pour : Un petit bout de femme*, de Kafka, in *Le Cheval de Troie*, N° 6, 1948, pp. 801-809.

CARROUGES (Michel). — *Franz Kafka*, Labergerie, Paris 1948, Collection Contacts.

DAUVIN (R.). — *« Le Procès » de Kafka*, in *Etudes Germaniques*, N° 1, janvier-mars 1948, pp. 49-63.

DERINS (Françoise). — *Robert Rochefort. « Kafka ». (Julliard)*, in *La Nef*, N° 40, mars 1948, pp. 156-157.

HANOTEAU (Guillaume). — *Ephémérides d'un Badaud (à propos du « Procès » à Marigny)*, in *Le Cheval de Troie*, N° 5, 1948, pp. 756-761.

KLOSSOWSKI (Pierre). — *Kafka Nihiliste ? Robert Rochefort : « Kafka ou l'Irréductible Espoir ». Julliard 1947*, in *Critique*, N° 30, novembre 1948, pp. 963-975.

MAUER (Otto). — *Préface* pour : *Kafka, ses œuvres illustrées par Fronius. Devant la loi, parabole de Fr. Kafka,* Amandus-Edition, Wien ; Nouvelles Editions de la Toison d'Or, Paris, 1948.

ROBERT (Marthe). — *Introduction* pour : *Méditation* de Kafka, in *Les Temps Modernes,* N° 37, octobre 1948, pp. 684-695.

ROCHEFORT (Robert). — *La culpabilité chez Kafka,* in *Psyché,* N° 18-19, avril-mai 1948, pp. 483-493, suivi d'une discussion pp. 493-495.

ROY (Jean H.) — « *Le Procès* », *pièce tirée du roman de Kafka, par André Gide et J.-L. Barrault, au Théâtre Marigny,* in *Les Temps Modernes,* N° 29, février 1948, pp. 1534-1536.

BACHELARD (Gaston). — *La Terre et les Rêveries du Repos,* José Corti, Paris 1948, Kafka pp. 15, 98, 99, 108, 212, 243, 245, 246.

CAMUS (Albert). — *L'Espoir et l'Absurde dans l'œuvre de Franz Kafka,* in *Le Mythe de Sisyphe,* Les Essais XII, Gallimard, 1948, pp. 169-189.

CARROUGES (Michel). — *La mystique du surhomme,* Bibliothèque des Idées, Gallimard, 1948, Kafka pp. 50-53.

WEIDLÉ (Wladimir). — *L'ère des Allégories,* in *Les Cahiers de la Pléiade,* hiver 1948, pp. 37-41. Kafka pp. 39, 40.

1949

KAFKA (Franz). — *Méditation* (le recueil comprend : *Les Arbres ; Le Refus ; Regard distrait par la fenêtre ; Etre malheureux*). Traduction et note préliminaire par Maja Goth, in *Empédocle,* N° 6, décembre 1949, pp. 3-8.

— *Les Passants,* texte extrait de Franz Kafka : Sämtliche Werke, Band I : *Erzählungen und kleine Prosa,* New-York, Schocken Books 1946, p. 39, in « *K* », revue de poésie, Paris, mai 1949, p. 50. Le nom du traducteur manque.

ARNOLD (Paul). — « *Kafka ou l'irréductible espoir* », *par Robert Rochefort,* in *Les Cahiers du Sud,* N° 293, 1949, pp. 172-173.

BLANCHOT (Maurice). — *Kafka et la littérature,* in *Les Cahiers de la Pléiade,* printemps 1949, pp. 93-105.

BODEN (Gérard). — *Les limites de la négative et du sentiment du néant,* in *Revue de la Méditerranée,* N° 29, Paris-Alger, janvier-février 1949, pp. 109-111.

Brod (Max). — *Franz Kafka, souvenirs et documents,* traduit de l'allemand par Hélène Zylberberg, Gallimard, 1949. (Leurs figures. - Contient de nombreux extraits de lettres de Kafka. En appendice : *Lettres sur l'éducation des enfants* et *Fête d'aviation de Brescia,* par Kafka ; Quelques souvenirs, par Rudolf Fuchs ; Menus souvenirs par Dora Geritt).

Micha (René). — *Une explication nouvelle de l'œuvre de Kafka : devant le labyrinthe du château de Prague et celui des coutumes bureaucratiques,* in *Le Figaro littéraire,* N° 146, 5 février 1949.

Weltsch (Félix). — *Notes inédites de Kafka « Il vint chez nous un Monsieur... », la pérennité de la bureaucratie,* traduit de l'allemand par Marthe Robert, in *Evidences,* N° 5, novembre 1949, pp. 27-31.

Artaud (Antonin). — *Lettre contre la Cabbale,* adressée à Jacques Prevel, chez Haumont, Paris 1949. s.p. Kafka mentionné.

Astorg (Bertrand d'). — *Repères pour une littérature de dérision,* in *Esprit,* N° 9, septembre 1949, pp. 330-339, Kafka pp. 337, 338.

Beauvoir (Simone de). — *Le deuxième sexe,* Gallimard 1949, tome II, Kafka p. 557.

Bertelé (René). — *Henri Michaux,* une étude, un choix de poèmes et une bibliographie, Poètes d'aujourd'hui 5. Ed. Pierre Seghers, Paris 1949, Kafka pp. 59, 62, 63.

Blanchot (Maurice). — *La Part du Feu,* Gallimard, 1949 : *La lecture de Kafka,* pp. 9-19. *Kafka et la littérature,* pp. 20-34. *Le langage de la fiction,* pp. 80-91. *Traduit de ...,* Kafka pp. 182, 186. *Les romans de Sartre,* Kafka pp. 198, 208. *Note sur Malraux,* Kafka p. 213. *La littérature et le droit à la mort,* Kafka pp. 309, 339, 342.

Blanzat (Jean). — *« Les Meubles » de Pierre Gascar,* in *Le Figaro Littéraire,* 31 décembre 1949, Kafka passim.

Sartre (Jean-Paul). — *Qu'est-ce que la littérature ?* in *Situations II,* Gallimard 1949, Kafka pp. 95, 255, 282, 315.

1950

Kafka (Franz). — *La Muraille de Chine et autres récits,* traduit de l'allemand par Jean Carrive et Alexandre Vialatte, Gallimard, 1950, Collect., Du monde entier.

— *Le Vautour,* suivi de : *Le Pilote ; Avocats ; Poseidon ; La Nuit ; La Toupie ; Renonces-y ; Le Départ ; Communauté,* traduction de Marthe Robert, in *Empédocle,* N° 8, février 1950, pp. 53-61.

— *Le Gardien du Tombeau,* traduit par Geneviève Seireau et Beno Bersan ; texte non édité, établi pour la mise en scène au Théâtre de Poche en janvier-février 1950 et aux Noctambules en juin-juillet 1950.

BANDY (Nicolas). — *Entretiens avec Dora Dymant, compagne de Kafka,* in *Evidences,* N° 8, février 1950, pp. 21-25 (avec un dessin de Dora Dymant par Benn, Paris 1950).

BATAILLE (Georges). — *Franz Kafka devant la critique communiste,* in *Critique,* N° 41, octobre 1950, pp. 22-36.

BUTOR (Michel). — *« Kafka », par Michel Carrouges,* in *Paru,* N° 57, janvier-février 1950, pp. 69-71.

CARROUGES (Michel). — *« La Muraille de Chine » par Franz Kafka,* in *Paru,* N° 63, août-septembre 1950, pp. 74-76.

— *Signal d'Alarme,* Almanach surréaliste du Demi-Siècle, in *La Nef,* Editions du Sagittaire, mars 1950, pp. 16-21.

ROY (Jean-H.). — *« Le Gardien du Tombeau », un acte de Kafka; « Cece », un acte de Pirandello; « Je rêvais (peut-être) », un acte de Pirandello. — au théâtre des Noctambules,* in *Les Temps Modernes,* août 1950, pp. 383-384.

STAROBINSKI (Jean). — *Kafka et Dostoievski,* in *Les Cahiers du Sud,* n° 304, 1950, Essais, pp. 466-475.

FERRY (Jean). — *Le Mécanicien et autres contes,* préface d'André Breton, édité par les Cinéastes Bibliophiles, Copyright Jean Ferry 1950. Kafka p. 21. *Kafka ou « la société secrète,* pp. 47-52.

JEAN (Marcel). — *Boussole : Les Quinzaines héraldiques,* Almanach surréaliste du Demi-siècle, in *La Nef,* Editions du Sagittaire, mars 1950, p. 63 : signe héraldique N° 14 : Kafka, p. 65 : explication du signe N° 14.

MAGNY (Claude-Edmonde). — *Histoire du roman français depuis 1918,* Editions du Seuil, Paris 1950, tome I, Kafka, pp. 49, 64.

WEIDLE (Wladimir). — *Les 72 cauchemars de Benn, Calligraphies de l'enfer,* in *Evidences,* N° 7, janvier 1950, pp. 23-25. Kafka, p. 25.

1951

KAFKA (Franz). — *Le Procès,* Préface de Bernard Groethuysen, traduit de l'allemand par A. Vialatte, Gallimard, 1951.

B. (A.). — *Franz Kafka, « La Muraille de Chine et autres récits »,* in *Etudes,* janvier 1951, p. 142.

BROD (Max). — *Rencontre de Kafka avec l'Etranger,* traduit de l'allemand par Marthe Robert, in *Evidences,* N° 21, novembre 1951, pp. 40-42.

MOUNIER (Guy-Fernand : Henri). — *Etude psychopathologique sur l'écrivain Franz Kafka,* Thèse, Imp. de R. Sarrie, Bordeaux, 1951.

ROBERT (Marthe). — *Les Tagebücher de Franz Kafka,* in *Les Temps Modernes,* N° 74, décembre 1951, pp. 1145-1147.

CASTEX (Pierre-Georges). — *Le Conte fantastique en France de Nodier à Maupassant,* Thèse, Ed. José Corti, 1951, Kafka p. 406.

1952

KAFKA (Franz). — *Le Château, Chapitre XVIII (fragment inédit),* traduction et note préliminaire par Marthe Robert, in *Les Cahiers de la Pléiade.* N° 13, automne 1951-printemps 1952, pp. 108-122.

— *Extraits des lettres à Milena. Choix et introduction de Willy Haas,* Textes présentés et traduits par Marthe Robert, in *Les Temps Modernes,* N° 84-85, octobre-novembre 1952, pp. 661-678.

— *Un médecin de campagne,* traduit par Alexandre Vialatte, suivi d'une lettre de Max Brod, Burins de Krol, Paris, l'Artiste, 5, rue des Beaux-Arts, 1952.

ANGELLOZ (J.-F.). — *Le « Journal Quotidien » de Kafka et les « Cahiers de Malte Laurids Bridgge », de Rilke,* in *Mercure de France,* N° 1062, février 1952, pp. 340-42.

BLANCHOT (Maurice). — *Kafka et l'exigence de l'œuvre,* in *Critique,* N° 58, mars 1952, pp. 195-221.

BROD (Max). — *Franz Kafka à travers sa correspondance. Avec des fragments de lettres traduits par Marthe Robert,* in *Les Cahiers de la Pléiade,* N° 13, automne 1951-printemps 1952, pp. 93-107.

CARROUGES (Michel). — *La Machine-Célibataire selon Kafka et Marcel Duchamp*, in *Mercure de France*, N° 1066, juin 1952, pp. 262-281.

JANOUCH (Gustave). — *Kafka m'a dit; Notes et souvenirs*, traduit de l'allemand par Clara Malraux, Préface de Max Brod, Calman-Lévy, Paris, 1952.

ROBERT (Marthe). — *La lecture de Kafka (avec des extraits de lettres)*, in *Les Temps Modernes*, Nᵒˢ 84-85, octobre-novembre 1952, pp. 646-660.

— *Une figure de Whitechapel, Notes inédites de Dora Dymant sur Kafka*, in *Evidences*, N° 28, novembre 1952, pp. 38-42.

ASTORG (Bertrand). — *Aspects de littérature européenne depuis 1945*, Editions du Seuil 1952, Kafka pp. 38, 39, 46, 183, 232.

CARROUGES (Michel). — *Le Surréalisme à l'écoute*, in *La Revue Musicale*, N° 210, janvier 1952, pp. 123-135, Kafka pp. 124, 132-134.

NADEAU (Maurice). — *Samuel Beckett ou le droit au silence*, in *Les Temps Modernes*, N° 75, janvier 1952, pp. 1273-1282, Kafka pp. 1274, 1280, 1281.

1953

KAFKA (Franz). — *Tentation au village et autres récits, extraits du « Journal »*, traduit et présenté par Marthe Robert, Grasset, Paris 1953. Les Cahiers verts. Nouvelle série 17.

— *Le Gardien de tombeau*, traduit de l'allemand par Marthe Robert (Paris, Théâtre de poche, février 1950. Note sur « le Gardien du (sic) tombeau » par Max Brod). Paris, Editions Arcanes, 1953. Collection : L'Imagination poétique.

— *Lettre au Père*, Introduction et traduction par Marthe Robert, in *La Nouvelle NRF*, N° 4, avril, 1953, pp. 577-597; N° 5, mai 1953, pp. 786-805; N° 6, juin 1953, pp. 1032-1046.

— *Cinq Fictions. Ebauches de la Colonie Pénitentiaire*, introduction et traduction par Marthe Robert, in *Les Lettres Nouvelles*, N° 2, avril 1953, pp. 187-192.

ANGELLOZ (J.-F.). — *« Kafka m'a dit » par Janouch*, in *Mercure de France*, N° 1075, mars 1953, p. 526.

— « *Briefe an Milena* », par Franz Kafka, in *Mercure de France*, N° 1075, mars 1953, p. 526.

CARROUGES (Michel). — « *Kafka m'a dit* », par Gustav Janouch, in *Monde Nouveau/Paru*, N° 66, 1953, pp. 120-122.

DAVID (Claude). — *Franz Kafka* : « *Briefe an Milena* », in *Etudes germaniques*, N° 4, octobre-décembre 1953, pp. 309-310.

DUVIGNAUD (Jean). — *Kafka* : « *La Tentation au Village* » *et autres* « *fictions* » *extraites du Journal. Textes traduits et présentés par Marthe Robert* (Grasset), in *La Nouvelle NRF*, N° 8, août 1953, pp. 326-327.

GABEL (Joseph). — *Kafka, Romancier de l'Aliénation. Max Brod* : « *Franz Kafka* ». *André Nemeth* : « *Kafka ou le Mystère juif* ». *Franz Kafka* : « *Tentation au Village* ». « *Journal* » in *Critique*, N° 78, novembre 1953, pp. 949-960.

GRAVIER (Maurice). — *Strindberg et Kafka*, in *Etudes germaniques*, N°ˢ 2-3, avril-sept. 1953, pp. 118-140.

LECOMTE (Marcel). — « *Kafka m'a dit* », par Gustav Janouch (Calman-Lévy), in *Le disque vert*, N° 4, novembre-décembre 1953, pp. 60-62.

LEIBRICH (Louis). — *Gustav Janouch* : « *Gespräche mit Kafka* », in *Etudes Germaniques*, N° 1, janvier-mars 1953, pp. 76-77.

-— *Günther Anders* : « *Kafka, pro und contra, Die Prozess-Unterlagen* », *München, C. H. Beck*, 1951, in *Etudes Germaniques*, N° 1, janvier-mars 1953, p. 77.

RABI. — *Le Juif de Prague*, in *Esprit*, N° 1, janvier 1953, pp. 154-159.

ROBERT (Marthe). — *Introduction* pour : Franz Kafka : *Lettre au Père*. Traduction par Marthe Robert, in *La Nouvelle NRF*, N° 4, avril 1953, pp. 577-597. *Lettre au Père* (suite) : N° 5, mai 1953, pp. 786-805. *Lettre au Père* (fin) : N° 6, juin 1953, pp. 1032-1046.

— *Présentation* de Kafka : « *La Tentation au Village* » *et autres* « *fictions* » *extraites du Journal*. Textes traduits par Marthe Robert. Grasset, Paris 1953.

ROSTAND (Claude). — « *Le Procès* », de Kafka, au *Festival de Salzbourg*, in *La Table Ronde*, N° 70, octobre 1953, pp. 159-163.

VIALATTE (Alexandre). — *Kafka est-il le Georges Ohnet des cérébraux ?* in *Arts*, N° 405, 3-9 avril 1953, pp. 1 et 11, p. 5 : gravures de Krol illustrant *Un médecin de campagne*, de Kafka et une lettre de Max Brod adressée à Krol.

BORNE (Alain). — « *Le Moulin de Pologne* », par Jean Giono, in *Cahiers du Sud*, N° 318, 1953, pp. 333-334. Kafka p. 333.

BOURIN (André). — *Pierre Gascar*, in *Les Nouvelles littéraires*, N° 1345, jeudi 11 juin 1953, p. 4, Kafka y est mentionné.

BUTOR (Michel). — *Maurice Blanchot : « Celui qui ne m'accompagnait pas* », *Gallimard*, in *La Nouvelle NRF*, N° 8, août 1953, pp. 331-332. Kafka p. 331.

CAMUS (Albert). — *Le Mythe de Sisyphe*, nouvelle édition, augmentée d'une étude sur Kafka (cartonnage de Mario Prassinos), Gallimard, 1953, Les *Essais* XII.

KEMP (Robert). — *Inquiétudes.* « *Kafka m'a dit* », par Gustav Janouch, *Correspondance de Rilke et Gide*, 1909-1926, « *Vingt ans avec Léon-Paul Fargue* », par André Beucler, « *Voyages et Verres d'eau* », par Marc Blancpain, in *Les Nouvelles littéraires*, N° 1322, jeudi 1er janvier 1953, p. 2.

— *Bestiaire.* « *Le Mouton noir* », par Jacques Pery; « *Le Martin-Pêcheur* », par Monique Saint-Hélier ; « *Les Poulpes* », par Raymond Guérin ; « *L'Innommable* », par Samuel Beckett, in *Les Nouvelles littéraires*, N° 1351, jeudi 23 juillet 1953, p. 2, Kafka y est mentionné.

MILLAU (Christian). — *A Salzbourg, Mozart seul sort vainqueur du « Procès* », in *Arts*, N° 426, 28 août-2 septembre 1953, p. 3.

NADEAU (Maurice). — *La « dernière » tentative de Samuel Beckett*, in *Les Lettres Nouvelles*, N° 7, septembre 1953, pp. 860-864. Kafka p. 860.

PFEIFFER (Jean). — *Maurice Blanchot*, in *Le Disque Vert*, N° 4, novembre-décembre 1953, pp. 50-60. Kafka pp. 50, 52, 53. 54, 56.

THIÉBAUT (Marcel). — *La Varende, Edouard Peisson, Pierre Gascar, Kafka et Roger Grenier*, in *La Revue de Paris*, N° 6, juin 1953, pp. 153-155.

1954

KAFKA (Franz). — *Extraits du Journal,* traduction de Marthe
Robert, in *Le Figaro littéraire,* N° 444, 23 octobre 1954,
pp. 1 et 5, avec un portrait de Kafka.

— *Le Journal de Kafka,* deux extraits inédits traduits par
Marthe Robert, in *Arts,* N° 491, 24-30 novembre 1954, p. 7.

— *Journal, texte intégral, 1910-1923,* traduit et présenté par
Marthe Robert, Paris, Grasset, 1954.

— *Brunelda,* traduction et note préliminaire de Marthe Robert, in *La Nouvelle NRF,* N° 23, 1er novembre 1954, pp.
769-789

ANGELLOZ (J.-F.). — « *Die Theorie Kafkas* », *par Max Bense
(Kiepenheuer et Witsch, Cologne-Berlin* 1952). « *Franz
Kafka. Eine Betrachtung seines Werkes* », *par H.-S. Reiss
(Lambert Schneider, Heidelberg* 1952), in *Mercure de
France,* N° 1092, 1er août 1954, p. 724.

ANONYME. — *Trente ans après, l'Allemagne découvre à Paris
l'écrivain qui prophétisa le nazisme, Kafka,* in *Paris-Match,*
7 août 1954, p. 57.

BIANQUIS (Geneviève). — *H.-S. Reiss : « Franz Kafka. Eine
Betrachtung seines Werkes* », *Heidelberg* 1952, in *Etudes
Germaniques,* N°s 2-3, avril-septembre 1954, pp. 240-241.

BLANCHOT (Maurice). — *L'Echec de Milena,* in *La Nouvelle
NRF,* N° 23, 1er novembre 1954, pp. 875-888.

— *Kafka et Brod,* in *La Nouvelle NRF,* N° 22, 1er octobre
1954, pp. 695-707.

MAURIAC (Claude). — *Le « Journal » de Kafka,* in *Carrefour,*
N° 536, 22 décembre 1954, p. 9.

— *Du côté de chez Kafka : Camora Laye : « Le Regard du
Roi* » (*Plon*). *Jacques Sternberg : « Le Délit* » (*Plon*).
Jean-Charles Pichon : « Les Clés et la Prison » (*Stock*),
in *Carrefour,* N° 532, 24 novembre 1954, p. 9.

MICHA (René). — *Kafka à la scène et à l'écran,* in *La Nouvelle
NRF,* N° 23, 1er novembre 1954, pp. 915-917.

ROBERT (Marthe). — *Présentation* du *Journal* de Kafka, Grasset, 1954.

SERGENT (Serge). — *La Dame de Kafka et les secrets du « Château »*, in *Arts*, N° 473, 21-27 juillet 1954, pp. 1 et 3.

BÉGUIN (Albert). — *Réduit au squelette, Saint-Denys-Garneau*, in *Esprit*, N° 11, novembre 1954, pp. 640-649. Kafka pp. 640, 643.

— *Fin des mondes imaginaires ? Wladimir Weidlé : « Les Abeilles d'Aristée », Jean-Claude Brisville : « La Présence réelle », « D'un amour »*, in *Esprit*, N° 12, décembre 1954, pp. 808-817. Kafka p. 808.

BLANCHOT (Maurice). — *La Tour d'Ecrou*, in *La Nouvelle NRF*, N° 24, 1er décembre 1954, pp. 1062-1072. Kafka pp. 1062, 1063, 1064, 1065.

CARROUGES (Michel). — *L'initiation féerique*, in *Cahiers du Sud*, N° 324, août 1954, pp. 163-176. Kafka pp. 166, 173, 175.

— *Les Machines Célibataires*, Ed. Arcanes, 1954, Collection « Chiffres ». Kafka passim.

COCTEAU (Jean). — *Hommage à Kafka*, in *Clair-Obscur*, éd. du Rocher, Monaco, Copyright 1954, p. 172.

LABISSE (Félix). — Dessin original pour *Le Procès*, pièce tirée du roman de Kafka par André Gide et Jean-Louis Barrault. In *Cahiers de la Compagnie Madeleine Renaud-Jean-Louis Barrault*, 5e cahier, Julliard 1954, p. 2. Dans le même cahier : Kafka pp. 49, 56, 59, 60, 61, 62, 64, 72, 78, 79, 85.

ROUSSEAUX (André). — *Trois livres de Michel Carrouges : « Les Machines Célibataires » (Arcanes), « Charles Foucauld, explorateur mystique » (Ed. du Cerf), « Les Portes Dauphines » (Gallimard)*, in *Le Figaro littéraire*, N° 436, 28 août 1954, p. 2. Kafka y est mentionné.

WEIDLÉ (Wladimir). — *Les Abeilles d'Aristée*, Gallimard, 1954, Kafka pp. 309-313, 316.

1955

BLANCHET (André). — *Franz Kafka : « Journal »*, trad. par *Marthe Robert*, in *Etudes*, N° 6, juin 1955, p. 418.

BOISDEFFRE (Pierre de). — *Kierkegaard et Kafka*, in *La Revue de Paris*, juillet 1955, pp. 138-142.

DUTOURD (Jean). — *Kafka*, in *La Nouvelle NRF*, N° 36, 1ᵉʳ décembre 1955, pp. 1081-1090.

NADEAU (Maurice). — *Kafka et « L'Assaut contre les frontières »*, in *Les Lettres Nouvelles*, N° 24, février 1955, pp. 260-267.

ROUSSEAUX (André). — *Le « Journal » de Kafka*, in *Le Figaro littéraire*, N° 456, samedi 15 janvier 1955.

BLANCHOT (Maurice). — *Sur le Journal intime*, in *La Nouvelle NRF*, N° 28, avril 1955, pp. 683-691. Kafka p. 690.

— *L'Espace littéraire*, Gallimard, 1955. Kafka pp. 17, 47, 52-81, 88-94, 192, 193, 205, 206, 224.

FRANK (André). — *Feydeau, Kafka, Adamov...* in *Cahiers de la Compagnie Madeleine Renaud - Jean-Louis Barrault*, 10° cahier, Julliard 1955, pp. 126-127.

GUERRE (Pierre). — *« Les Machines Célibataires »*, par Michel Carrouges (*Arcades éd.*), in *Cahiers du Sud*, N° 331, octobre 1955, pp. 499-500. Kafka p. 499.

KEMP (Robert). — *Par eux-mêmes*, in *Les Nouvelles littéraires*, N° 1465, jeudi 29 septembre 1955, p. 2. Kafka mentionné à propos de « L'Espace littéraire », de Blanchot.

LALOU (René). — *« La vie des livres »*, par Robert Kemp, in *Les Nouvelles littéraires*, N° 1455, jeudi 21 juillet 1955, p. 3. Kafka y est mentionné.

LAURENT (Jacques). — *Ils attendent un peintre aveugle*, in *Arts*, N° 501, 2-8 février 1955, p. 1. Article contenant un passage intitulé : Faut-il lire Kafka pour peindre ?

PIA (Pascal). — *A un demi-siècle de distance. Emile Henriot : « Maîtres d'hier et contemporains »* (*Albin Michel*), in *Carrefour*, N° 569, mercredi 10 août 1955, p. 9. Kafka mentionné.

SERANT (Paul). — *Soeren Kierkegaard et l'inquiétude d'aujourd'hui*, in *Arts*, N° 532, 7-13 septembre 1955, p. 5. Kafka y est mentionné.

Sans Date

Le Da Costa Encyclopédique, Fascicule VII, volume II, Siège social : Cussay par Montreuil (Eure-et-Loire). Kafka pp. 220-221 (article : Escrocs).

Jullien (André). — *K*, étude sur Kafka, in *Nyza*, fascicule de revue anonyme, s. d. pp. 53-64.

Kafka (Franz). — *Le Devoir accompli,* nouvelle inédite, sans nom du traducteur, in *Nyza*, fascicule de revue anonyme, s. d. pp. 65-68.

INDEX DES NOMS

TABLE

VITA

Ich, Martha Julia (genannt Maja) Goth, von Basel, bin am 5. August 1923 in Arlesheim geboren als Tochter des Kaufmanns Julius Goth und der Martha Goth geb. Abt. Nach der Primarschule in Arlesheim besuchte ich das Mädchengymnasium in Basel, welches ich im Frühjahr 1942 mit dem eidgenössischen Maturitätszeugnis verliess. Von 1942 bis 1946, in welchem Jahre ich das Mittellehrerdiplom erwarb, studierte ich Romanische Philologie, Germanistik und Geschichte an der Universität Basel. Ich war sodann als Lehrerin tätig, insbesondere in Paris, wo ich Assistentin für deutsche Sprache am Lycée Fénelon wurde. Von 1951 bis 1955 studierte ich abermals an der Universität Basel Romanistik, Geschichte und Philosophie.

Meine akademischen Lehrer waren die Herren Professoren Albert Béguin, Georges Blin, Edgar Bonjour, Karl Jaspers, Werner Kaegi, Walter Muschg, Friedrich Ranke † und Walter von Wartburg. Ihnen allen fühle ich mich zu Dank verpflichtet. Mein besonderer Dank gilt Herrn Prof. Blin, unter dessen Leitung diese Arbeit entstanden ist.